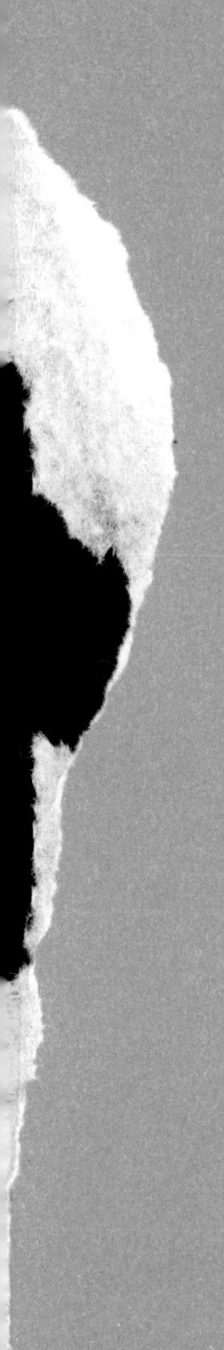

Книга-настроение

НОРА
РОБЕРТС

Последняя любовь

МОСКВА
2017

УДК 821.111-31(410)
ББК 84(4Вел)-44
Р58

Nora Roberts

INN BOONSBORO TRILOGY: THE LAST BOYFRIEND

Перевод с английского *И. Метлицкой*

Разработка серии и художественное
оформление *С. Власова*

Робертс, Нора.

Р58 Последняя любовь / Нора Робертс ; [пер. с англ. И. А. Метлицкой]. — Москва : Издательство «Э», 2017. — 352 с.

ISBN 978-5-04-004207-4

Детская влюбленность не гарантирует ни верности, ни счастья. А если это чувство всерьез и на всю жизнь? Эйвери Мактавиш в шутку называет Оуэна Монтгомери своей первой любовью потому, что по уши влюбилась в него, когда ей было шесть лет. Тогда она сразу заявила, что они поженятся, и Оуэн охотно подарил «невесте» пластмассовое колечко из автомата с жевательной резинкой. С тех пор прошло немало лет, и удивлению Оуэна нет предела, когда он узнает, что его лучшая подруга Эйвери бережно хранит его подарок...

УДК 821.111-31(410)
ББК 84(4Вел)-44

ISBN 978-5-04-004207-4

Дэну и Шарлотте.
За доверие, что помогло вам протянуть друг другу руки.
За щедрость и всеохватность этого объятия.
За чувство юмора, которое освещает ваши жизни.
И за любовь, такую яркую и многогранную,
что все объединяет.

Любовь всегда прекрасна и желанна,
Особенно — когда она нежданна.

Уильям Шекспир «Двенадцатая ночь»

Сердце имеет доводы, которых не знает разум.

Блез Паскаль «Мысли»

1

Полная зимняя луна освещала старинную каменную кладку гостиницы на городской площади. Штакетник и новенькие навесы над дверями блестели в лучах лунного света, медная крыша ярко сияла. Старое и новое — а вместе с ними прошлое и настоящее — слились здесь воедино, образовав крепкий и счастливый союз.

Этой декабрьской ночью окна гостиницы оставались темными, прятали ее секреты за тенями, но всего через несколько недель они засияют, подобно другим окнам на Центральной улице в Бунсборо.

Оуэн Монтгомери на своем грузовичке ждал зеленого сигнала светофора у городской площади и разглядывал магазины и жилые дома центральной улицы, охваченные веселой предпраздничной суетой. Огни мигали и танцевали. Нарядная рождественская елка украшала большое окно квартиры на втором этаже справа. Временное жилище отражало стиль Хоуп Бомонт, управляющей гостиницей, — сдержанную изысканность.

На следующее Рождество гостиница «Инн-Бунсборо» тоже будет вся в ярких огнях и зелени. А Хоуп Бомонт поставит красивую елочку у окна своей новой квартиры на третьем этаже.

Взглянув налево, Оуэн увидел, что Эйвери Мактавиш, владелица ресторана-пиццерии «Веста», уже украсила переднее крыльцо электрическими гирляндами. Наверху, в окнах ее квартиры, которая раньше принадлежала Бекетту, тоже виднелась рождественская елка. Сами окна были такими же темными, как окна гостиницы. Судя по движению в пиццерии, Эйвери еще работает.

Когда загорелся зеленый, Оуэн повернул направо на улицу Св. Павла, потом налево — на стоянку за гостиницей. Можно пойти в «Весту», посидеть там за пиццей и пивом до закрытия, а потом уже пройтись по отелю, посмотреть, что и как. Правда, особой необходимости в этом нет, но сегодня он здесь еще не был, занимался другими делами компании «Семейный подряд Монтгомери», встречался с разными людьми. А ждать до утра, чтобы взглянуть на то, что успели сделать братья и рабочие, не хочется.

В «Весте» еще толпился народ, хотя до закрытия оставалось не более получаса. Вряд ли Эйвери выставит его за дверь, подумал Оуэн, скорее, сядет с ним за стол и выпьет пива. Как ни заманчиво, лучше быстренько осмотреть гостиницу и вернуться домой. Завтра в семь утра нужно быть с инструментами на работе.

Доставая на ходу ключи, он выбрался из грузовичка на мороз. Высокий, как все братья Монтгомери, и поджарый, Оуэн прошел, втянув голову в воротник куртки, через вымощенный камнем внутренний двор к входу в фойе. Он предпочитал ключи с цветной маркировкой — привычка, которую его братья считали проявлением занудства, а сам он находил весьма полезной. Через несколько секунд он уже вошел в здание, включил свет и замер, улыбаясь, как идиот.

Орнамент в виде ковра, выложенный из декоративной плитки, подчеркивал пространство пола и добавлял нотку очарования неброско окрашенным стенам с деревянными панелями кремового цвета. Бекетт был прав, предложив оставить торцевую кирпичную стену неоштукатуренной. И мама угадала с люстрой. Не замысловатая, но и не обыденная, она со своими бронзовыми ветвями и вытянутыми плафонами уместно смотрелась над ковром из плитки.

Оуэн взглянул направо, заметил, что туалеты с узорчатым кафелем и раковинами из камня с зелеными прожилками уже покрасили. Он вытащил записную книжку, отметил, что нужно добавить несколько последних штрихов, и шагнул в каменную арку слева.

Еще оголенная кирпичная кладка — да, Бекетт настоящий мастер. Полки прачечной в безупречном порядке, чувствуется рука Хоуп, которая усилием воли выставила Райдера из его временного пристанища и устроила все по своему вкусу.

Оуэн задержался у будущего кабинета Хоуп, заметил там следы пребывания братца: импровизированный письменный стол из ко́злов и брошенной на них доски, толстую белую папку — сборник технических норм и условий, инструменты, банки с краской. «Ничего, Хоуп скоро снова его выдворит», — решил Оуэн.

Он пошел дальше и остановился полюбоваться кухней. Там уже установили освещение: большую железную конструкцию над кухонным «островом», светильники поменьше — у окон. Деревянные шкафчики теплых цветов, светлые аксессуары и полированный гранит выгодно подчеркивали блестящую кухонную технику из нержавеющей стали.

Оуэн открыл холодильник, потянулся за пивом, но вспомнил, что ему еще предстоит сесть за руль. Достав банку «Пепси», отметил в блокноте, что нужно позвонить насчет жалюзи и штор — уже почти все готово.

Он подошел к стойке регистрации, оценивающе оглядел помещение и снова ухмыльнулся. Каминная полка, которую Райдер смастерил из толстой старой доски от сарая, хорошо смотрелась с кирпичной кладкой и глубокой открытой топкой. Сейчас вокруг валялись куски брезента, банки с краской и инструменты. Оуэн сделал еще несколько пометок и побрел назад, прошел через первую арку и, пересекая фойе, замер на мгновение у будущей гостиной, когда услышал шаги на втором этаже. Следующая арка вела в маленький коридорчик перед лестницей. Там Оуэн увидел Лютера, поглощенного работой над железными перилами.

— Ну ладно, все великолепно. Рай? Ты там, наверху?

Дверь сама по себе закрылась, заставив Оуэна вздрогнуть. Поднявшись на второй этаж, он прищурил спокойные голубые глаза. Братья охотно над ним подшучивали, и будь он проклят, если даст им очередной повод для смеха.

— О-ой! — протянул он в притворном ужасе. — Никак привидение... Боюсь-боюсь!

Дверь номера «Элизабет и Дарси» была закрыта, а дверь напротив, в номер «Оберон и Титания», наоборот, открыта[1].

«Очень смешно», — недовольно подумал Оуэн.

Он тихо подошел ближе, собираясь внезапно открыть дверь, войти и дать взбучку тому из братьев, кто решил позабавиться. Взялся за изогнутую ручку, осторожно опустил вниз и толкнул.

Дверь не подалась.

---

[1] Отель «Инн-Бунсборо» существует на самом деле и принадлежит Норе Робертс. Номера в гостинице названы в честь знаменитых пар из литературных произведений — Элизабет и Дарси («Гордость и предубеждение» Д. Остин), Оберона и Титании («Сон в летнюю ночь» У. Шекспир) и т. д. *(Здесь и далее — прим. перевод.)*

— Завязывай, придурок! — буркнул Оуэн, невольно усмехнувшись.

Наконец дверь распахнулась, а вместе с ней обе двери на террасу. В струе ледяного воздуха повеяло запахом жимолости, сладким как лето.

— О господи.

Он почти смирился с призраком, почти поверил в него. В конце концов, необъяснимое в отеле действительно случалось, да и Бекетт был искренне убежден, что привидение существует. Он считал, что это женщина, и даже назвал ее Элизабет — в честь облюбованного ею номера. Однако сам Оуэн столкнулся с ней впервые и сейчас застыл с отвисшей челюстью, глядя, как дверь в ванную захлопнулась, потом распахнулась и снова закрылась.

— Ну, хорошо-хорошо. Извини, что помешал. Я просто...

Дверь опять захлопнулась, прямо перед лицом Оуэна, — он едва успел отскочить, чудом избежав удара по носу.

— Эй, хватит уже! Ты наверняка меня знаешь, я здесь почти каждый день бываю. Оуэн, брат Бекетта. Я пришел с миром.

Дверь хлопнула, и Оуэн поморщился от громкого звука.

— Полегче с имуществом, ладно? В чем дело? Я... А-а, кажется, понял.

Он откашлялся, стянул с головы шерстяную шапку, взъерошил обеими руками густые темно-каштановые волосы.

— Послушай, я обругал не тебя. Думал, что это Рай. Ты же знаешь моего второго братца, Райдера? Согласись, порой он и вправду ведет себя как придурок. А я стою в коридоре и объясняюсь с призраком.

Дверь слегка приотворилась. Оуэн осторожно ее открыл.

— Я только закрою двери на террасу.

От звука собственного голоса, гулко отозвавшегося в пустой комнате, Оуэну стало не по себе, но он засунул шапку в карман куртки, потом подошел к дальней двери и закрыл ее. Уже у второй двери он заметил, что в квартире над рестораном горит свет. У окна мелькнула тень Эйвери.

Сквозняк затих, аромат жимолости стал еще слаще.

— Я и раньше чувствовал твой запах, — пробормотал Оуэн, по-прежнему глядя на окна Эйвери. — Бекетт рассказывает, что ты предупредила его в ту ночь, когда этот козел — прости за выражение! — Сэм Фримонт приставал к Клэр. Так что спасибо. Они решили пожениться, Бек и Клэр, да ты, наверное, знаешь. Он почти всю свою жизнь ее любит.

Дверь в ванную теперь была открыта, и Оуэн увидел свое отражение в зеркале с изогнутой металлической рамой, которое висело над туалетным столиком.

Пришлось признать, что вид у него испуганный, а торчащие вихры довершают образ. Оуэн машинально пригладил волосы пятерней, пытаясь унять непослушную шевелюру.

— Вот, хожу по зданию, отмечаю, что еще нужно. Сейчас мы в основном все доделываем. Не здесь, конечно, этот номер уже готов. Думаю, ребята хотели закончить с ним в первую очередь. Не обижайтесь, но кое-кто из них слегка испугался. Ладно, я сейчас уйду. Увидимся... или не увидимся...

«В общем, как получится», — решил он и задом вышел из номера.

Минут тридцать Оуэн ходил из комнаты в комнату, с этажа на этаж, что-то записывал в блокноте. Несколько раз в воздухе чувствовался аромат жимолости, или открывалась дверь. По правде говоря, призрак вел себя вполне дружелюбно, однако Оуэн не стал бы отрицать, что испытал облегчение, заперев гостиницу на ночь.

* * *

Под ботинками хрустел иней, когда Оуэн за полчаса до рассвета вошел в гостиницу, балансируя лотком со стаканчиками кофе и коробкой пончиков. Пройдя сразу на кухню, он оставил там кофе, пончики и портфель, направился к стойке регистрации и включил газ в камине — поднять себе настроение. Радуясь теплу и свету, снял перчатки и засунул в карманы куртки.

Вернувшись на кухню, он достал из портфеля блокнот и стал в очередной раз просматривать план на день. Телефон на ремне запищал, напоминая, что подошло время утреннего собрания.

Оуэн уже съел половину глазированного пончика, когда услышал, как подъехал грузовичок Райдера. На братце была фирменная кепка их семейной компании, объемная, изрядно поношенная рабочая куртка, в хмуром взгляде читалось: «Срочно нужен кофе». Тупорылый, пес Райдера, протрусил за хозяином, втянул носом воздух и жадно уставился на вторую половинку пончика.

Райдер хмыкнул и потянулся за кофе.

— Это для Бека, — сообщил Оуэн, не глядя на брата. — Понятно по букве Б.

Райдер снова хмыкнул и взял высокий бумажный стаканчик с буквой Р. Сделал приличный глоток, заметил пончики и выбрал с джемом. Тэ-Эр — сокращенно от Тупорылый — завилял хвостом, и Райдер бросил ему кусочек.

— Бек опаздывает, — заметил Оуэн.

— Зачем встречаться ни свет ни заря?

Райдер откусил огромный кусок пончика, запил кофе. Он не успел побриться, лицо с резкими чертами заросло темной щетиной, но под действием кофеина и сахара зеленые с золотистыми искорками глаза прояснились, хмурая сонливость исчезла.

— Нас будут отвлекать, когда все соберутся. Вчера вечером я заезжал сюда, посмотрел, что и как. Вы неплохо поработали.

— Чертовски верно. Сегодня утром закончим всю мелочовку на третьем этаже. Нужно разобраться с карнизами и лампами, установить сушилки для полотенец в паре номеров на втором. Лютер доделывает поручни и перила.

— Видел. У меня тут кое-какие замечания.

— Да уж, не сомневаюсь.

— Наверное, будут еще, когда я закончу со вторым этажом и поднимусь на третий.

— Ну и зачем ждать?

Райдер взял второй пончик и направился к двери. Бросил, не глядя, кусок псу, трусившему следом. Тупорылый поймал угощение с ловкостью, достойной обладателя приза «Золотая перчатка».

— Бекетт еще не приехал.

— У него подруга и трое детей, — напомнил Райдер. — Им с утра в школу. Приедет, когда сможет, потом догонит.

— Внизу надо кое-где подкрасить, — начал Оуэн.

— Вижу.

— Я хочу, чтобы уже начали устанавливать жалюзи. Если сегодня закончим третий этаж, то в начале следующей недели можно будет повесить шторы.

— Хотя ребята все убрали, нужно навести лоск, и без управляющей гостиницей здесь не обойтись.

— Я скажу Хоуп. Еще я хочу договориться с окружными властями, чтобы нам разрешили завозить мебель и прочее барахло.

Райдер, прищурившись, посмотрел на Оуэна.

— У нас еще две недели, не считая праздников.

Однако брат, как всегда, уже подготовил план.

— Закончим полностью третий этаж, Рай, и двинемся вниз. Думаешь, мама и Кароли — не говоря уже о Хоуп! — не станут рыскать вокруг и скупать всякую дребедень даже после того, как мы все расставим?

— Само собой, станут. Будут путаться под ногами...

Они уже поднимались на третий этаж, когда внизу хлопнула дверь.

— Мы наверху! — крикнул Оуэн. — А кофе на кухне!

— Слава богу!

— Можно подумать, за кофе ходил бог, — проворчал Оуэн и погладил натертую до блеска овальную бронзовую табличку с выгравированной надписью «Управляющий». — Элегантный штрих.

— В отеле их полно, — сказал Райдер.

Братья вошли в квартирку управляющей.

— Неплохо выглядит, — признал Оуэн, пройдясь по маленькой кухоньке, заглянув в ванную и осмотрев обе спальни. — Приятное и удобное местечко. Милое, но рациональное, совсем как наша управляющая.

— Придирчивая зануда, почти как ты.

— Полегче, братец. Не забудь, кто снабжает тебя пончиками.

При слове «пончики» Тэ-Эр энергично завилял всем телом.

— Хватит с тебя, приятель, — сказал Райдер, и пес, вздохнув, улегся на пол.

Оуэн посмотрел на Бекетта, поднимающегося по ступенькам. Чисто выбрит, выглядит вполне бодрым, разве что взгляд слегка затравленный, как, наверное, у всех мужчин, которым пришлось пережить утренний хаос, когда трое детей в возрасте до десяти лет собираются в школу.

Оуэн еще помнил собственные сборы в школу и удивлялся, что его родители не подсели на сильнодействующие успокоительные.

— Одна из собак заблевала кровать Мерфи, — объявил Бекетт.

— Отлично. Оуэн говорит о шторах и мебели.

Бекетт остановился, чтобы погладить Тупорылого по голове.

— Нам еще нужно навести порядок, кое-что подкрасить и доделать мелочовку.

— Только не на этом этаже. — Оуэн подошел к первому из двух люксов, «Пентхаусу». — Пора бы его обставить. А Хоуп уже может перебираться к себе. А что с номером «Уэстли и Баттеркап»?[1]

— Готов. Вчера повесили зеркало в ванной и светильники.

— Тогда я скажу Хоуп, пусть тащат швабры и отдраят здесь все до блеска.

Хотя Оуэн доверял Райдеру, все же решил сам проверить номер.

— У нее есть список, пусть сбегает в мебельный магазин «Баст» и закажет все необходимое.

Он сделал несколько пометок в блокноте — завезти полотенца и постельное белье, купить лампочки и тому подобное. Бекетт и Райдер обменялись взглядами за его спиной.

— Я думал, мы обставляем гостиницу.

— Не знаю, кто это «мы», — поправил Райдер, — но точно не я и не мои люди. Нам нужно закончить это чертово здание.

— Не ворчи на меня. — Бекетт шутливо поднял руки. — Надо внести изменения в проект булочной по соседству, если мы хотим перебросить туда людей без задержки.

— А я бы задержался, чуток времени не помешает, — проворчал Райдер, однако пошел за Оуэном.

Оуэн остановился у номера «Элизабет и Дарси», внимательно осмотрел открытую и подпертую дверь.

---

[1] Герои романа «Принцесса-невеста» (1973), написанного американским писателем и сценаристом Уильямом Голдманом (William Goldman).

— Бекетт, может, поговоришь со своей приятельницей Лиззи? Пусть эта дверь будет открыта, а двери на террасу закрыты.

— Все так и есть — открыта, закрыты.

— Это сейчас, а вчера вечером Лиззи слегка побуянила.

Бекетт удивленно поднял брови.

— Неужели?

— Я впервые встретился с ней лично. Обходил вечером гостиницу, услышал наверху шум. Подумал, что кто-то из вас меня разыгрывает, ну и выругался. А Лиззи обиделась. Дала понять, что ей это не нравится.

Бекетт широко улыбнулся.

— Да уж, характерец у нее тот еще!

— Рассказываешь! Думаю, мы помирились, но на всякий случай, если она еще сердится.

— Мы здесь уже все сделали, — вмешался Райдер. — В номере «Оберон и Титания» тоже. Нужно закончить с карнизами и плинтусами в номере «Ник и Нора»[1], кое-что доделать в номере «Ева и Рорк»[2] и повесить в ванной комнате светильник — вчера его наконец привезли. В номере «Джейн и Рочестер» полно ящиков и коробок. Лампы, люстры, снова лампы, полки и бог знает что еще. Но все уберем.

Райдер постучал себя по голове, пес подошел к нему и уселся рядом.

— Видишь, у меня тоже есть список. Только я не записываю всякую ерунду в десятке разных мест.

— Крючки для купальных халатов, держатели для полотенец и туалетной бумаги... — начал перечислять Оуэн.

---

[1] Герои романа Дэшила Хэммета «Худой человек» («Thin man», 1932).

[2] Герои серии остросюжетных детективных романов «Следствие ведет Ева Даллас» Норы Робертс. В США эта серия называется «In Death» («В Смерти») и выходит под псевдонимом J. D. Robb (Джей Ди Робб).

— Будут сегодня.

— Зеркала, телевизоры, щитки переключателей и лицевые панели для розеток, ограничители для дверей...

— Будут.

— У тебя записано, куда что устанавливать?

— Не нуди, тетушка.

— Еще потребуются указатели выхода. — Оуэн вошел в столовую, продолжая по списку. — Сюда повесьте бра. И еще шкафчики, которые мы сделали для огнетушителей, — покрасьте их и установите.

— Начнем, как только ты заткнешься.

— Буклеты, сайт, реклама, окончательная корректировка цен, специальные предложения, папки с информацией для каждого номера.

— Не мое дело.

— Точно. Считай, тебе повезло. Сколько потребуется времени, чтобы закончить проект булочной?

Оуэн повернулся к Бекетту.

— Я собираюсь отвезти все чертежи в контору по выдаче разрешений завтра утром.

— Отлично. — Оуэн достал мобильник, переключил в режим «Календарь». — Давайте-ка зафиксируем. Я скажу Хоуп, что можно начинать бронирование на пятнадцатое января. Устроим шикарное открытие тринадцатого, останется еще день, чтобы убрать после приема. И все, считай, закончили.

— Это же меньше месяца! — возмутился Райдер.

— И ты, и мы с Беком знаем, что работы здесь недели на две, не больше. К Рождеству управишься. Если на этой неделе начнем обустраивать номера, то к первому января все сделаем, а сразу после праздников оформим страховку от перерыва деятельности предприятия. Останется две недели на всякую мелочовку и доработки. К тому времени и Хоуп сюда переберется.

— Я согласен с Оуэном, мы уже едем под гору, Рай, — заметил Бекетт.

Засунув руки в карманы, Райдер пожал плечами.

— Наверное, мне просто странно думать, что мы почти у финиша.

— Выше нос, — подбодрил Оуэн. — В таком месте, как это, всегда найдется работа.

Райдер кивнул. Задняя дверь открылась, потом закрылась, послышался топот тяжелых ботинок по кафельному полу.

— Ребята пришли. Берите инструменты и за дело.

* * *

Оуэн с удовольствием занялся карнизами. Время от времени приходилось отвлекаться — отвечать на звонки, отправлять сообщения или читать почту, но он не возражал. Для него телефон был таким же рабочим инструментом, как строительно-монтажный пистолет. В здании кипела бурная деятельность, гудели голоса, играло радио. Пахло краской, свежераспиленными досками и крепким кофе. Все вместе ассоциировалось с «Семейным подрядом Монтгомери» и напоминало об отце.

Всему, что Оуэн знал о плотничьем и строительном деле, его научил отец. И сейчас, спустившись со стремянки, Оуэн чувствовал, что отец бы ими гордился. Старое здание с выбитыми окнами, просевшими крылечками, обшарпанными стенами и покореженным полом они превратили в настоящее украшение городской площади. Оуэн подумал, что дальновидность Беккета, мамино воображение и наметанный глаз, трудолюбие и мастерство Райдера, его собственное умение сосредоточиться на деталях, а также отличная команда воплотили рожденную за кухонным столом идею в реальность.

Он положил пистолет, размял плечи и оглядел комнату. Да, мамин наметанный глаз... Поначалу Оуэн был не в восторге от предложенного ею сочетания шоколадно-коричневого потолка и бледно-голубых стен, но только до тех пор, пока не увидел номер «Ник и Нора» воочию. Шикарно, по-другому и не скажешь, а ванная комната — вообще квинтэссенция шика и утонченности. Та же цветовая гамма, дополненная синью стеклянной плитки на стенах и контрастирующая с коричневым на коричневом, все блестит и сияет в свете хрустальной люстры. Надо же, люстра в сортире, подумал Оуэн, качая головой. Но, черт возьми, впечатляет. Незаурядно и не похоже на обычный гостиничный номер, сразу видно — работа Жюстины Монтгомери.

Сигнал телефона напомнил, что пора сделать несколько звонков. Оуэн направился к выходящей на террасу задней двери, а Лютер занялся перилами. Стуча зубами, Оуэн пробежал под холодным пронизывающим ветром через крытую террасу, спустился на нулевой этаж и пошел к стойке регистрации.

— Ну и мороз! — буркнул он.

Радио гремело во всю мощь, молотки стучали; спокойно поговорить не удастся. Взяв куртку и портфель, Оуэн поспешил в фойе, где на полу сидел Бекетт и что-то мастерил.

— Я иду в «Весту».

— Еще нет десяти, там закрыто.

— Вот именно.

Выйдя на улицу, Оуэн остановился у светофора, ежась от холода и ругая про себя машины, которые медленно ползли одна за другой и не давали перебежать дорогу. Выдыхая клубы пара, он дождался зеленого света, рванул по диагонали к ресторану и, не обращая внимания на табличку «Закрыто», постучал в стеклянную дверь.

Хотя внутри горел свет, никого не было видно. Оуэн вытащил мобильник и по памяти набрал номер Эйвери.

— Черт возьми, Оуэн, из-за тебя у меня весь телефон в тесте!

— Ага, ты уже здесь. Открывай скорей, пока я не заледенел.

Эйвери еще раз чертыхнулась и повесила трубку, но спустя несколько секунд Оуэн увидел ее в длинном белом фартуке поверх джинсов и черного свитера с закатанными по локоть рукавами. А ее волосы, какого они теперь цвета? Оуэн удивился, заметив, что они отливают начищенной медью, совсем как крыша их гостиницы.

Эйвери начала красить волосы несколько месяцев назад и перебрала почти все оттенки, кроме своего натурального цвета — огненно-рыжего, как у шотландской королевы-воительницы. Недавно она коротко подстриглась, хотя волосы уже немного отросли, и их можно было собрать в короткий хвостик, чтобы не мешали работать.

Открывая замок, Эйвери бросила на Оуэна недовольный взгляд голубых глаз, блестевших так же ярко, как волосы.

— Чего тебе нужно? — сурово спросила она. — Я готовлюсь к открытию.

— Немного пространства и тишины. Ты меня даже не заметишь. — Оуэн протиснулся внутрь, чтобы Эйвери не захлопнула дверь перед его носом. — Из-за шума в том здании через дорогу я не могу разговаривать по телефону, а мне нужно сделать несколько звонков.

Эйвери подозрительно прищурилась на его портфель. Оуэн обаятельно улыбнулся.

— Ну, ладно, мне нужно поработать с бумагами. Сяду за стойку и буду вести себя тихо-тихо.

— Хорошо, только не путайся под ногами.

— Э-э, маленькая просьба, пока ты не ушла. У тебя случайно нет кофе?

— Случайно нет. Я месила тесто, и оно теперь на моем новом мобильнике. Вчера я работала до самого закрытия, а в восемь утра позвонила Фрэнни, сказала, что заболела. Причем таким голосом, словно ее горло пропустили через мясорубку. Двое официантов слегли с простудой еще вчера, следовательно, сегодня мне опять придется вкалывать допоздна. Дейв не может выйти вечером — в четыре часа ему пломбируют канал, а в половине первого приезжает автобусная экскурсия.

Слова Эйвери звучали резко, как удары хлыста, и Оуэн только кивнул.

— В общем... — Девушка показала на длинную стойку. — Делай, что хочешь.

Она умчалась на кухню, только мелькнули ярко-зеленые кроссовки. Оуэн предложил бы ей помощь, но Эйвери явно была не в настроении. Он знал ее как облупленную — почти всю жизнь! — и понял, что она торопится, нервничает и устала. Впрочем, Эйвери справится. Она всегда справлялась. Бойкая рыжеволосая малявка из его детства, бывшая девушка из школьной группы поддержки — они с Клэр, подругой Бекетта, на пару возглавляли команду черлидерш, — стала трудолюбивым ресторатором. И готовит потрясающую пиццу.

Эйвери оставила за собой легкий аромат лимона и заряд бодрости. Оуэн сел у стойки под стук и звяканье, которые доносились из кухни. Ему вдруг пришло в голову, что эти звуки умиротворяют и настраивают на рабочий лад. Он открыл портфель, вытащил айпад, блокнот и снял с пояса мобильник.

Оуэн звонил, посылал е-мейлы и сообщения, делал пометки в календаре, подсчитывал — с головой ушел в работу и отвлекся, только когда перед ним поставили стакан кофе.

— Спасибо. Не стоило беспокоиться, я буквально на минутку.

— Оуэн, ты сидишь здесь уже сорок минут.

— Правда? Не заметил. Хочешь, чтобы я ушел?

— Без разницы. — Эйвери устало потерла поясницу. — У меня все под контролем.

Теперь пахло по-другому, и Оуэн заметил, что Эйвери уже поставила на большую плиту кастрюльки с соусами. Да, решил он, может, рыжие волосы и молочно-белая кожа с россыпью веснушек и выдают шотландское происхождение Эйвери, но ее пицца «Маринара» такая же итальянская, как костюм от Армани.

Девушка присела на корточки у холодильника под стойкой и начала наполнять контейнеры с начинками для пиццы.

— Жаль, что Фрэнни не выйдет, — сказал Оуэн.

— Мне тоже. Ей на самом деле очень плохо. А Дейв мучается зубами. После обеда он заглянет на пару часов, но только потому, что у меня не хватает людей. Не хотелось его просить.

Пока Эйвери занималась делами, Оуэн изучал ее лицо и только теперь заметил синие круги под глазами.

— У тебя усталый вид.

Эйвери бросила на него уничтожающий взгляд над миской с оливками.

— Спасибо. Девушки обожают, когда им это говорят. — Она пожала плечами. — Я и вправду устала. Думала, что высплюсь утром — Фрэнни должна была открыть, а я бы подошла к половине первого. С тех пор как я сюда переехала, у меня почти не было свободного времени, вот я и посмотрела шоу Джимми Фэллона, потом закончила книгу, которую пыталась дочитать всю неделю. В общем, уснула в два часа ночи, а в восемь позвонила Фрэнни. Шесть часов сна не так уж мало, если не работаешь в две смены.

— Во всем есть свои плюсы. Зато хорошо идут дела.

— Подумаю о плюсах после автобусной экскурсии. Ладно, хватит обо мне. Как у вас с гостиницей?

— Прекрасно. Завтра собираемся обставлять третий этаж.

— Чем?

— Мебелью, Эйвери.

Она поставила миску и вытаращила глаза.

— Правда? Ты серьезно?

— Сегодня после обеда приедет инспектор, посмотрит и решит, давать разрешение или нет. Думаю, что разрешит, нет причин для отказа. Я только что говорил с Хоуп, она займется уборкой. Мои мама и тетя тоже придут помочь, а может, уже пришли, сейчас почти одиннадцать.

— Я бы поучаствовала, да не могу.

— Ничего страшного, у нас полно рабочих рук.

— Мои будут нелишними. Может, завтра, все зависит от болезней и зубных каналов. Господи, Оуэн, как здорово! — Эйвери пританцовывала от радости. — И ты целый час молчал?

— Тебе было некогда, и ты на меня ворчала.

— Выложил бы все сразу, я бы обрадовалась и не ворчала. Сам виноват.

— Может, присядешь на пару минут?

— Сегодня мне придется все время двигаться, как акуле.

Она со стуком опустила крышку, поставила миску на место и подошла к плите: проверить соусы.

Оуэн следил за тем, как она работает. Похоже, Эйвери умудрялась делать полдюжины дел одновременно, как будто жонглировала мячиками, подхватывая отскочившие и вновь подкидывая их ввысь. Оуэну с его любовью к организованности и порядку это казалось удивительным.

— Мне пора возвращаться. Спасибо за кофе.

— Не за что. Если кто из ребят захочет здесь перекусить, пусть ждут до половины второго. Народу будет меньше.

— Хорошо.

Оуэн собрал свои вещи и пошел к выходу, но замер у самой двери.

— Слушай, Эйвери, а какой это цвет? Я имею в виду твои волосы.

— Ярко-медный.

Он ухмыльнулся и покачал головой:

— Я так и знал. Увидимся.

2

Оуэн застегнул пояс для инструментов и сверил свой список недоделок с Райдеровым.

— На третьем этаже полно женщин, — сообщил брат с оттенком горечи в голосе.

— Голых?

— Мама...

— Хорошо, давай об одетых.

— Мама, Кароли, управляющая гостиницей. Клэр, наверное, тоже там. Просто кишмя кишат, все время спускаются вниз и что-то спрашивают.

Райдер взял банку «Гаторейда» с кухонного «острова», заваленного чертежами и прочими бумагами, — он перебрался сюда после того, как Хоуп выставила его из своего будущего кабинета.

— Ты их позвал, тебе и отвечать на их дурацкие вопросы. И вообще, где тебя носило?

— Я же предупредил, что пойду к Эйвери — сделать пару звонков. Инспектор осмотрит третий этаж и скажет, можно ли обставлять номера. Я договорился насчет мебели для верхних номеров, будут расставлять завтра утром. С жалюзи тоже решили — начнут установку после обеда. Продолжить?

— У меня от тебя голова болит.

— Вот поэтому мне приходится звонить самому. В два часа займусь окончательной отделкой.

— Третий этаж, братец. — Райдер ткнул Оуэна пальцем в грудь. — Женщины. И все в твоем распоряжении.

— Ладно-ладно.

Оуэну хотелось работать, включиться в ритм перфораторов, молотков и электродрелей. Однако он обошел гостиницу, проклиная холод, взбежал по ступенькам и оказался в царстве женщин.

Пахло духами, лосьоном и моющим средством с лимонной отдушкой. Звонкие женские голоса перекрывали доносящийся снизу шум. Мать была в «Пентхаусе» — стоя на коленях, отмывала пол в душевой кабине. Жюстина собрала свои темные волосы в узел и закатала рукава мешковатого серого джемпера. Она была в наушниках и ритмично двигала под музыку обтянутым джинсами задом.

Оуэн обошел стеклянную конструкцию, присел на корточки. Мать не вздрогнула от неожиданности: по ее собственным заверениям, она обладала еще одной парой глаз, на затылке, и Оуэн ей верил. Жюстина подняла голову, улыбнулась сыну и сняла наушники.

— До чего же классно! — сказала она.

— Ты готова к этому, мам?

— Конечно. Отдраим все до блеска, хотя, честно говоря, я забыла, что такое въевшаяся строительная грязь. Мы разделились. Кароли убирает в номере «Уэстли и Баттеркап», а Хоуп занимается своей квартирой. Клэр обещала прийти помочь после обеда.

— Я только что вернулся из «Весты». Фрэнни заболела, а Эйвери ждет автобус с туристами. Она тоже хочет поучаствовать в уборке. — Оуэн бросил взгляд на ведро с мыльной водой. — Один бог знает почему.

— Такая работа приносит определенное удовлетворение. Ты только посмотри, Оуэн. — Жюстина переколола пару шпилек и огляделась. — Посмотри, что вы с братьями сделали.

— Мы с нашей мамой, — поправил Оуэн, вызвав у нее улыбку.

— Ты прав, черт возьми. Раз уж ты здесь, вытащи из этой коробки полочки. Одна будет здесь, а другая — вон там, — показала она.

— Здесь будут полки?

— Да, когда ты их повесишь. А потом можешь позвать кого-нибудь из ребят, пусть помогут повесить зеркало в спальне. Скажешь, как будешь готов, я покажу, куда.

— Подожди, я запишу.

Значит, ему все-таки удастся поработать инструментами, подумал Оуэн. Может, и не так, как он привык — со списком, из которого вычеркивается все, что уже выполнено, — но все-таки удастся.

Повесив декоративные полочки, Оуэн позвал рабочего, чтобы тот помог ему занести большое настенное зеркало в узорчатой позолоченной раме. Жюстина стояла, подбоченясь, и командовала:

— Чуть левее, чуть выше; нет, ниже...

Она вновь занялась уборкой, пока Оуэн отмечал, измерял и сверлил.

— Все готово! — крикнул он.

— Секундочку!

Мать с шумом выплеснула из ведра воду и, войдя в комнату, снова уперла руки в бока.

— Мне нравится!

Подойдя к Оуэну, она встала так, чтобы зеркало отражало их обоих, улыбнулась и обняла сына за талию.

— Отлично. Спасибо. Сходи, пожалуйста, за Хоуп. Она знает, что нужно поднять наверх. А мне предстоит отмыть еще целый акр кафеля.

— Я могу кого-нибудь нанять.

Жюстина покачала головой:

— Пока это семейное дело.

Оуэн шел через холл и думал, что, похоже, Хоуп Бомонт приняли в семью. Его мать сразу нашла с ней общий язык.

Бывшая королева красоты стояла на стремянке в кухне и полировала дверцы шкафчиков. Темные волосы закрывала бандана, из заднего кармана заляпанных белой краской и продранных на правом колене джинсов свисала тряпка.

Хоуп оглянулась и резко выдохнула, сдувая со лба колючую челку.

— Теперь выглядит гораздо чище.

— Строительная грязь въедается, — заметил Оуэн.

Стоит ли говорить, что скоблить и чистить придется еще много дней? Сама поймет, решил он и сказал:

— У вас неплохо получается.

— Это точно. — Хоуп присела на табурет, взяла со стола бутылку с водой и открутила крышечку. — Неужели завтра мы уже поднимем наверх мебель?

— Почему бы и нет?

Хоуп сделала глоток и улыбнулась. У нее был хрипловатый голос, который как нельзя лучше подходил к образу томной красавицы с большими темными глазами и чувственным ртом. Оуэн считал, что не помешает, если гостиницей будет управлять такая красотка, но гораздо больше ему импонировали организованность и сноровка Хоуп, которые могли бы соперничать с его собственными.

— У тебя есть свободная минутка? Мама сказала, что ты хочешь поднять кое-какие вещи на второй этаж.

— И на первый тоже, если сумеем туда их втиснуть. Чем больше коробок и ящиков мы освободим, тем легче будет убрать номера и занести мебель.

— Дельное замечание, — кивнул Оуэн, отметив, что эта женщина говорит с ним на одном языке. — Что тебе здесь сделать?

— Повесить несколько полок.

Похоже, сегодня день полок...

— Хорошо.

— Буду очень признательна. Они в другой квартире, позже принесу.

— Я могу кого-нибудь послать.

— Да, если найдется не слишком занятый человек. Но сначала нужно разобраться с делами на месте. Я приготовила все, что Жюстина хочет повесить в номере «Джейн и Рочестер».

«Мы одинаково мыслим», — мелькнуло у Оуэна.

— Принести тебе пальто? — спросил он, когда Хоуп поднялась со стула.

— Обойдусь, идти-то всего ничего.

Тем не менее она опустила закатанные рукава джемпера.

— Утром я разговаривала с Эйвери, — сообщила Хоуп, когда они с Оуэном шли к заднему выходу. — Она совсем замоталась из-за нехватки персонала. Я надеялась, что смогу ей сегодня помочь, но, похоже, мы проведем здесь весь вечер.

На улице Хоуп придержала рукой бандану, чтобы ее не сорвал ветер.

— Готова поспорить, что Эйвери замучают заказами на дом. Кому захочется выходить в такой холод?

Хоуп протиснулась в номер «Джейн и Рочестер», потерла руки.

— Можно заняться номером «Уэстли и Баттеркап». Или, раз уж мы здесь, начнем отсюда, будем двигаться назад, ко второму этажу. Сюда нужны полки в ванную и зеркало. — Она постучала по аккуратно подписанной коробке. — А вот и зеркало.

Она перечислила и показала аксессуары для всех номеров до первого этажа включительно.

— Да, тут есть чем заняться, — сказал Оуэн. — Давай начнем прямо отсюда.

— Отлично. Я покажу, что куда вешать, а потом не буду путаться у тебя под ногами. Если возникнут вопросы, пошлешь кого-нибудь за мной наверх.

Хоуп вытащила из кармана складной нож и вскрыла коробку.

— Мне нравятся женщины, у которых всегда найдется нож.

— С тех пор, как я сюда переехала, мой запас инструментов изрядно пополнился. Я даже хотела купить перфоратор, но потом поняла, что это уже слишком. — Она вытащила две резные медные полочки. — Пришлось компенсировать офисными принадлежностями. Как насчет новых папок и разноцветных стикеров?

— Я-то не против.

Они весело болтали, пока Хоуп показывала высоту и место, а Оуэн замерял, ровнял и сверлил.

— Превосходно. Посмотри, как старое золото рамы сочетается с медью ванной, кафелем и полочками. Жюстина будет в восторге. — Обойдя ванную, Хоуп направилась в спальню. — Ужасно хочу поскорее обставить эту комнату! Все комнаты! Думаю, что благодаря камину и роскошной кровати этот номер станет одним из самых популярных.

Она вытащила из кармана записную книжку, проверила предметы по списку, сделала несколько пометок и сунула книжку обратно. Оуэн ухмыльнулся.

— Хорошо, что кто-то меня понимает!

— Записи значительно облегчают дальнейшую работу.

— И снова согласен.

Они вместе собрали пустые коробки и вынесли на террасу.

Хоуп хотела войти в номер «Ева и Рорк» и едва не налетела на Райдера.

— Мама просит повесить люстру. Где она, черт возьми?

— У меня в руках, — сказал Оуэн.

— Тогда ты и вешай.

— Что я и собирался сделать. Хоуп оставила вещи в своей старой квартире. Может, сходишь за ними?

— Сама потом принесу, — вмешалась Хоуп.

— Какие вещи и где они конкретно?

— Настенные полки для ванной и гостиной. Лежат в подписанных коробках в кладовке. Вернее, во второй спальне. Я использую ее как кладовку.

— Я принесу.

Райдер хотел было уйти, но Хоуп его остановила.

— Тебе понадобится ключ, — сказала она, достала ключ из переднего кармана и вручила Райдеру.

Райдер сунул ключ в карман.

— В этих коробках есть дверные вешалки?

— В некоторых, — ответил Оуэн.

— Ради бога, достань. Не хочу больше о них слышать. Где вешалка для номера, оборудованного для инвалидов?

У Хоуп затекли руки, и она поставила коробки на пол.

— В номере «Джейн и Рочестер» возле стены, выходящей на улицу Св. Павла, в коробке с надписью «Вешалка для одежды, «Маргарита и Перси»[1]. Если ты ее возьмешь, то, может, захочешь забрать сразу и полочки для ванной, они в двух коробках с надписью «Полки для ванной, «Маргарита и Перси». Только не вешай их без меня или Жюстины. И еще, возле раковины мы хотим повесить маленькую угловую полочку.

Хоуп вытащила записную книжку, пролистала.

— Вот примерные замеры.

Райдер подозрительно прищурил глаза.

— Это еще зачем?

---

[1] Герои приключенческого романа «Алый первоцвет» (1905), написанного баронессой Эммой Орци (1865—1947).

— Затем, что, принимая во внимание планировку номера и Закон об американцах с инвалидностью, там нет места даже для зубной щетки. А теперь будет.

— Дай сюда чертову бумажку.

Хоуп вырвала листок из блокнота.

— Если ты слишком занят, этим мог бы заняться Оуэн, Бекетт или кто-нибудь из рабочих.

Райдер молча сунул листок в карман и вышел.

— Ты уверен, что он твой брат? — пробормотала Хоуп.

— Конечно. Он просто нервничает из-за сжатых сроков, а еще ему приходится следить за строительством дома для Бекетта и заканчивать проект булочной.

— Да, работы хватает, — согласилась Хоуп. — Ты-то почему не нервничаешь? Ты же тоже этим занимаешься?

— Мы в разных категориях. Мне не нужно быть начальником. Я веду переговоры.

Он поставил на пол в ванной коробку. Хоуп осторожно открыла ее и вытащила стеклянную полочку.

— Просто мелочь, деталь, которую никто и не заметит.

— Зато заметят, если ее не будет.

— Вроде места для зубной щетки. — Хоуп улыбнулась и постучала по стене. — Вот здесь. Если я тебе не нужна, то я пойду.

По дороге она заглянула в номер «Уэстли и Баттеркап», где Кароли усердно мыла пол в спальне.

— Кароли, ванная смотрится потрясающе! Блестит и сияет!

Сестра Жюстины, разрумянившаяся от работы, поправила светлые волосы.

— Клянусь, я уже сто лет так не драила! Впрочем, овчинка стоит выделки. Мне ведь здесь работать. Буду все время заходить в этот номер. Что еще сделать, босс?

Хоуп рассмеялась.

— Ты меня опережаешь! Я отвлеклась, чтобы показать Оуэну, где вешать полочки и прочую дребедень. Сейчас посмотрю, как дела у Жюстины, и вернусь к себе в квартиру. Квартиру *управляющей отелем*! Да, чуть не забыла. Если в ближайшие пару дней у тебя найдется время, давай-ка еще раз посмотрим программу бронирования. Мы начинаем принимать заказы.

— О, боже! — Кароли восторженно взмахнула руками. — Вот это да!

Торопливо шагая дальше, Хоуп испытывала те же чувства. В последний раз она так радовалась, когда начала работать в джорджтаунском отеле «Уикхем». Не слишком хорошее сравнение, напомнила она себе, учитывая, как все обернулось. Тем не менее именно фиаско с Джонатаном Уикхемом и решение уйти с поста менеджера привели ее в «Инн-Бунсборо». Красивое, прекрасно оборудованное здание в очаровательном городке, где живут ее две самые близкие подруги. Да, еще никогда работа не доставляла ей столько удовольствия.

Хоуп заглянула в «Пентхаус» и увидела, что Жюстина сидит в кабинете на широком подоконнике и смотрит на улицу.

— Отдыхаю, — сообщила Жюстина. — Ванная просто *огромная*.

— Давай домою.

— Я уже закончила, но нужно будет еще раз пройтись там щеткой перед приемом в честь открытия. Сижу вот и вспоминаю, каким было это здание, когда я в первый раз притащила сюда мальчиков. Ужас!.. Томми был бы доволен и гордился. Правда, наверняка бы расстроился из-за того, что ему не дали забить пару гвоздей.

— Он научил сыновей забивать гвозди, значит, его участие в стройке ничуть не меньше.

Взгляд Жюстины смягчился.

— Спасибо за добрые слова. Верно.

Она взяла Хоуп за руку и притянула к себе.

— Жаль, что не идет снег. Я хочу увидеть, как выглядит наша гостиница под снегом, а еще весной, летом и осенью. Хочу, чтобы она сверкала в любое время года.

— Для вас я постараюсь.

— Знаю. Ты будешь здесь счастлива, Хоуп. Я так этого хочу и еще хочу, чтобы всем, кто здесь останавливается, было хорошо.

— Я уже счастлива.

* * *

Вновь принимаясь за уборку, Хоуп думала, что сейчас она гораздо счастливее, чем раньше. У нее есть возможность хорошо поработать на хороших людей. Склонив голову набок, она осмотрела кухонные шкафчики и решила, что заглянет в магазин подарков перед закрытием и купит те великолепные вазы, на которые давно положила глаз. Маленький подарок себе самой на новоселье.

Райдер привез тележку, нагруженную коробками.

— Почему все женщины обожают полки? — сердито спросил он. — Сколько погонных футов горизонтальной поверхности требуется одному человеку?

— Это зависит от того, — с достоинством ответила Хоуп, — сколько предметов этот человек хочет на них поставить.

— Пылесборники.

— Для кого-то пылесборники, а для кого-то сувениры и элементы стиля.

— Куда вешать эти чертовы горизонтальные поверхности для твоих сувениров и элементов стиля? У меня мало времени.

— Оставь их. Позже сама разберусь.

— Отлично.

Райдер сложил коробки на полу и повернулся.

В дверях стояла мать, сложив на груди руки. От ее взгляда Райдер невольно съежился.

— Хоуп, я прошу прощения за сына. Похоже, он забыл о хороших манерах.

— Ничего страшного. Райдер просто занят. Сегодня все заняты.

— Занятость не оправдывает грубости. Правда, Райдер?

— Так точно, мэм. — Он повернулся к Хоуп. — Буду рад повесить ваши полки, если покажете, куда вешать.

— Уже лучше.

Жюстина бросила на него последний грозный взгляд и ушла.

— Ну? — требовательно произнес Райдер. — Куда их деть?

— Есть у меня одна мысль, но она не имеет отношения к стенам.

К удивлению Хоуп, Райдер широко улыбнулся.

— Так как у меня нет желания засовывать что-либо себе в задницу, еще предложения будут?

— Просто поставь полки у двери и иди.

Он заложил большие пальцы рук за пояс с инструментами и смерил Хоуп взглядом.

— Тебя-то я не боюсь, а вот ее... Если я не повешу полки, мне потом не поздоровится. В общем, я не уйду, пока ты не покажешь, куда что вешать.

— Все уже отмечено.

— Что именно?

— Я измерила полки и отметила, где они должны висеть. — Хоуп показала на пространство между окнами, потом махнула рукой в сторону ванной. — Можешь начинать прямо оттуда.

Она швырнула на пол салфетку для полировки мебели и с достоинством удалилась, решив помочь Оуэну, пока его раздражительный братец не закончит работу.

* * *

О происходящем в здании гостиницы Эйвери узнавала из эсэмэсок и от заглянувшей на минутку Клэр. Автобус с туристами уехал, стало спокойнее; появилась возможность немного передохнуть в заднем обеденном зале и наскоро перекусить.

Игровые автоматы пока молчали. Эйвери прикинула, что еще есть час или два до того, как после уроков набегут школьники и начнется звяканье и дзинькание. Впрочем, мелочь, которую оставляют в автоматах, тоже деньги.

— Я так хотела забежать и посмотреть!

Эйвери глотнула из баночки «Гаторейд» — нужна энергия, чтобы продержаться до закрытия.

— Хоуп прислала мне на телефон несколько фотографий.

— И у меня не хватает времени помочь по-настоящему. Пришлось возиться с туристами, благослови их бог. — Клэр улыбнулась и принялась за салат. — Бекетт сказал, что инспектор разрешил обставлять гостиницу. Полностью.

— Неужели?

— Да, осталось уладить кое-какие мелочи, и он еще вернется, но уже можно завозить мебель.

Эйвери хмуро ткнула вилкой пасту.

— Я тоже хочу поучаствовать!

— Эйвери, это займет несколько дней, а может, и недель.

— А я хочу сейчас! — Эйвери тяжело вздохнула. — Ладно, не сейчас, я едва стою на ногах от усталости. Тогда завтра, если получится.

Она отправила в рот очередную порцию макарон.

— Взять, к примеру, тебя. Ты выглядишь такой счастливой!

— И с каждым днем становлюсь все счастливее. Сегодня утром Йода заблевал постель Мерфи.

— Ага, достойный повод для радости.

— Конечно, нет, но Мерфи прибежал за Бекеттом. Это было чудесно!

— Да, хотя хорошо бы обойтись без подробностей о собачьей рвоте.

— Это один из факторов. — Глаза Клэр радостно блестели. — Я очень рада тому, что мальчики любят Бекетта и доверяют ему. Он теперь часть нашей жизни. Я выхожу замуж, Эйвери! Я так счастлива, что мне довелось любить и заполучить в мужья двух потрясающих мужчин!

— Думаю, ты присвоила мою долю. Могла бы оставить Бека мне.

— Ну, уж нет, я его не отдам! — Клэр покачала головой, и ее собранные в хвостик волосы весело заплясали. — Забирай кого-нибудь из братьев.

— Может, сразу обоих? Две пары рук здесь не помешают, особенно сегодня. И я еще не делала покупки к Рождеству. Почему мне всегда кажется, что впереди куча времени?

— Потому, что ты всегда его находишь. Ты уже говорила с Монтгомери о том местечке через дорогу?

— Пока нет, думаю. Ты не сказала Бекетту?

— Нет, я же обещала. Хотя удержалась с трудом. Я привыкла все ему рассказывать.

— Любовь, слюнявая любовь. — Вздохнув, Эйвери пошевелила затекшими пальцами на ногах. — Иногда это кажется совершенно безумной идеей, особенно в такое время, как сейчас. Но...

— У тебя бы получилось.

— Ты так говоришь потому, что у меня уже получилось. — Эйвери рассмеялась, и усталость покинула ее лицо. — А еще ты меня любишь. Ладно, мне нужно работать. Ты вернешься в гостиницу?

— В магазине остались Лори и Чарлин, так что, думаю, вернусь на часок. Потом заберу мальчишек.

— Пришли мне еще фоток.

— Хорошо. — Клэр, стройная и гибкая, встала, спрятала под шерстяную шапку блестящие светлые волосы, надела пальто. — Поспи немного, милая.

— Не вопрос. Как только мы закроемся, я поднимусь наверх и придавлю подушку часов на восемь. Увидимся завтра. Я сама уберу, — сказала Эйвери, когда Клэр потянулась за грязной посудой. — Все равно я иду на кухню.

Она проводила Клэр, размяла уставшие плечи и вновь принялась за работу. До семи часов она трудилась не покладая рук: засовывала пиццы в печь, доставала, раскладывала по коробкам для доставки, передавала официантам. В ресторане было шумно и людно, и Эйвери напомнила себе, что этому надо только радоваться. Она раскладывала пасту, подавала тарелки с бургерами и жареным картофелем, поглядывала на мальчугана, который так увлекся игровым автоматом, словно тот стал всем его миром.

Эйвери убежала на кухню за ингредиентами для пиццы, когда вошел Оуэн. Он окинул зал взглядом и нахмурился, не увидев подругу за стойкой.

— Где Эйвери? — спросил он у официантки.

— Где-то здесь. Участники школьного хора зашли перекусить пиццей после репетиции. Мы сбиваемся с ног. Она, наверное, на кухне.

— Ясно.

Не раздумывая, Оуэн подошел к кассе, взял блокнот для записи заказов и направился в задний обеденный зал. Когда Оуэн вернулся, Эйвери с раскрасневшимися от жара щеками стояла у стойки и поливала тесто соусом.

— Вот еще заказы, — сказал Оуэн, положив бланки на прилавок. — Я принесу напитки.

Эйвери раскладывала моцареллу, добавляла начинки и наблюдала за Оуэном.

«На Оуэна можно положиться, — думала она, — что бы ни случилось, на него можно положиться».

Следующие три часа Эйвери работала без передышки. Запеченные спагетти, пицца, баклажаны с пармезаном, кальцоне, сэндвичи. К десяти часам она двигалась, словно в трансе: сняла кассу, протерла столики, закрыла духовки.

— Возьми пива, — сказал Оуэн. — Ты заслужила.

— Может, присядешь?

— Конечно, когда закроемся.

Проводив последнего работника и закрыв двери, Эйвери обернулась. На стойке ее ждал бокал красного вина и кусок пиццы «Пепперони». Перед Оуэном, который устроился на табурете, тоже стоял бокал вина и кусок пиццы.

Да, на кого-кого, а на Оуэна всегда можно положиться.

— Садись, — велел он.

— С удовольствием. Спасибо, Оуэн, огромное спасибо.

— Довольно интересно, если только не нужно заниматься этим каждый день.

— Все равно интересно, большей частью. — Эйвери села и сделала первый глоток вина. — Господи, как вкусно! — Она откусила пиццу. — И это тоже.

— Никто не готовит пиццу лучше тебя.

— Может показаться, что мне надоела пицца, но я по-прежнему считаю ее своим любимым блюдом. — Едва не падая от усталости, Эйвери со вздохом проглотила еще кусок. — Клэр сказала, что вам дали разрешение завозить мебель. Как идет уборка?

— Отлично. Мы на финишной прямой.

— Я бы сходила посмотреть, но вряд ли дойду.

— До завтра гостиница никуда не денется.

— Все, кто сюда сегодня заходил, только о ней и говорили, особенно местные. Ты, должно быть, очень гордишься. Помню, как я себя чувствовала, когда заканчивала работу над рестораном: вешала картины, распаковывала кухонное оборудование. Гордилась, радовалась и немного боялась. Это мое детище, Я его создала. Я до сих пор испытываю эти чувства. Конечно, не сегодня, — добавила она со слабой усмешкой. — Иногда.

— Тебе есть чем гордиться. Славное местечко.

— Я знаю, многие считали, что твоя мама сошла с ума, раз сдала мне его в аренду. Чтобы я да управляла рестораном?

Оуэн покачал головой, отметив, что Эйвери очень бледная, почти прозрачная. Она не кипела, как обычно, энергией, и оттого ее усталость была еще заметнее. Он решил, что будет болтать с Эйвери, пока та не доест пиццу, — по крайней мере, уснет не с пустым желудком. Оуэн собирался отвести ее наверх и уложить спать.

— Я так не считал. У тебя получается все, за что ты берешься. И всегда получалось.

— Я не смогла стать рок-звездой, хотя очень хотела.

Оуэн вспомнил, как Эйвери бренчала на гитаре, проявляя больше рвения, чем умения.

— Сколько лет тебе тогда было, четырнадцать?

— Пятнадцать. Папа чуть не упал в обморок, когда я покрасила волосы в черный цвет и сделала татуировки.

— Хорошо, что они были переводные.

Эйвери улыбнулась и отпила вина.

— Не все.

— Да? А где... — начал было Оуэн, когда зазвенел телефон. — Погоди-ка. Что случилось, Рай?

Соскользнув с табурета, он слушал, отвечал, смотрел сквозь стеклянные двери на освещенную гостиницу. Закончив, пристегнул телефон к поясу, повернулся и увидел, что Эйвери крепко спит, сложив на стойке руки и уронив на них голову. Она съела половину куска пиццы и недопила вино. Оуэн убрал со стойки посуду, выключил лампу на закрытой кухне, прошел по всем помещениям и везде потушил свет, оставив только дежурное освещение.

Теперь нужно было что-то делать с Эйвери. Он мог бы отнести ее наверх — весила она немного, — но сомневался, что сумеет одновременно держать ее на руках и запирать дверь пиццерии. В конце концов, Оуэн решил отнести Эйвери наверх и вернуться, но когда он попытался ее поднять, она резко дернулась, едва не ударив его плечом в лицо.

— Что случилось?

— Пора спать. Давай я отведу тебя наверх.

— Я заперла двери?

— Передняя закрыта. Я закрою заднюю.

— Все нормально, я сама.

Эйвери вытащила ключи, но Оуэн их забрал. Он решил, что было бы странно взять ее сейчас на руки, и потому просто обнял за талию и помог идти.

— Я на минутку закрыла глаза...

— И не открывай еще часов восемь-девять. — Оуэн запер дверь, затем повел Эйвери к лестнице. — Вперед.

— Я как в тумане. Огромное спасибо за все и сразу.

— Пожалуйста, за все и сразу.

Оуэн отпер ее квартиру, стараясь не морщиться при виде вещей, которые Эйвери не успела распаковать, хотя со дня переезда прошло больше месяца. Положил ключи на столик у двери.

— Закрой за мной.

— Угу. — Она улыбнулась ему, пошатываясь от усталости. — Ты такой милый, Оуэн. Я бы выбрала тебя.

— Для чего?

— Моя доля. Спокойной ночи.

Оуэн подождал у двери, пока не услышал щелчок замка. Что еще за доля? Он покачал головой и зашагал вниз по ступенькам к выходу на задний двор, где стоял его грузовичок. Садясь за руль, Оуэн бросил взгляд на окна Эйвери. Он все еще чувствовал аромат лимона от ее рук и волос. Этот запах не покидал Оуэна всю дорогу домой.

3

Улучив свободную минуту, Эйвери закуталась в пальто, натянула на голову лыжную шапочку и рванула через улицу. На парковке она заметила грузовик с мебелью и прибавила шаг — от волнения и от холода. В гостинице кипела бурная деятельность: рабочие на стремянках что-то подкрашивали, из лобби-бара и обеденного зала доносился стук молотков и жужжание дрели.

Эйвери прошла через переднюю арку и не сдержала восторженный вздох, когда увидела перила ведущей наверх лестницы. Из-за двери обеденного зала выглянул Райдер.

— Сделай одолжение, не ходи туда. Там Лютер занимается перилами.

— Они такие красивые! — прошептала Эйвери, погладив изгиб темной бронзы.

— Ага. Лютер распростерся на ступеньках и работает, он слишком вежлив, чтобы послать тебя в обход. А я нет.

— Не вопрос. — Эйвери направилась к обеденному залу, взглянула наверх. — Господи, просто потрясающе! Ты только посмотри на светильники!

— Чертовски тяжелые, — заметил Райдер, но тоже поднял взгляд на массивные плафоны в виде желудей, декорированные дубовыми ветвями. — Да, смотрятся неплохо.

— Они великолепны! И бра тоже. У меня мало времени, но я хочу все посмотреть. Хоуп здесь?

— Наверное, на третьем этаже, возится с мебелью.

— Уже с мебелью? — Радостно взвизгнув, Эйвери побежала через лобби-бар к выходу.

Выдыхая клубы пара, она поднялась на два лестничных пролета и открыла дверь номера «Уэстли и Баттеркап». Пару мгновений она просто стояла и с улыбкой глядела на мерцающий камин и темные планки жалюзи. Ей хотелось все здесь исследовать, рассмотреть каждую мелочь, но еще сильнее ей хотелось пообщаться.

Услышав голоса, Эйвери поспешила к двери на террасу, поднялась в «Пентхаус» и застыла с открытым ртом.

Жюстина и Хоуп поставили два обтянутых шелком кресла слегка под углом друг к другу. Синие и золотистые цвета обивки подчеркивали роскошный темно-золотой цвет вычурного дивана, вокруг которого суетилась Кароли, раскладывая подушки.

— Думаю, надо... А, Эйвери! — Жюстина выпрямилась. — Пройди от двери к окну. Хочу проверить, не мешает ли мебель.

— Я приросла к месту. Господи, Жюстина, какое великолепие!

— Но удобно ли? Не хочу, чтобы гости натыкались на стулья. Представь, что ты только что въехала и хочешь подойти к окну, чтобы посмотреть на улицу.

— Ладно. — Эйвери подняла руки и закрыла ни миг глаза. — Что ж, Альфонс, думаю, на ночь сойдет.

— Альфонс? — удивленно переспросила Хоуп.

— Мой любовник. Мы только что приехали из Парижа.

Эйвери состроила высокомерную гримасу, продефилировала через комнату и выглянула в окно. Затем повернулась к Жюстине, пританцовывая от восторга, и ее лицо расплылось в широкой улыбке.

— Впечатляет. И ни на что не натыкаешься. Неужели вы разрешите сидеть на этой мебели?

— Для того она и предназначена.

Эйвери погладила валик дивана.

— Знаете, а ведь люди будут здесь не только сидеть. Это я так, к слову.

— О некоторых вещах я предпочитаю не думать. Надо подобрать светильник для комода. Что-нибудь изящное с блестящим абажуром.

— Я видела нечто подобное в мебельном магазине «Баст», — сказала Хоуп. — По-моему, сюда подойдет.

— Запиши, ладно? Кто-нибудь потом сходит за разными стильными мелочами, посмотрим, как они сюда впишутся.

— Все и так прекрасно, — заметила Эйвери.

— Ты еще ничего толком не видела, — сказала Хоуп и подмигнула. — Отведи Альфонса в спальню.

— Его любимое место. Это не человек, а машина!

Эйвери пошла за Хоуп и хотела было заглянуть в ванную, но подруга схватила ее за руку.

— Вначале сюда.

От изумленного вздоха Эйвери Хоуп засияла, словно новоиспеченная мать.

— Какая кровать! Я видела описание, но в действительности она гораздо лучше!

— Мне нравится резьба. — Хоуп любовно провела пальцами по высокой колонне. — А с постельными принадлежностями эта кровать выглядит просто роскошно. Веришь, Кароли целый час возилась с одеялом, подушками и покрывалом!

— А я в восторге от подушек соломенного цвета на белых простынях. И покрывало тоже классное.

— Кашемир. Мелочь, а приятно.

— Еще бы! Какие столы и лампы! А туалетный столик!

— Легкий золотистый блеск очарователен. Хочу сегодня здесь закончить. Журнал, книги, DVD-плеер... Нужно сделать фотографии для сайта.

— Мне нравятся плюшевые скамеечки с подушками у изножья кровати. Все говорит о роскоши. Даже Альфонс будет доволен.

— Да, видит бог, его удивить трудно. Грузчики из мебельного магазина только что уехали. Должны привезти обстановку для номера «Уэстли и Баттеркап». Тяжелая работенка — затаскивать мебель по лестнице!

— Сейчас мне пора, но после обеда возвращается Дейв, так что вечером я не буду занята в ресторане. Могу помочь.

— Ты принята. Я хочу принести сюда свои вещи, без которых смогу обойтись. Нужно подобрать картины, и я уже положила глаз на кое-какие безделушки из магазина подарков.

— Надо же, это происходит наяву!

— Мне нужно твое меню для папок с информацией для гостей.

— Хорошо. — Эйвери зашла в ванную. — Ой, вы уже все разложили! Шампунь, мыльницы!..

— Для фотографий. Вернее, это просто предлог. Хочется посмотреть, как будет выглядеть полностью обставленный номер. Я разложу полотенца, повешу халаты, а Райдер сфотографирует. У него хорошо получается.

— Это точно, — согласилась Эйвери. — Я до сих пор храню нашу с Оуэном фотографию, которую Райдер сделал, когда мы были еще подростками. Забавное фото. Кстати, вы знаете, что он зашел вчера вечером и помог мне обслуживать столики?

— Кто, Райдер?

— Нет, Оуэн. А потом практически отнес меня наверх. Два дня по две смены, автобусная экскурсия, неожиданные посиделки школьного хора, неполадки с компьютером и так далее. В общем, к закрытию я была как зомби.

— Он такой милый.

— Да, почти всегда.

— Бекетт тоже. И в кого только Райдер?

Эйвери рассмеялась, провела пальцем по краю овальной раковины.

— О, где-то внутри он тоже милый. Если копнуть глубже.

— Боюсь, без взрывчатки не обойтись. Зато он труженик и очень скрупулезный. Ладно, мне пора работать.

— Мне тоже. Я освобожусь часа в четыре, самое позднее — в пять.

— Ходят слухи, что сегодня мы сможем заняться библиотекой. По крайней мере, шкафами. И, возможно, номером «Элизабет и Дарси».

— Я приду. Хоуп! — Слегка подпрыгнув от избытка чувств, Эйвери обняла подругу. — Я так за тебя счастлива! Увидимся.

Она поспешила вниз по лестнице и выскочила на улицу в тот миг, когда Оуэн с блокнотом в руках заходил в ворота между предполагаемой булочной и внутренним двором гостиницы.

— Эй! — окликнула Эйвери.

— И тебе того же! — отозвался Оуэн и подошел ближе. — Выглядишь лучше.

— Чем кто?

— Чем ходячий мертвец.

Эйвери легонько ткнула его кулаком в живот.

— Надо бы сильнее, но я у тебя в долгу. Да, кстати, забыла спросить, как чаевые?

— Неплохо, примерно двадцать пять долларов. — Не думая, Оуэн застегнул пальто Эйвери. — Скажи, что Фрэнни и Дэвид вышли на работу.

— Дейв работает, ну, или сейчас придет. А Фрэнни нет. Ей лучше, но я хочу, чтобы она еще денек побыла дома. Меня только что ослепил пентхаус. Оуэн, это потрясающе!

— Я еще не видел. — Он посмотрел наверх. — Что там готово?

— Все. Гостиная, спальня. Ребята собираются заносить мебель в номер «Уэстли и Баттеркап». Я приду позже, тоже хочу поучаствовать. Ты будешь?

— Пока не закончим, кому-то или всем нам придется торчать здесь круглосуточно.

— Тогда увидимся. — Эйвери отошла вместе с Оуэном в сторону, чтобы не мешать грузовику с мебелью. — Ой, как не хочется уходить! Черт побери необходимость зарабатывать на жизнь!

— Не стой на морозе. — Оуэн взял ее ладони, потер. — Где твои перчатки?

— В кармане.

— От них было бы больше пользы, если бы ты их надела.

— Возможно, но тогда ты бы не растер мне руки. — Она встала на цыпочки и чмокнула его в щеку. — Мне нужно идти. Пока!

С этим словами Эйвери умчалась прочь. Оуэн посмотрел вслед, удивляясь ее стремительности. Впрочем, Эйвери всегда была быстрой. Интересно, почему она пошла в группу поддержки вместо того, чтобы заняться бегом? Оуэн вспомнил, что когда он спросил Эйвери, та закатила глаза. Форма у черлидерш круче.

Надо признаться, что в той форме Эйвери выглядела просто обалденно. Может, она до сих пор сохранила экипировку?

Нет, наверное, не стоит думать об Эйвери в форме черлидерши. И вообще, какого черта он стоит на холоде и размышляет о всякой ерунде?

Оуэн вошел в здание и за работой забыл обо всем.

* * *

Время пролетело незаметно; когда рабочие закончили, Оуэну хотелось пропустить стаканчик-другой, но у его матери были другие планы. Вместо того чтобы поднимать бокал с холодным пивом, ему пришлось поднимать наверх ящики с книгами. Жюстина, подбоченясь и сжимая в руке тряпку, стояла на лестнице и командовала.

— Неси прямо в библиотеку. Девочки уже там, полируют книжные полки. Мы с Кароли возвращаемся в номер «Ник и Нора».

— Есть, мэм.

Тяжело дыша, Оуэн поплелся наверх, за ним — Райдер с еще одним ящиком, Бекетт замыкал шествие.

— Чертова куча книг, — пробормотал Райдер, удостоверившись, что мать его не слышит.

— Чертова прорва полок, — поправил Оуэн.

В библиотеке пахло полиролью и духами. Эйвери стояла на верхней ступеньке табурета-стремянки и наводила блеск на верхние полки книжного шкафа, примыкающего к камину. Все шкафы братья Монтгомери соорудили в своей мастерской. Оуэн вспомнил, сколько было вложено труда: как пилили, шлифовали, клеили и обрабатывали морилкой. Сил потратили много, подумал он, и результат того стоит.

Еще большую радость Оуэн испытывал сейчас, глядя, как блестит древесина под полировальной салфеткой.

— Отлично смотрится, дамы, — заметил Бекетт, поставив свою ношу на пол.

Он обнял Клэр сзади, прижал к себе и ткнулся носом в ее шею.

— Привет!

— Это который? — Клэр повернула голову и рассмеялась. — Ах да, мой.

— Никаких нежностей, пока не закончим! — Райдер показал большим пальцем на дверь. — Там еще есть груз!

— В номере «Джейн и Рочестер» осталось два ящика, — вмешалась Хоуп. Она, присев на корточки, полировала дверцы под полками. — На них написано «Библиотечные полки».

— Я все. — Эйвери спрыгнула с табурета. — Пойду принесу. Ты мне поможешь?

Она посмотрела на Оуэна.

— Конечно.

Когда они вошли в комнату, Эйвери заметила, что штабели ящиков стали ниже, и, похоже, их уложили по-новому.

— Уже немного осталось. Ты их переставлял?

— Да, так легче искать.

— Надо бы тебе навести порядок у меня в квартире. Может, тогда я найду фиолетовый шарфик, который купила в прошлом месяце.

— Если бы ты распаковала все вещи, то, наверное, уже бы нашла.

— Я почти все распаковала.

Оуэн воздержался от комментариев.

— Ящики с полками для библиотеки вон там.

Он прошел вокруг штабелей к углу возле ванной.

— Чем ты займешь свободнее время после того, как вы здесь закончите? — спросила Эйвери.

— Ты подразумеваешь время, которое останется от работы над булочной, домом Бекетта, обслуживанием сданных в аренду помещений и ремонтом кухни у Линн Барни?

— Линн Барни переделывает кухню? Надо же, а я не знала.

— Нельзя все знать.

— Я знаю почти все. Люди любят поговорить за пиццей или пастой.

Она нагнулась за ящиком, на котором Хоуп вывела четким печатным шрифтом: «Библиотечные полки».

— Этот слишком тяжелый. Возьми вон тот.

— А как насчет помещения под квартирой Хоуп? Ее временного пристанища?

— Подумаем. Лучше действовать шаг за шагом.

— Иногда мне нравится делать несколько шагов одновременно.

— Так и упасть можно.

Оуэн поднял ящик и открыл дверь, толкнув ее бедром.

— Зато быстрее окажешься там, где надо.

— Нет, если упадешь.

— У меня хорошее чувство равновесия. Там отличное помещение, — добавила Эйвери, когда Оуэн тем же способом распахнул дверь на террасу.

— Вначале булочная и дом Бекетта. Здание никуда не денется.

Эйвери хотелось поспорить. Зачем держать пустым помещение на Центральной улице, когда можно его заполнить? Потом она бросила взгляд в сторону номера «Ник и Нора», откуда доносился голос Жюстины. Наверное, лучше сразу обратиться в верхнюю инстанцию.

В библиотеке они с Хоуп и Клэр разобрали содержимое ящиков, расставили на полках книги и безделушки. Любовные романы, детективы, книги по истории, классику, коллекцию старинных бутылок, игрушечную модель автомобиля, когда-то принадлежавшую отцу Оуэна, железные подсвечники, которые сделал отец Эйвери...

— Я думала, что у нас много этого барахла, — заметила Хоуп, — даже слишком много, а оказалось, что еще и не хватает.

— У меня в книжном есть несколько сувениров, и всегда можно что-нибудь подобрать в магазине подарков, — сказала Клэр.

— Мы хотим поставить поднос с графином виски и стаканами вот здесь, на нижней полке.

Клэр отступила назад и оглядела плоды своих трудов.

— Безделушек маловато. Зато с книгами все в порядке. Ты молодец, Клэр, отличная подборка.

— Для меня это было в удовольствие.

— Знаете, что еще здесь нужно? — Эйвери прислонилась к дальней стене. — Давайте сфотографируем весь персонал на переднем крыльце гостиницы, а потом повесим фотографию в рамочке вот сюда. Персонал отеля «Инн-Бунсборо».

— Отлично. Замечательная идея! А когда занесем мебель, добавим еще картин. — Хоуп огляделась. — У окна — письменный стол с ноутбуком для посетителей. Большая гостевая книга в кожаном переплете. Изумительный кожаный диван, кресла, светильники.

— Я схожу за Жюстиной и Кароли, — предложила Клэр. — Посмотрим, что они думают.

Но едва она шагнула к двери, как гостиница огласилась воинственными криками.

— Похоже на вторжение моих мальчишек. Я сказала Алве Риденур, что заеду за ними и отвезу поесть пиццы. Видимо, Алва решила сама их привезти.

С лестницы донесся громкий топот, словно по ней мчалось стадо бизонов. Женщины вышли из номера и увидели, как все три сына Клэр сломя голову бегут по коридору.

— Мама! Миссис Риденур сказала, что они с мужем тоже хотят пиццу. Мы пришли посмотреть отель! — Гарри, самый старший, с разбегу обнял мать, а потом начал носиться кругами.

— Тише, тише.

Клэр поймала его ладошку, ухитрившись другой рукой обнять среднего сына, Лиама, который уткнулся в ее ноги. Ласково сжав ладонь Гарри, она подхватила младшего, Мерфи, и посадила себе на бедро.

— Привет! — Мерфи поцеловал ее слюнявыми губами. — Мы сделали домашнюю работу, и пообедали, и поиграли в домино-змейку, и покормили Кена и Йоду, и мистер Риденур сказал, что даст каждому по *два* доллара на игровые автоматы потому, что мы хорошо себя вели!

— Приятно слышать.

— Мы хотим посмотреть отель. — Лиам склонил голову набок. — Мистер и миссис Риденур тоже. Можно, мам? Можно посмотреть?

— Не бегать и ничего не трогать.

Клэр взъерошила и без того растрепанные золотисто-каштановые волосы сына.

— Мне показалось, что я слышу войска на марше.

— Бабуля!

Мальчики дружно ринулись к Жюстине и окружили ее. Она присела, обняла их и широко улыбнулась Клэр.

— Я теперь бабуля! — Жюстина громко чмокнула каждого в щеку. — Что может быть лучше?

— Бабуля, можно посмотреть твой отель? — Мерфи одарил Жюстину ангельской улыбкой и умильным взглядом больших карих глаз. — Ну, пожалуйста, мы ничего не будем трогать!

— Конечно.

— Может, начнем сверху? — Бекетт обогнул лестницу и взял Клэр за руку. — Рай внизу, показывает Риденурам обеденный зал. Через пару минут они поднимутся сюда.

— Бабуля, а ты пойдешь? — Гарри потянул Жюстину за руку. — Мы хотим, чтобы ты пошла с нами!

— Само собой.

— Бекетт говорит, что, когда гостиницу доделают, мы останемся здесь на ночь.

Лиам схватил вторую руку Жюстины, а Мерфи потянулся к Бекетту.

— И будем спать на большой кровати. А ты тоже останешься на ночь?

— Собираюсь. Мы все проведем здесь первую ночь.

Они направились на третий этаж, а Эйвери сказала Оуэну:

— Разве не замечательное зрелище? Лучшее в мире! Клэр и мальчики, Клэр и Бекетт, Клэр с Бекеттом и мальчиками, твоя мама с ними. — Она хлюпнула носом и положила руку на сердце. — Так трогательно!

— И нам с Райдером полегче. Да шучу я, шучу, — торопливо сказал Оуэн, когда Эйвери сердито прищурила влажные глаза. — Мама без ума от ребятишек.

— Повезло им. У них теперь три бабушки.

— Мой отец тоже бы их любил.

— Знаю. — Повинуясь велению сердца, Эйвери погладила Оуэна по спине. — Он умел ладить с детьми. Я помню пикники у вашего дома, как он возился с нами. Я его обожала. А когда он заходил пообщаться с моим отцом, то всегда говорил: «Привет, Рыжик! Что нового?»

Она вздохнула.

— Похоже, я сегодня расчувствовалась. Пошли, посмотришь, что мы сделали с библиотекой.

— Папа относился к тебе как к дочери.

— Ох, Оуэн.

— Честно. Они с твоим отцом были как братья, вот он и считал тебя одной из нас. И постоянно твердил, чтобы я за тобой присматривал.

— Неправда.

— Правда.

Оуэн легонько дернул ее за колючий хвост отливающих медью волос и шагнул в библиотеку.

— Ого! Прекрасная работа, а главное, быстрая!

— Хорошая организация. — Эйвери рассмеялась. — Ты, должно быть, знаешь, что здесь много свободного места, и я предложила сделать фотографию персонала на крыльце отеля. Можно поместить ее в рамочку и повесить вот сюда. Все-таки часть истории.

— Ты права. Сделаем.

— Я могу сфотографировать, особенно если мне удастся уговорить Райдера дать мне свой фотоаппарат. Только скажи, когда все соберутся, и я подойду. А где Хоуп?

— Пошла с Кароли в номер «Ник и Нора». Наверное, уже заканчивают.

— Она никогда не закончит, если не сказать, что хватит. Иди, скажи ей. — Эйвери легонько подтолкнула Оуэна. — Пусть зайдет ко мне поужинать, и Кароли возьмет. Вам с Райдером тоже не мешает что-нибудь съесть и выпить пива.

— Я готов.

— Тогда сходи за ней. Она тебя послушает. А я побегу, предупрежу своих, что сейчас заявится толпа народа. Посмотрю, может, получится усадить всех вас в заднем зале.

— Нас. Тебе тоже надо поесть.

Эйвери удивленно склонила голову набок.

— Присматриваешь за мной?

— Я послушный сын.

— Когда тебе удобно... Увидимся в «Весте».

Проходя мимо номера «Элизабет и Дарси», Эйвери услышала голоса. Решив, что кто-то из гостей остался посмотреть номер, она распахнула дверь. Мерфи стоял один в пустой комнате у открытой двери на террасу и что-то оживленно рассказывал.

— Мерф?

— Привет!

— Привет. Малыш, на улице очень холодно. Нельзя открывать двери.

— Я не открывал и ничего не трогал. Ей нравится выходить на террасу, чтобы смотреть.

Эйвери осторожно подошла к двери, ежась от холода, выглянула на террасу.

— Кому нравится?

— Даме. Она сказала, что я могу называть ее Лиззи, как Бекетт.

Эйвери обдало морозом, но открытая дверь не имела к этому никакого отношения.

— О, боже. Хм... она сейчас здесь?

— Вон там, у перил. — Мерфи махнул рукой. — Она не велела мне выходить, сказала, что мама будет волноваться.

— Правильно.

— Она ждет.

— Да? И чего же она ждет?

— Билли. А мы сейчас пойдем есть пиццу?

— Э-э... да, через пару минут.

Входная дверь с шумом открылась, и Эйвери испуганно подскочила. Встретившись взглядом с Оуэном, она слабо рассмеялась.

— Мы просто... даже не знаю. Мерфи, я слышала наверху голоса твоей мамы и Бекетта. Поднимись к ним, ладно? И обещай, что никуда от них не уйдешь.

— Хорошо. Я только хотел увидеть Лиззи. Ей нравится, когда есть с кем поговорить. Пока!

— Вот черт! — с чувством произнесла Эйвери, когда Мерфи ушел. — Я услышала голоса людей и зашла. А в комнате никого, кроме Мерфи, и дверь на террасу открыта. Но он сказал, что дама — Лиззи — стоит вон там, у перил. Он ее видит и разговаривает с ней. Оуэн, я действительно слышала голоса, а не один голос. И...

— Не так быстро, переведи дыхание.

Оуэн вошел в номер, закрыл дверь на террасу.

— Но она там! Разве не нужно было подождать, пока она войдет?

— Ничего, она сама справится.

— Может, она уже здесь. — Вытаращив глаза, Эйвери прислонилась к двери. — Это было так... так *круто!* Мерфи Брюстер, Говорящий с призраками. Он сказал, что она ждет кого-то по имени Билли. Я должна здесь остаться! Может, пообщаюсь с ней поближе... если только это не инопланетяне. Ох, ничего себе!

Оуэн положил руки ей на плечи. Ее потряхивало от нервного возбуждения.

— Сделай глубокий вдох.

— Ничего, я в порядке, просто немного растерялась... Потрясающе! А ты почему такой спокойный?

— Все волнение ушло к тебе. Говоришь, она ждет Билли?

— Мерфи так сказал, а он общался с ней напрямую. Наверное, Билли ее муж или возлюбленный.

— Мужья обычно и есть возлюбленные.

— Ты знаешь, о чем я. Все эти годы она его ждет. Ждет своего Билли. Так романтично!

— Скорее, трагично.

— Неправда!.. Ну, ладно, пусть трагично, но и романтично. Вечная любовь, над которой не властно время, — ведь это так редко встречается в обычной жизни! Согласен?

— Я не большой знаток... — начал было Оуэн, но Эйвери его перебила:

— Она здесь потому, что ее удерживает сила любви. Больше ничего не имеет значения, ведь это...

Дверь за спиной Эйвери распахнулась, толкнув ее прямо на Оуэна. Он подхватил девушку обеими руками, не давая упасть, а она запрокинула голову и посмотрела ему в глаза.

— ...самое главное, — закончила она фразу.

Они стояли, плотно прижатые друг к другу открытой дверью, а из коридора доносился топот шагов и веселый смех.

«Что за черт?!» — мелькнуло в мозгу Оуэна.

Его губы коснулись губ Эйвери, а она запустила пальцы ему в волосы. Горячий и яркий — так подумал Оуэн о поцелуе. Горячий и яркий, полный света и энергии. И Эйвери. Все вокруг словно закружилось, у Оуэна перехватило дыхание, и он почувствовал, как глубоко внутри нарастает острое желание. К коже горячо прилила кровь. Он ни о чем не думал и ничего не чувствовал, кроме движений Эйвери, вкуса ее жадных губ, запаха лимона и жимолости.

Эйвери стояла на цыпочках, плотно прижавшись к Оуэну и чувствуя удивление и восторг. Она не сопротивлялась их мощному натиску, хотя они захватили ее врасплох, и позволила увлечь себя навстречу неизвестности.

Первым отпрянул Оуэн. Он уставился на Эйвери как человек, который только что вышел их транса.

— Что это? Что это *было*?

— Не знаю.

Впрочем, ей и не хотелось знать, особенно сейчас, когда он вновь ее обнял. Она старалась удержать чудесное сияющее мгновение, поддаться ему.

Кто-то постучал в дверь.

— Оуэн! Эйвери! — позвал Бекетт. — Что случилось? Откройте чертову дверь!

— Погоди, — ответил Оуэн, осторожно выпуская Эйвери из своих объятий, и повторил, обращаясь на этот раз к ней: — Погоди.

Он перевел дыхание, подошел к входной двери, дернул. Та легко открылась.

— Что за ерунда? — возмущенно спросил Бекетт, затем перевел взгляд на открытую дверь на террасу. — Вот черт!

— Ничего, все в порядке. Я сам этим займусь.

— Мерфи сказал, что вы с Эйвери здесь. — Бекетт оглянулся проверить, нет ли поблизости детей. — У вас все нормально?

— Да, все хорошо. Мы... э-э-э... идем есть пиццу.

— Понятно. Не забудь запереть дверь.

— Я закрою.

Эйвери осторожно закрыла дверь на террасу, повернула защелку.

— Ладно, увидимся в «Весте».

Бекетт бросил на них последний взгляд и вышел. Оуэн не двигался с места. Держась за ручку открытой входной двери, он смотрел на Эйвери.

— По-моему, довольно странно, — начала она. — Правда?

— Не знаю.

— Разговоры про романтику и любовь... похоже, они всему виной.

— Ага. Наверное. Хорошо.

Она глубоко вздохнула, подошла к Оуэну.

— Я не хочу странностей.

— Хорошо.

— Наверное, нам лучше уйти. Я имею в виду, из этого номера.

— Хорошо.

— Мне нужно помочь Дейву.

— Хорошо.

Эйвери ткнула его кулаком в грудь.

— Хорошо? И это все, что ты можешь сказать?

— Ну, сейчас это самое безопасное.

— В задницу такую безопасность! — Эйвери с силой выдохнула. — Никаких странностей, и не говори «хорошо»!

Она величественно вышла из номера и спустилась вниз.

— Хорошо, — прошептал Оуэн.

Он закрыл дверь и не успел отойти, как за ней послышался тихий женский смех.

— Да уж, шуточки! — пробормотал Оуэн и, сунув руки в карманы, мрачно побрел по лестнице на первый этаж.

4

Холод держал зиму мертвой студеной хваткой. Под хмурым небом каждый глоток воздуха давался с трудом. Мороз покрыл ледяной коркой плиты внутреннего дворика.

— Не желаю слышать ни о каких изменениях, украшениях или непредвиденных обстоятельствах, — проворчал Райдер.

— Давайте просто посмотрим, — предложил Бекетт, направляясь в номер «Джейн и Рочестер».

— Еще до черта ящиков. — Райдер сунул руки в карманы. — Похоже, мама накупила столько светильников, что хватит на полгорода.

— На обратном пути можно взять все, что унесем, для номера «Ник и Нора», — сказал Оуэн. — А здесь что не так, Бек?

— Это единственное укромное место в гостинице, где можно спокойно разговаривать, — со вчерашнего вечера мы словно в окружении. Хотел поговорить с тобой у Эйвери, да ты сбежал. Что там случилось с Элизабет?

— Ради всего святого! — Райдер сдернул шапку, взъерошил густые темно-каштановые волосы. — Ты притащил нас сюда, чтобы обсуждать призраков?

— Там был Мерфи, — напомнил Бекетт. — Один: дверь в коридор закрыта, дверь на террасу открыта. А ему, черт возьми, всего шесть! Клэр уже почти не боится Лиззи. Если бы она не написала предупреждение на запотевшем зеркале в ванной — уж не знаю, как ей это удалось, — мы бы не успели вовремя, когда Фримонт напал на Клэр. Тем не менее Мерфи еще совсем кроха.

— Ладно, ты прав. — Райдер снова надел шапку. — Меня бесит вся эта история с привидением.

— Тебя иногда и скамейки в парке бесят.

Бекетт только покачал головой.

— Мы почти все узнали от Мерфи. Этого парня не остановишь. Решил навестить Лиззи и пошел. Рассказал ей о школе, о щенках, а она расспрашивала его о родственниках.

— Значит, Мурфик-смурфик мило побеседовал с призраком, — прокомментировал Райдер. — Ему нужно собственное телешоу. Привидения в гостях у Мерфи!

— Очень смешно, — сухо заметил Бекетт. — Лиззи вышла на террасу, но Мерфи не разрешила — мол, мама будет волноваться. А еще она сказала, что любит стоять на террасе. И о том, что ждет Билли. Она уверена, что теперь, когда отель отремонтировали и вокруг полно людей и света, Билли будет легче ее найти.

— Кто такой Билли? — осведомился Райдер.

— Вот-вот, Мерфи тоже не понял.

— Что вы на меня уставились? — возмущенно спросил Оуэн. — Я ничего не слышал. Я пришел, когда там уже была Эйвери, держала Мерфи. Мы отослали его к Клэр, чтобы она не волновалась.

— Да, он все твердил о Лиззи и о том, что вы с Эйвери тоже там были. А я не мог открыть дверь, ее словно заклинило.

— В общем, Лиззи забавлялась. — Оуэн хотел небрежно пожать плечами, однако лишь нервно дернулся. — Не в первый раз.

— И не в последний, — пробормотал Райдер.

— Да, не в первый и не в последний, — согласился Бекетт, — но когда ты открыл дверь изнутри, у тебя был такой вид, словно тебе врезали по башке чем-то тяжелым. Вот я и хочу знать, что произошло между тем, как ты отослал Мерфи, и тем, как ты открыл дверь.

— Ничего особенного.

— Брехня! — Райдер фыркнул. — Не умеешь ты врать, братец. Если ничего особенного не произошло, то почему в «Весте» ты был такой хмурый? Как наседка на разбитых яйцах. А потом смылся под предлогом того, что тебе надо поработать с документами.

Райдер ухмыльнулся и кивнул Бекетту.

— Что-то там точно произошло.

— Давай, Оуэн, колись, — поддержал Райдера Бекетт.

— Ну хорошо, хорошо. Эйвери рассказала о том, что узнала от Мерфи. Была очень взволнована и в мечтательном настроении. Все из-за Лиззи и Билли, которого она ждет, — прямо сюжет для кино. Романтика, любовь до гроба и прочая дребедень. Ну, вы знаете, вполне в духе Эйвери.

— Вообще-то, не знаем. — Райдер пожал плечами. — Лично я никогда не разговаривал с Эйвери о романтике и любви до гроба. А ты, Бекетт?

— Нет, насколько я помню. Это Оуэн был ее первым дружком.

— Заткнись! — Смущенный и рассерженный Оуэн переступил с ноги на ногу. — Ей было пять, может, шесть. Как сейчас Мерфи.

— Она сказала, что выйдет за тебя замуж, — напомнил Бекетт, и они с Райдером прыснули со смеха. — У вас будет три кошки, две собаки и пятеро детишек. Или трое детей и пять собак.

— Ты подарил ей кольцо, брат.

Загнанный в угол Оуэн сердито оскалился.

— Кольцо из дурацкого автомата, торгующего жвачкой! Мы просто играли! Господи, да я сам был тогда ребенком!

— Поцеловал ее прямо в губы, — вспомнил Бекетт.

— Случайно! Это ваше вспыльчивое, пропахшее жимолостью привидение распахнуло дверь, к которой прислонилась Эйвери. Не успел я опомниться, как она повисла на мне и...

Удивленно подняв брови, Бекетт склонил голову набок, изучая лицо Оуэна

— Вообще-то я говорил о том времени, когда ей было пять.

— Черт!

— Ну-ка, просвети нас! — потребовал Райдер. — Ты что, целовался с Маленькой Рыжей Машиной?

— Так получилось! — оправдывался Оуэн. — Ее толкнуло ко мне дверью.

— Ага, почаще бы так.

— Иди к черту!

— Видимо, долгий был поцелуй, — предположил Бекетт. — Судя по твоему виду, когда ты отпер дверь.

— Я не отпирал дверь! Это все она!

— Рыжая?

— Нет, не Эйвери. Элизабет. А потом она рассмеялась.

— Эйвери?

— Да нет же! — Еле сдерживаясь, чтобы не вцепиться себе в волосы, Оуэн шагал между ящиков. — Элизабет. Я услышал ее смех после того, как Эйвери психанула и ушла.

— Эйвери психанула из-за того, что ты ее поцеловал? — спросил Бекетт.

— Нет. Возможно. Откуда мне, черт возьми, знать, из-за чего женщины психуют?

На Оуэна накатила досада.

— Да причиной может стать все, что угодно! А на следующий день прежняя причина уже не важна, зато находится другая. Ни один мужчина ничего не поймет, — мрачно сообщил он.

— Пожалуй, — кивнул Райдер. — Ладно, вернемся к нашему разговору. Она ответила на твой поцелуй? Уж это мужчина точно поймет.

— Да, ответила.

— Машинально или с чувством?

— С чувством, — признался Оуэн. — Не просто по-дружески чмокнула.

— С языком?

— Господи, Рай!

— Видишь, не только тебя интересуют подробности. — Райдер кивнул Бекетту. — Определенно языки участвовали.

— Я же сказал, что она ответила на поцелуй! А потом Бек начал колотить в дверь, и все стало каким-то сюрреалистичным. Она сказала, что не хочет странностей. Ну, я и сказал, что хорошо. Она сказала, что пойдет помогать Дэйву, а я опять сказал: «Хорошо».

— Вот придурок! — Райдер жалостливо покачал головой. — Предполагалось, что ты будешь умным. Ты — умный, Бекетт — добрый, я — красивый. А ты показал себя придурком. Ты здорово облажался, приятель.

— С чего это я придурок?

Бекетт поднял руку.

— Я объясню. Ты страстно целуешь девушку, и, если я правильно понял, ей это нравится. А когда она пытается выяснить, в чем дело, ты твердишь одно слово — «хорошо». Нет, ты и вправду придурок.

— Она не хочет странностей. Я пытался сделать так, чтобы это не выглядело странным.

— Тебя толкает мертвая женщина, в результате чего ты целуешься взасос со своей старой подружкой, а привидение запирает дверь? Это действительно странно, — заключил Райдер.

— Никакая она не старая подружка! Ей было пять лет!

Райдер дружески положил руку на плечо Оуэна.

— Женщины такое не забывают. Если не хочешь, чтобы все стало еще страннее, поговори с Эйвери. Эх ты, бедолага!

— Эйвери права, — задумчиво произнес Бекетт. — Лиззи очень романтична. Я впервые поцеловал Клэр в этом здании и только потом догадался, что Лиззи все подстроила. Ну, или кое-что.

— Вот ты с ней и поговори! — потребовал Оуэн. — Пусть отстанет.

— Должно быть, поцелуй с Рыжей вызвал у тебя разжижение мозга, — предположил Райдер. — Можно сказать женщине, что делать, и — если ты поведешь себя правильно! — она, не исключено, тебя послушается, хотя бы частично. Это живая женщина. А вот мертвая... Честно говоря, я сильно сомневаюсь.

— Чушь.

— Поговори с Эйвери, — посоветовал Бекетт. — И чем скорее, тем лучше.

— Чушь.

— Ладно, дамочки, побеседовали по душам, и хватит: работать пора. — Райдер подошел к двери и открыл ее. — Нам еще отель заканчивать.

* * *

Оуэн не пытался избегать Эйвери. Да у него ничего и не вышло бы со всей этой суетой с завершением ремонта, завозом мебели, уборкой и перекусами. Раньше, при нормальных обстоятельствах, он встречался с Эйвери примерно раз в неделю, а с начала строительства отеля видел ее каждый день. Сейчас, когда работа перешла в заключительную стадию, их с Эйвери пути пересекались постоянно. Тем не менее Оуэн прекрасно понимал — как ни крути, придурком он все-таки не был! — что ни одна из встреч не годилась для того, чтобы объясниться. Его бы постоянно отвлекали, даже если бы удалось найти укромное местечко.

Раз уж не получалось поговорить спокойно, Оуэн решил вести себя так, словно ничего не произошло. Следующие пару дней он, как обычно, общался с Эйвери, возил для нее ящики, заказывал еду в ее ресторане. Она вела себя точно так же, и Оуэн пришел к выводу, что проблема решена.

На сегодня оставалось только одно дело, и Оуэн искренне надеялся, что на этой неделе оно будет последним. Он отнес ящик лампочек в номер «Ник и Нора», намереваясь пройти по законченным помещениям и вкрутить лампы в светильники. И замешкался всего на миг, увидев, как Эйвери украшает стеклянными подвесками напольный светильник.

— Нужно было его собрать, — пояснила она.

— Смотрится неплохо, — похвалил Оуэн.

— Я развешиваю подвески по-своему, так мне больше нравится, чем на схеме. Жюстина сказала, что ей тоже.

Он заметил у кровати уже собранные светильники в виде поставленных друг на друга стеклянных шаров.

— Я сегодня девочка со светильниками, — сказала Эйвери.

Оуэн хотел было пошутить про то, что он — мальчик с лампочками, но передумал. Черт возьми, все действительно странно!

— А я — человек, который вкручивает лампочки, так что: «Да будет свет!» — Он вытащил из коробки лампочку. — Послушай, Эйвери...

— Вы только посмотрите!

В комнату ворвалась Хоуп, все еще в пальто и шарфе. Она держала статуэтку в стиле арт-деко, изображающую мужчину и женщину.

— Правда, прелесть?

— Потрясающе! Ник и Нора Чарльз.

Эйвери подошла поближе, чтобы полюбоваться фигурками.

— Эту статуэтку нам подарили замечательные люди из магазина «Баст».

— Ух, ты! Теперь она мне нравится еще больше!

— Изумительная вещица! — Окинув взглядом комнату, Хоуп водрузила статуэтку на резной каминный портал. — Великолепно. Мне так нравится эта напольная лампа! Приглушенный свет, очень стильно и гламурно. Да, Эйвери, когда закончишь, не зайдешь в номер «Джейн и Рочестер»? Нам нужно твое мнение. Оуэн, мы думаем, куда повесить вышивки твоей бабушки, те, что обрамила Жюстина. Они такие красивые! Твоя бабушка была настоящей мастерицей!

— Будь у нее достаточно ниток, она бы вышила Тадж-Махал в натуральную величину.

— Не сомневаюсь. Мы остановились на двух вышивках поменьше. Эйвери, нам нужен свежий взгляд.

— Конечно. Все, последняя подвеска, слава богу. — Она отступила на шаг и кивнула. — Отлично!

— Тогда пошли. Решим, куда вешать, и на сегодня все.

— Хорошо, а то мне нужно бежать, еще есть дела.

— Приходи ко мне, когда освободишься, — предложила Хоуп. — Родители Клэр забрали детишек, а у Бекетта ужин с клиентом. Мы с ней хотим выпить вина, я что-нибудь приготовлю.

— Договорились. Мне здесь нужно еще пару минут.

Когда Хоуп ушла, Эйвери присела на корточки, чтобы подобрать пустые упаковки, пока Оуэн проверял, горят ли лампы.

— Включенные светильники смотрятся еще лучше, — заметила Эйвери.

— Ага. Послушай, Эйвери... у нас все хорошо?

После секунды звенящего молчания она метнула на него сердитый взгляд.

— Опять это слово?

— Да ладно тебе.

Все еще сидя на корточках, Эйвери уставилась на него из-под изогнутых бровей.

— У меня все хорошо. А у тебя?

— Ну да, просто...

— Похоже, у нас все хорошо. Оуэн, это не первый поцелуй в моей жизни.

— Да, но...

— И даже не первый поцелуй с тобой.

Оуэн взял ящик с лампочками поудобнее, оперев его на другое бедро.

— Это было...

— В общем, никаких проблем.

Оуэн кивнул, хотя в глубине души чувствовал, что это не так.

— Давай сюда мусор. Я выброшу, там его еще много.

— Ладно. — Эйвери пошла к выходу. — Да, кстати, если у тебя есть время, повесь, пожалуйста, вон то зеркало. Хоуп отметила на стене, куда вешать.

— Конечно.

— Хороших выходных, если не увидимся.

— Спасибо, тебе тоже.

Оуэн хмуро посмотрел на картонки, перевел взгляд на зеркало, потом на входную дверь, возле которой уже никого не было.

— Вот дерьмо! — пробормотал он и пошел за дрелью.

* * *

— У нас все хорошо? — передразнила Эйвери, взмахнув бокалом с вином. — Идиот.

Клэр, которая свернулась калачиком на диване в гостиной Хоуп, одарила подругу улыбкой.

— Он просто не знает, что делать.

Эйвери не собиралась уступать и потому только фыркнула.

— Тогда он прекрасно знал, что делать.

— Бекетт тоже смутился и повел себя странно после того, как мы чуть не поцеловались в первый раз. Наверное, это семейная черта братьев Монтгомери.

— Как только вы поцеловались, он перестал смущаться.

— Верно. — Клэр тепло улыбнулась. — Тем не менее, учитывая историю ваших...

— История-шмистория!

— Что за история? — Хоуп вынесла из кухоньки поднос с фруктами и сыром. — Я так и не слышала подробностей. Привидение, которое толкается, горячий поцелуй, смутившийся после него Оуэн...

— Собственно, и все.

— История? Да вы всю жизнь друг друга знаете! Клэр и Бекетт тоже общались долгие годы, прежде чем стали парой.

— Я была с Клинтом, — напомнила Клэр, — а с Бекеттом просто дружила.

— А у вас с Оуэном было нечто большее? — поинтересовалась Хоуп. — Я что-то пропустила?

— Они были помолвлены. — Клэр ухмыльнулась и подняла бокал за Эйвери.

— Неужели?

Темно-карие глаза Хоуп округлились от удивления.

— Когда? Почему я не в курсе? Вот это да!

— Мне тогда было пять, почти шесть. Наши отцы дружили, и мы с Оуэном часто вместе играли. Я в него влюбилась.

— Да, и сделала ему предложение, вернее, объявила, что они поженятся, когда вырастут

— Как мило!

— Ему было около восьми. Он, наверное, чувствовал себя очень неловко. Впрочем, держался хорошо. Все терпел, — вспомнила Эйвери, почти успокоившись. — Я любила его года два.

— Довольно долго для столь юного возраста, — заметила Хоуп.

— Обычно я сильно привязываюсь. А потом он начал гулять с Кирби Андерсон. — Голос Эйвери стал жестче, взгляд посуровел. — Десятилетняя вертихвостка! Оуэн Монтгомери разбил мне сердце, связавшись с этой пустышкой, ворующей чужих ухажеров.

— Имей в виду: Кирби Андерсон сейчас замужем, воспитывает двоих детей, живет в Арлингтоне и активно борется за сохранение окружающей среды.

— Ну да, она переросла это увлечение. — Эйвери пожала плечами. — Хотя вероятно, что тяга к распутству в ней осталась, просто пока не проявляется. Как бы то ни было, я завязала с мальчишками, пока не стала половозрелой.

— Ты ведь простила Оуэна? — поинтересовалась Хоуп.

— Конечно. К тому же не обязательно, чтобы первая любовь девушки становилась и ее последней, да? — Махнув рукой, Эйвери отрезала ломтик сыра

«Гауда» и отправила в рот. — Особенно если парень — придурок.

— Ну-ну, не будь к нему строга. — Клэр потрепала Эйвери по руке. — Возможно, он смущается, не знает, как себя вести. Ты много для него значишь. И для других Монтгомери тоже.

— Угу, — вздохнув, кивнула Эйвери. — Поцелуй был хорош. Оуэн многому научился с тех пор, как ему было восемь. Или я научилась. Наверное, мы оба. Я бы с ним еще поцеловалась.

— Неужели? — спросила Хоуп, откусив яблока.

— Конечно. Я ведь не дура. Насколько мне теперь известно, он великолепно целуется. И выглядит классно.

— Ты бы с ним переспала? — не отставала Хоуп.

— Хм-м, дай подумать. — Эйвери подцепила кисточку кислого зеленого винограда. — Мы сейчас взрослые, ни у меня, ни у него никого нет. Да, возможно, если только мы оба сознательно примем это решение. На Оуэна можно положиться. Очень важно знать, что ты с тем, кому доверяешь.

Она съела виноградину и ухмыльнулась.

— К тому же он хорош собой.

— Слушаю тебя и радуюсь, что я не по этой части, — довольно произнесла Хоуп, усаживаясь с бокалом вина в кресло.

— Долго не продержишься. — Эйвери покачала головой. — Ты красивая, умная... и женщина.

— Меня сейчас не интересуют отношения, и вовсе не из-за козла Джонатана. Сейчас я хочу заниматься только гостиницей, стать лучшей в мире управляющей и сделать это очаровательное место еще прекраснее. Мужчины, свидания, секс? Для меня их не существует!

— Не зарекайся, — предупредила Клэр. — Даже самые мудрые планы могут пойти прахом.

— Вряд ли. Что-что, а планировать я умею.

* * *

Оуэн не выспался, что ему сильно не понравилось. Он всегда хорошо спал и считал хороший сон таким же полезным навыком, как плотницкое дело или сложение в уме многозначных чисел. Однако вместо того, чтобы отключиться после целого дня работы, изнурительной часовой тренировки и расслабляющей горячей ванны, он спал тревожно, время от времени просыпаясь и ворочаясь.

Когда-то он дал себе слово не работать по выходным, но что делать человеку, который вылез из постели еще до рассвета, чем себя занять? Дом был в идеальном порядке. Оуэн всегда следил за чистотой, но из-за хлопот с гостиницей последние две недели приходил домой только переночевать. Даже он не мог найти, к чему сейчас придраться.

Свое жилище он спроектировал вместе с Бекеттом, пару идей подбросили Райдер с матерью, кое-что Оуэн подглядел в доме, который Бекетт уже достраивал. Оуэну нравилось, что семья рядом, хотя заросший лесом участок, где стоял дом, давал возможность жить достаточно уединенно. Еще Оуэну с его деятельной и рациональной натурой пришлась по вкусу большая открытая кухня-столовая, которая легко превращалась в гостиную и зону развлечений, когда кто-нибудь заходил в гости. Прачечная комната слева служила одновременно кладовкой, а в плохую погоду там оставляли грязную обувь и промокшую одежду. Оуэн свято верил в многофункциональность.

Надев только свободные фланелевые штаны, он стоял в дверях просторного патио и пил кофе, смолотый и сваренный элегантной и практичной кофеваркой, которую подарил себе на последний день рождения. Райдер называл ее Хильдой, утверждая, что все блестящее и сложное — непременно женского рода.

Обычно первая чашка крепкого кофе доставляла Оуэну удовольствие и заряжала бодростью на предстоящий день, но сегодня ничего не могло вывести его из мрачного настроения.

«Эйвери сама странная», — сказал он себе, как говорил несчетное число раз за бессонную ночь. Не хочет странностей, а ведет себя непонятно. Глупо, нужно обо всем забыть. Нельзя, черт возьми, терять еще одну ночь сна.

Оуэн подумал, что не мешало бы позавтракать, но готовить было лень. Нет, обычно он любил готовить, особенно завтраки по выходным, когда можно наесться яичницы с беконом, а потом сидеть и играть на айпаде. Сегодня играть тоже не хотелось, и это было неправильно. Оуэну всегда нравилось пользоваться айпадом.

Тогда он решил все-таки поработать. Попотеть в мастерской над резными досками для камина в Беккетовой спальне. Может, даже закончить, и тогда Беккету останется только закрепить облицовку.

Бессмысленно торчать целый день дома, если безделье не радует. К тому же мама тоже рано встает, думал Оуэн, направляясь к лестнице, которую построил вместе с братьями. Мать приготовит завтрак, и, возможно, ему удастся выведать что-нибудь о Эйвери. Конечно, не стоит рассказывать все подробности, они действительно несколько... странные. Одно точно: никто не разбирается в людях лучше, чем Жюстина Монтгомери.

Оуэн зашел в спальню, включил небольшой газовый камин с имитацией поленьев, встроенный в светло-коричневую стену, и отнес кофе в ванную. Приняв душ и побрившись, надел рабочую одежду и ботинки с металлическим носком. Заправил постель — разгладил простыни, застелил сверху белым одеялом, сложил горкой подушки в коричневых наволочках. Закончив с постелью, снял телефон с зарядки и повесил на пояс, взял с подноса на комоде карманный нож, бумажник и мелочь. Достал из ящика комода чистую бандану. Постоял, нахмурившись, сам не зная почему. Потом понял — слишком тихо. Оуэну нравился и дом, и участок, которые он обустроил по своему вкусу, работы тоже хватало, и она приносила удовлетворение, но было слишком тихо.

Нужна собака, сказал он себе. Пора серьезно подумать о том, чтобы завести собаку. Лабрадора-полукровку, как у матери, или преданную дворнягу, как у Райдера. Давно следовало обзавестись собакой, но гостиница отнимала столько времени и сил, что с собакой пришлось подождать.

Лучше всего взять щенка весной — легче приучить его не гадить дома. Или подобрать пса постарше, и если он будет хотя бы наполовину таким смышленым, как Райдеров Тупорылый, то, считай, повезло.

Оуэн достал из шкафа рабочий халат, натянул лыжную шапочку, перчатки, взял с полки у двери ключи. Человеку нужна собака. Только хорошего пса и не хватает в его жизни. Вообще-то можно заглянуть в приют для собак после завтрака с матерью и работы в мастерской.

Удовлетворенно кивнув, он залез в машину. Похоже, сформировался план, а Оуэн всегда любил планировать. Он тронул грузовичок с места и поехал к шоссе мимо небольшого гаража, который построил для джипа и снегоуборщика. Повернул, потом повернул еще раз на подъездную дорожку, ведущую по холму к дому матери.

Навстречу ему выбежали собаки. Первым бежал Кус — сокращенно от Аттикус — с ошалелыми от радости глазами и помятым мячиком в зубах. Финч с разбегу налетел на брата, и, сцепившись, оба пса кубарем покатились по земле. Оуэн ухмыльнулся. Да, ему определенно не хватает собаки.

Он доехал до конца подъездной дорожки и слегка удивился, заметив возле машины матери грузовичок Вилли Би. Рановато для визита, даже для отца Эйвери. Впрочем, Вилли Би и раньше регулярно навещал Жюстину, а теперь, когда стал одним из самых популярных художников в ее магазине подарков, наверняка заезжает еще чаще — показывает новые работы.

Повезло, решил Оуэн, припарковав машину. Может, удастся выведать у Вилли Би что-нибудь об Эйвери. Он остановился, поднял мячик, который Кус просительно положил к его ногам, и швырнул как можно дальше. Собаки рванули за мячиком, а Оуэн поспешил к задней двери.

Еще футов за десять он услышал громкую музыку и покачал головой. В этом вся мама — она никогда не кричала на сыновей, требуя выключить чертову музыку, а врубала на полную мощность свою.

Оуэн толкнул дверь и улыбнулся, почувствовав запах бекона и кофе. Похоже, он успел вовремя.

А потом перед его взором предстала картина, от которой глаза полезли на лоб.

Бекон скворчал на плите, возле которой стояла мать, а рядом с ней — Вилли Би, высокий, почти двухметровый, в одних белых трусах-боксерах. Он целовал Жюстину в губы, а его ладони сжимали ее зад.

5

Наверное, он издал какой-то звук, который прорвался к парочке сквозь громкую музыку и умопомрачительное объятие. Оуэн искренне надеялся, что сдержал крик. Тем не менее мать — в распахнутом халате поверх пижамных трусов и полупрозрачной (даже слишком!) майке — отступила назад. Мигнула, встретившись взглядом с Оуэном, и рассмеялась.

Она рассмеялась!

У Вилли Би хватило приличия покраснеть так, что его лицо стало почти одного цвета с взъерошенной рыжей шевелюрой и аккуратно подстриженной бородой.

— Что... — выдавил потрясенный до мозга костей Оуэн. — Что вы... Что?!

— Я готовлю завтрак, — весело сказала Жюстина. — Похоже, нужно разбить еще пару яиц.

— Ты... что?.. мама...

— Оуэн, постарайся произнести предложение полностью. Выпей кофе.

Она достала стакан.

— Э-э... Я должен... — Все еще пунцовый от смущения, Вилли Би переминался на огромных ногах. — Надеть штаны.

— Да! — Оуэн непроизвольно всплеснул руками. — Это... штаны... Ради бога!

Проворчав что-то невнятное, Вилли Би улепетнул из кухни как медведь к берлоге.

— *Мама.*

Жюстина взяла щипцы, чтобы снять со сковороды бекон.

— Давай, заканчивай. Я тебе помогу, начну сама. Что...

— Что... — Оуэн с трудом сглотнул колючий комок в горле. — Что вы с ним делали? Здесь. Голые.

Жюстина подняла брови и оглядела себя.

— Я не голая.

— Почти.

Явно сдерживая улыбку, Жюстина запахнула и завязала халат.

— Так лучше?

— Да. Нет. Не знаю. Моя голова. Она взорвалась?

Оуэн провел по голове руками.

Жюстина с невозмутимым видом достала из большого холодильника яйца и молоко.

— Вообще-то я хотела сделать омлет, но, учитывая обстоятельства, нажарю французских гренков. Ты любишь французские гренки. Ты ведь еще не завтракал, да?

— Нет. Мама, я не понимаю.

— Что именно, детка?

— Ничего. Все.

— Хорошо, давай объясню. Когда люди взрослеют, им часто хочется, чтобы рядом кто-то был. Лучше всего, когда люди по-настоящему любят и уважают друг друга. Секс составляет важную часть этой близости, значит...

— Мама! — Оуэн почувствовал, как жар заливает шею, но не знал, какая эмоция была тому причиной. — Прекрати.

— Ага, это ты понимаешь. Мы с Вилли Би любим и уважаем друг друга и время от времени занимаемся сексом.

— Не упоминай себя, Вилли Би и секс в одном предложении!

— Тогда я не смогу ничего объяснить. Значит, смирись, — посоветовала мать и протянула ему кусок бекона.

— Но...

Оуэн взял бекон. Мысли путались, мешая высказаться связно.

— Я любила твоего отца. Очень любила. Мне было всего восемнадцать, когда я устроилась на работу в строительную фирму и в первый же день увидела его. В рваных джинсах и тяжелых ботинках он стоял на стремянке. Без рубашки, только в поясе для инструментов. Бог мой, у меня в глазах потемнело... Том Монтгомери. Мой Томми.

Она достала миску, начала вилкой взбивать яйца и молоко.

— Я даже не смогла притвориться скромницей, когда он позвал меня на свидание. После я ни с кем не встречалась. Да и не хотела. Я любила только его, твоего папу.

— Знаю, мама.

— Мы прожили хорошую жизнь. Он был замечательный человек, сильный, умный, веселый. Прекрасный муж и отец. Мы вместе создали собственное дело, потому что оба этого хотели. Наш дом, семья — все это заслуга Томми. Его частица живет в вас, проявляется в характере и внешности. У тебя отцовский рот, у Беккета — глаза, у Райдера — руки. Много еще чего. И я этим дорожу.

— Прости. — Оуэн смотрел на мать, слушал, и его сердце разрывалось на части. — Прости. Не плачь.

— Это слезы благодарности, а не печали. — Жюстина добавила в миску сахар, ваниль, щедро сыпнула корицы. — У нас была замечательная, интересная, полная событий жизнь... а он умер. Вы не знаете — я никогда этого не показывала! — как я злилась из-за того, что он взял и умер. Я злилась на него много недель, даже месяцев. Очень долго. Он не должен был умирать! Мы собирались всегда быть вместе, а его вдруг не стало. Он умер, Оуэн, и я все жизнь буду по нему скучать.

— Я тоже.

Протянув через стол руку, Жюстина погладила ладонь сына, затем повернулась и взяла буханку хлеба.

— Вилли Би любил Томми. Они были как братья.

— Я знаю, мам, знаю.

— Когда Томми умер, мы были нужны друг другу. Мы оба нуждались в человеке, который любил Томми, мог о нем поговорить. Нуждались в ком-то надежным, с кем можно поплакать и посмеяться. Долгое время наши отношения оставались просто дружескими.

А потом, пару лет назад, мы... короче говоря, я стала иногда готовить ему завтрак.

— Пару лет?

— Наверное, следовало вам сказать. — Жюстина пожала плечами и опустила ломоть хлеба в яично-молочную смесь. — Мне не хотелось обсуждать свою сексуальную жизнь с взрослыми сыновьями. К тому же Вилли Би очень застенчивый.

— Ты его... любишь?

— Много лет он был моим другом. Ты же знаешь, он хороший человек. И хороший отец — ему пришлось одному воспитывать Эйвери, когда ее мать их бросила. Он очень добрый. Влюблена ли я?

Пропитанный хлеб скворчал на сковородке. Жюстина немного помолчала и продолжила:

— Нам хорошо друг с другом, Оуэн. Нам нравится бывать вместе, когда есть время. У каждого своя собственная жизнь, дом, семья. Нас вполне устраивают нынешние отношения. А теперь, может, я позову его и мы позавтракаем?

— Да, конечно. Наверное, мне лучше уйти.

— Нет уж, сиди. Я наготовила на целую армию.

Жюстина вышла из кухни, встала, уперев руки в бока, и крикнула:

— Вилли Би, ты уже надел штаны? Спускайся, будем завтракать!

Вернувшись на кухню, она перевернула поджаривающийся хлеб, разложила тосты и бекон, поставила тарелки на стол. К тому времени, как пришел Вилли Би, она успела положить на сковороду еще несколько кусков.

— Садись и ешь, — скомандовала Жюстина, — а то остынет.

— Выглядит очень аппетитно, — пробормотал Вилли Би и опустился на табурет рядом с Оуэном.

Жюстина бросила на сына многозначительный взгляд.

— Э-э... как дела, Вилли Би?

— Да вот так...

— Ага.

Не зная, что сказать, Оуэн полил гренки сиропом.

— А... гостиница становится все лучше и лучше, — рискнул заметить Вилли Би. — Настоящее украшение площади. Ваш отец был бы доволен.

— Наверняка. — Оуэн вздохнул. — Женщины расставили там твои работы. Отлично смотрятся.

— О чем еще мечтать художнику?

У плиты Жюстина жарила очередную порцию хлеба и улыбалась, глядя, как двое мужчин пытаются поддержать застольную беседу.

Оуэн вынес испытание. Мысли все еще путались, но он пережил трапезу в компании матери и Вилли Би. А после завтрака пошел в мастерскую. Собаки увязались за ним, причем Кус, как всегда полный надежд, нес мячик.

Оуэн зажег свет, включил радио и отопление, однако, полчаса провозившись, сдался. Мозг словно оцепенел, не стоит браться за тонкую работу. Оуэн потушил свет, выключил радио и отопление, вышел из мастерской. Собаки послушно следовали за ним. Он пнул мячик, чтобы порадовать Куса, и залез в грузовичок.

Направляясь к дому Бекетта, Оуэн решил заняться утомительной, но несложной плотницкой работой. Что-что, а установить деревянную обшивку в пристроенных для сыновей Клэр комнатах у него мозгов хватит.

Оуэн заметил машины братьев и никак не мог решить, радоваться или огорчаться. Что им сказать? И стоит ли? Все-таки сказать надо — по крайней мере, тогда не ему одному придется краснеть и чувствовать себя неловко.

Под стук молотка, жужжание пилы и грохот музыки из Бекеттова айпада Оуэн достал из грузовичка пояс с инструментами и вошел в дом. Стройка двигалась, и весьма неплохо, учитывая, что большую часть времени и сил они с братьями отдавали гостинице. Комнаты пристраивали к незаконченному каркасу дома. Слава богу, хоть крышу успели возвести, при такой-то погоде! Окна выглядят неплохо, решил Оуэн, и вид из них будет отличный. Террасы и патио подождут, но если закончить все остальное к апрелю, то Бекетт и его новая семья смогут переехать сюда сразу после свадьбы.

Оуэн вошел через дверь будущей кухни, наскоро осмотрел первый этаж и только потом поднялся по временной лестнице на второй. По его мнению, дом был слишком большим, но, с другой стороны, и семья не маленькая — пять человек. Просторную хозяйскую спальню с ванной комнатой украшал большой камин, о котором, как признались Бекетту мальчишки, их мать всегда мечтала. Другая ванная соединяла две спальни поменьше. Оуэн вспомнил, что на втором этаже находятся еще две спальни с общей ванной.

Он пошел на шум, и ему навстречу выбежал Тупорылый. Пес плюхнулся на пол и поднял голову, виляя хвостом.

— У меня ничего нет.

Оуэн развел пустыми руками, потом погладил собаку. Он специально не произнес слов «еда» или «кушать», чтобы Тэ-Эр не тешился пустыми надеждами.

В одной из спален Бекетт что-то пилил, а Райдер устанавливал каркас для стенного шкафа.

— Не звоните мне, не пишете, — шутливо пожаловался Оуэн, стараясь перекрыть шум.

Бекетт с улыбкой выпрямился, поднял защитные очки на лоб.

— Рай только что подъехал. Надо было сразу догадаться, что ты тоже не задержишься. Спасибо.

— Пончики есть? — спросил Райдер, и Тэ-Эр завилял хвостом.

— У меня нет.

— Клэр утром открывает магазин, а днем заберет детей у своих родителей и поедет по делам. Она может по дороге захватить бутербродов, все равно собирается привезти сюда мальчишек — помогать.

— Сочувствую, — вставил Райдер.

Бекетт пожал плечами.

— Папа уже вовсю учил нас работать, когда мы были в их возрасте.

— В то время я был слишком глуп, чтобы ему сочувствовать. Кстати, о времени — ты бы мог его сэкономить, если бы сократил количество комнат. Зачем тебе пять спален? Разве что Клэр не захочет с тобой спать.

— По комнате на ребенка, — посчитал Оуэн, — спальня для взрослых плюс гостевая.

— Для гостей сойдет и раздвижной диван в общей комнате. Или в кабинете.

— Вообще-то, нам нужно пять спален. Мы хотим еще одного ребенка.

Оуэн замер, не успев снять пальто.

— Клэр беременна?

— Еще нет. Как только поженимся, сразу вперед на всех парах.

— От пара дети не рождаются, — заметил Райдер, потом опустил молоток. — Четверо детей? Ты серьезно?

— Подумаешь, одним больше.

Оуэн покачал головой.

— Похоже, количество детей возрастает в геометрической прогрессии. Впрочем, какая разница? Вы отлично управляетесь с тремя, справитесь и с четырьмя.

— Мама с ума сойдет от радости, когда узнает, что еще один внук на подходе.

— Да, раз уж речь зашла о маме. Я заезжал к ней сегодня утром, хотел поработать в мастерской.

— Позавтракать на халяву, — уточнил Райдер.

— И это тоже. Так вот, там был Билли Би.

— Еще один любитель дармовых завтраков.

Бекетт опустил защитные очки, взял пилу.

— Пока не включай, — предупредил Оуэн, не желая, чтобы брат лишился пальца.

Нахмурившись, Бекетт снова снял очки.

— Что-то случилось? У мамы неприятности?

— Нет. Не знаю. У нее-то их нет.

— А у кого есть? — требовательно спросил Райдер.

— Дайте же мне закончить, черт возьми!.. Я зашел на кухню, мама готовила завтрак, и Вилли Би тоже там был. В одних трусах, и они с мамой... ну, вы понимаете.

Райдер отложил молоток.

— Они что? Уточни.

— Они... — Оуэн описал руками круг. — В общем, Вилли Би держал маму за задницу, а на маме был только халат, распахнутый. И я не хочу это обсуждать.

— Говоришь, он ее лапал? — тихо произнес Райдер. — Ладно, Вилли Би, конечно, здоровенный, но уже старый. Я с ним справлюсь.

— Постой! — Бекетт толкнул Райдера на место. — Ты хочешь сказать, что мама и Вилли...

— Вот именно. Уже несколько лет.

— Твою мать! — пробормотал Райдер.

— Не выражайся, когда он говорит о маме и Вилли Би. Не хочу, чтобы это звучало в одном предложении. — Бекетт взял литровую бутылку колы, которую принес с собой, и глотнул прямо из горлышка. — Так, все делаем глубокий вдох... Значит, ты утверждаешь, что мама... встречается с Вилли Би?

— По ее словам, да... время от времени. Она мне призналась, пока он ходил надевать штаны. Они всегда были друзьями, оба любили папу. Вы же знаете, Вилли Би обожал нашего отца.

— Ага, как же.

— Рай, хватит, — буркнул Бекетт.

— Ладно, черт возьми. Хорошо, признаю, они были неразлейвода. Но если маму это устраивает, почему они с Вилли Би скрытничали?

— Думаю, из соображений скромности, во всяком случае, мне так показалось. Она говорила о том, что чувствовала после смерти отца, и плакала.

— Вот дерьмо!

Райдер подошел к окну, выглянул на улицу.

— Мы знаем, что они с Вилли Би заботятся друг о друге. И когда папа умер, они поддерживали друг друга. Очевидно, через некоторое время они...

— Стали поддерживать друг друга голыми.

— Черт побери, Райдер! — Бекетт прижал пальцы к глазам. — Теперь мне так и видится эта картина!

— Вот, а я ее и в самом деле видел... Нет, мне все равно хочется его как следует стукнуть, хотя бы разок. Из принципа.

— Ей это не понравится, — сказал Оуэн, пожав плечами. — А он все тот же Вилли Би и позволит себя ударить, если тебе приспичило.

— Пожалуй. Так не пойдет. Надо подумать.

Стиснув зубы, Райдер взял молоток, приложил к стене гвоздь и с размаху ударил.

— Нам всем надо, — сказал Бекетт, надел защитные очки и включил пилу.

Оуэн кивнул и надел пояс с инструментами. Лучше занять себя работой и под запах опилок и стук молотка, забивающего гвозди, пережить странный сегодняшний день.

К тому времени, как приехала Клэр с детьми и едой, братья закончили обшивку на втором этаже и приступили к основному перекрытию.

— А вы быстро работаете! — удивилась Клэр, которая хотела посмотреть, где будет ее собственный домашний офис.

— У нас своя система, — пояснил Бекетт, обняв ее за плечи, пока мальчишки с громким топотом бегали по деревянному настилу.

— Похоже, очень эффективная. Вообще-то мы приехали помочь. А в качестве оплаты я приготовила тушеную говядину. Мужская еда для настоящих мужчин.

— Я согласен, — сказал Оуэн.

— Жаль, я не могу, у меня свидание.

Райдер, не глядя, подбросил кусок бутерброда. Тупорылый поймал подачку прямо в воздухе, как опытный центральный принимающий бейсбольной команды.

— Можешь научить так Кена и Йоду? — спросил Лиам.

— Тэ-Эр умел ловить еду с самого рождения, но попробуем научить и твоих псов.

— Только не в доме, — рассеянно предупредила Клэр, разглядывая чертежи.

Райдер ухмыльнулся мальчугану, отломил еще кусок.

— Давай, потренируйся на Тэ-Эре.

— Тэ-Эр это сокращенно от «Тупорылый», — объявил Мерфи, — но нам нельзя говорить «рыло». Это плохое слово.

— Не всегда.

— Как это?

— Смотри. — Немного подумав, Райдер вытащил из кармашка на поясе для инструментов карандаш, нарисовал что-то на полу. — Это что?

— Свинка. Ты хорошо рисуешь.

— Не, это рыло.

— Мама, Райдер порисовал рыло на полу!

— Нарисовал, — поправила Клэр, бросив на Райдера сердитый взгляд.

— Я люблю рисовать. А мне можно рисовать на полу?

Райдер вручил Мерфи карандаш.

— Вперед, малявка.

Счастливый Мерфи сел на пол и нарисовал прямоугольник, а сверху — треугольник.

— Это будет наш дом, когда мы поженимся.

Лиам приставал к Оуэну.

— Мне нужен еще кусочек, пусть Тэ-Эр поймает.

Оуэн послушно отдал ему остатки бутерброда.

— Ты будешь нашим дядей.

— Да, мне говорили.

— Значит, ты должен купить нам подарки на Рождество.

— Похоже на то.

— У меня есть список.

— Наш человек! И где он?

— Дома, на холодильнике. До Рождества осталось только десять дней.

— Значит, мне нужно срочно заняться делом.

Лиам посмотрел на другой конец комнаты, где Бекетт учил Гарри забивать гвозди.

— Я тоже хочу молоток.

— Ладно, поможешь мне закончить обшивку кладовой.

— А что это такое?

— Место, где твоя мама будет хранить еду.

— Холодильник?

— Не все продукты кладут в холодильник. Как насчет банок с супом?

— Я люблю куриный суп со звездочками.

— Кто его не любит? Давай-ка начнем.

Несмотря на бесконечный поток вопросов, Оуэну понравилось учить парнишку, как измерять, отмечать, держать молоток. Лиам проработал почти час, прежде чем присоединился к Мерфи, который играл на полу с пластиковыми фигурками. А молодчина Клэр без устали что-то приносила, подавала и даже сама забила пару гвоздей, попутно присматривая за детьми.

Оуэну польстило, что после того, как закончили работу, Лиам попросился к нему в грузовичок. Они закрепили на сиденье детское автомобильное кресло, пристегнули Лиама.

— А где твой дом? — поинтересовался мальчуган.

— Чуть дальше по дороге или через лесок, если идти пешком.

— Можно посмотреть?

— Конечно.

Путешествие было недолгим. Оуэн заранее установил перед окном гостиной рождественскую елку, украсил ее гирляндами с автоматическим включателем, и теперь в темноте декабрьской ночи светились яркие огоньки.

— У нас дом больше, — заявил Лиам.

— Ну да, вас тоже больше.

— И ты живешь здесь совсем один?

— Верно.

— Почему?

— Потому что это мой дом.

— Значит, тебе не с кем играть?

Вопрос заставил Оуэна задуматься.

— Выходит, так. Но неподалеку живет Райдер, а когда закончим ваш дом, вы тоже будете жить совсем рядом.

— А мне можно прийти к тебе поиграть?

— Конечно. — Об этом Оуэн тоже раньше не думал. — Приходи.

— Ладно.

Оуэн развернул грузовичок и поехал к дороге.

— Я хочу завести собаку.

— Собаки хорошие, — с умным видом кивнул Лиам. — Их нужно кормить и учить командам. Они отгоняют плохих людей. Однажды в наш дом пришел плохой человек... Собаки тогда были щенками.

Оуэн помедлил с ответом. Он не знал, что именно мальчикам известно о Сэме Фримонте.

— У вас славные собаки.

— Они немного подросли, но все еще маленькие. А когда вырастут, будут охранять от плохих людей. Плохой человек пришел и напугал маму.

— Ничего, сейчас с ней все в порядке, а плохого человека отправили в тюрьму.

— Бекетт пришел и помешал ему. И вы с Райдером тоже.

— Правильно. — Оуэн решил, что раз Лиаму нужно выговориться, тот случай до сих пор его беспокоит. — Мы вам помогли.

— Потому что Бекетт и мама скоро поженятся.

— Не только из-за этого.

— Если плохой человек вернется, когда Бекетта не будет рядом, мы с Гарри станем защищаться, а Мерфи позвонит девять-один-один и Бекетту. Мы договорились.

— Умно придумано.

— А если он попробует вернуться, когда вырастут собаки, они его укусят. — Лиам перевел взгляд на Оуэна. — Схватят за задницу.

Рассмеявшись, Оуэн легонько шлепнул Лиама по голове.

— Чертовски верно.

После ужина, когда Клэр позвала мальчишек наверх купаться, Оуэн пересказал этот разговор Бекетту.

— Схватят за задницу! А парнишка-то соображает! Мы с Клэр обсуждали тот случай с детьми, конечно, в общих чертах, но в школе всякое болтают, вот Гарри и собрал братьев на совет, а потом привел их ко мне.

— Решили не втягивать в это дело женщин?

Бекетт бросил взгляд на лестницу.

— Может, это не политкорректно и вообще не правильно, но в этом случае оправданно. Они должны чувствовать, что мы защищены и что я доверяю им заботу о матери.

— Мы бы сделали то же самое.

— Точно. Да, кстати о маме, по дороге домой мне удалось поговорить с Клэр. Нужно только включить радио на определенную громкость, и тогда можно разговаривать, не опасаясь, что тебя услышат на задних сиденьях. К тому же мы использовали код.

— Что она сказала?

— Примерно то, что и ожидалось. Жизнь продолжается, мама еще полна энергии, а Вилли Би — достойный человек. В общем, все в таком духе. Нет, я понимаю, что она права, тем не менее...

— Это не ее мать вместе с Вилли Би были почти без одежды на кухне.

Бекетт со вздохом закрыл глаза.

— Спасибо за то, что добавил еще один мысленный образ в мою растущую коллекцию.

— Можно ими обмениваться, как бейсбольными карточками.

Засмеявшись, Бекетт покачал головой.

— Знаешь, что самое интересное? Похоже, Клэр совсем не удивилась.

— Неужели? — Оуэн опустил бутылку с пивом. — Она знала?

— Видимо, сработало пресловутое женское чутье. У женщин радар как у летучих мышей — чувствуют все за милю. В общем, я хотел ее спросить, но тут Гарри затеял ссору с Мерфи, и на этом взрослые разговоры закончились.

Вдруг Оуэна словно обухом по голове ударило.

— Если Клэр знала, то и Эйвери...

— Наверное, все-таки чутье.

— Эйвери — женщина, такая же летучая мышь, как все они. К тому же это ее папаша зажимал нашу мать.

— Хватит! — Бекетт закрыл уши.

— Если Эйвери все известно, то почему она меня не предупредила? — Неприятная мысль проникла в мозг и там укоренилась. — Я бы предупредил.

— Теперь мы все знаем и, похоже, должны смириться.

Оуэн хотел было ответить, когда вбежал до блеска отмытый Гарри в пижаме с изображением людей Икс и потребовал устроить соревнования на игровой приставке. Волей-неволей Оуэну пришлось целый час провести за игрой. Он любил детей, любил «Nintendo Wii», но ему не давало покоя, что Эйвери утаила от него отношения их родителей.

Всю дорогу до дома Оуэн пережевывал эту мысль, потом посидел в грузовичке и еще немного подумал, наконец решившись, развернул машину и поехал обратно в город. В «Весту» он зашел с заднего хода.

— Привет, Оуэн! — Фрэнни за стойкой резала большую пиццу. — Что будешь?

— Эйвери здесь?

— Только что ушла разносить заказы. Я сама закрою ресторан, так что она сразу поднимется к себе. Могу ей позвонить, если дело важное.

— Нет, ничего особенного. Зайду позже. Как ты себя чувствуешь?

— Уже лучше. Правда, что в следующем месяце вы открываете гостиницу?

— Ага.

— Я всем так и говорю.

— Продолжай в том же духе. Ладно, Фрэнни, увидимся.

Оуэн пошел к задней двери, где после недолгих размышлений поднялся вверх по лестнице вместо того, чтобы пойти вниз. Рано или поздно Эйвери вернется домой. Можно было бы открыть дверь своим ключом, как-никак он — владелец дома, но это уж слишком. Оуэн уселся под дверью квартиры и вытащил телефон, решив скоротать время за чтением почты и ответами на сообщения.

Закончив, он взглянул на часы. Куда, черт возьми, она отправилась с доставкой? В Португалию?.. Пожалев, что не попросил у Фрэнни кофе, Оуэн попытался отвлечься игрой «Злобные птицы», правда, без особого успеха. Он на минутку закрыл глаза — пусть немного отдохнут, — и тут дала о себе знать бессонная ночь. С верным телефоном в руке Оуэн заснул прямо на полу.

6

Нагруженная пакетами с покупками, Эйвери распахнула дверь на лестницу, привычно задержалась на площадке, проверяя замок на задней двери «Весты», поднялась на свой этаж и замерла, мрачно глядя на распростертого у двери Оуэна.

— Это еще что такое? — требовательно спросила Эйвери, и только когда Оуэн не ответил, поняла, что он крепко спит.

— Ради всего святого!.. — пробормотала она и, шагнув ближе, толкнула его ногой.

— Ой! В чем дело? Вот черт!

— Что это ты тут делаешь?

— Жду тебя. — Оуэн сердито потер бедро там, куда пришелся удар туфлей, сегодня канареечно-желтой. — Где ты бродишь?

— Нужно было разнести заказы, потом зашла в продуктовый магазин, а там случайно встретила подругу, и мы... — Она замолчала на полуслове. — А собственно, с какой стати я перед тобой отчитываюсь? Почему ты дрыхнешь на полу перед моей квартирой?

— Потому что тебя не было дома. И я не спал. Я просто... думал. — Он поднялся на ноги и, моргая, посмотрел на Эйвери. — У тебя мокрые волосы.

— На улице моросит. Отойди, а? Мне тяжело.

Оуэн снова моргнул и взял у Эйвери пакеты. Она отперла дверь; Оуэн прошел через гостиную в кухню и плюхнул пакеты на стол. Эйвери следила за ним, снимая пальто и разматывая шарф.

— Давно ждешь? — спросила она.

— А который час?

Заметив, что Оуэн смотрит на часы, Эйвери подняла брови.

— Что-черт-возьми-происходит, вот который.

Она тоже вошла в кухню, бросив по пути пальто и шарф на спинку стула.

— Я хочу знать, что происходит.

— Это ты спал на пороге, — сказала Эйвери, раскладывая покупки.

В отличие от гостиной, которую Оуэн считал образцом безалаберности, а Эйвери — помещением, где люди *живут*, кухонные шкафы и холодильник были в идеальном порядке.

— Я не спал. Может, задремал на минутку, но это к делу не относится.

— Какому еще делу?

— Ты все знала. Знала — и ничего мне не сказала!

— Я многое тебе не рассказываю. — Недовольно прищурив глаза, Эйвери начала перекладывать яйца из картонки в контейнер. — Уточни.

— Ты знала, что твой отец спит с моей матерью!

Яйцо выскользнуло из пальцев Эйвери и, как маленькая бомба, упало на пол.

— *Что?*

— Ну, хорошо, не знала. — Оуэн сунул руки в карманы. — Теперь знаешь.

— Повторяю: *что*?

— Моя мать, твой отец, — пробормотал Оуэн в замешательстве.

— Да иди ты! Не может быть.

Она хохотнула, оторвала несколько бумажных полотенец и намочила — собрать разбитое яйцо.

— Тебе, должно быть, привиделось, пока ты спал под моей дверью.

— Ничего мне не привиделось!

Эйвери покачала головой, намочила еще одно полотенце, потерла кафель.

— С чего ты это взял? Вычитал в комиксах?

— Сам лицезрел. Вот этими глазами. — Оуэн показал на свои глаза. — Утром я заехал к маме домой и наткнулся на них.

От изумления Эйвери открыла рот и медленно выпрямилась.

— На моего отца с твоей матерью? В постели?

— Боже упаси! На кухне.

— Ох, ничего себе! — Эйвери ошеломленно шагнула назад. — Они занимались сексом на кухне!

— Нет! Прекрати! — Оуэн закрыл глаза ладонями. — Теперь мне ясно, что имел в виду Бекетт, когда говорил о мысленных образах. Господи!

— Я тебя не понимаю. Совсем.

«Соберись! — приказал себе Оуэн. — Она права!»

— Когда я вошел, они стояли на кухне. На твоем отце были только трусы, а на моей матери — ... это... ну, такая коротенькая... штуковина. И они... в общем, руками, губами, языками...

Эйвери молча поглядела на него, затем подняла палец, повернулась и достала из шкафа бутылку шотландского виски и пару стаканов. По-прежнему не говоря ни слова, плеснула в каждый на два пальца виски, вручила один стакан Оуэну. Махом осушила стакан и медленно вздохнула.

— Еще раз. Наши родители спят друг с другом?

— Вот именно.

— И ты случайно видел, как они, почти раздетые, тискались на кухне твоей матери?

— Точно. — Оуэн выпил виски.

Она расхохоталась. Оуэн решил было, что у нее истерика, но потом понял — Эйвери смеется совершенно искренне.

— По-твоему, это смешно?

— В чем-то да. Наткнуться... Жаль, меня там не было, посмотрела бы я на твое лицо! Держу пари, оно было таким...

Эйвери изобразила выражение преувеличенного ужаса, затем снова зашлась от смеха. У Оуэна появилось нехорошее чувство, что она угадала. В отместку он оскалился и прошипел:

— А ты бы, конечно, сказала: «Привет, поджарьте бекона и на мою долю».

— Она готовила завтрак? Как мило!

— Мило? Ты считаешь это милым?

— Конечно. А ты разве нет?

— Я ничего не считаю.

Кивнув, Эйвери вновь стала раскладывать покупки.

— Позволь-ка мне кое-что спросить. Неужели ты думаешь, что твоя мать до конца жизни должна быть одна?

— Она не одна.

— Оуэн. — Эйвери повернула голову и посмотрела на него с молчаливым упреком.

— Не знаю. Нет, не так. Я просто никогда не задумывался об этом... о ней... в этом плане.

— А теперь, когда задумался, разве ты не считаешь, что она имеет право на личную жизнь?

— Э-э... да. Наверное, имеет.

— Тебе не нравится мой отец?

— Ты же знаешь, что нравится. Вилли... он самый лучший.

— Верно, — кивнула Эйвери. — Значит, ты не рад, что твоей матери досталось лучшее?

— Я... — Оуэн запнулся. — Ну, если ты решила рассуждать зрело и разумно...

— Извини, приходится. Они — давние добрые друзья. Значит, им будет хорошо друг с другом. — Улыбаясь, Эйвери сложила сумки. — Я сама пару раз пыталась их свести, не получалось. Мне не нравится, что у отца никого нет. Моя мать здорово его подставила.

Вас обоих, подумал Оуэн.

— По словам мамы, они... вместе уже два года.

— Неужели? — Покачав головой, Эйвери налила себе и Оуэну еще виски. — Ну, Вилли Би, ты и тихушник! Я даже не догадывалась!

— Никто не догадывался. Я было решил, что ты знаешь, а мне не сказала.

— Сказала бы, разве только они попросили бы меня молчать.

— Я понял. — Оуэн уставился в стакан с виски.

— Что сказал отец, когда ты ввалился на кухню?

— Что пойдет наденет штаны.

Эйвери сдавленно фыркнула, потом не выдержала и расхохоталась, закинув голову. Оуэн улыбнулся.

— Сейчас я тоже понимаю, как это было смешно.

— Ты стоял с таким лицом? — Эйвери вновь изобразила выражение крайнего ужаса. — Наверное, еще и бормотал: «Мам! Ты что?!»

Оуэн попытался смерить ее холодным взглядом — Эйвери опять попала в точку.

— Секундная слабость.

— Неужели?

— По крайней мере, я не врезал твоему отцу. Вот Райдер собирался, когда я им с Бекеттом все рассказал.

Эйвери дернула плечом.

— Райдер не прав, но он не стал бы драться с папой. Рай может наподдать какому-нибудь придурку, а Вилли Би ему нравится.

— И я ему нравлюсь, но мне от него пару раз доставалось.

— Оуэн, порой ты бываешь самым настоящим придурком.

С этими словами она мило улыбнулась и звякнула своим бокалом о бокал Оуэна.

— За наших родителей.

— Хорошо. — Он пригубил виски, вздохнул. — Странный день. И ты на меня не сердишься.

— Я не сердилась. Вернее, сердилась, но не очень. Теперь все ясно, у тебя комплексы насчет секса.

— Что? — На лице Оуэна промелькнуло выражение ужаса, весьма похожее на то, что изобразила Эйвери. — Нет у меня никаких комплексов! С чего ты взяла?

— Вот видишь! — Не выпуская бокал, Эйвери ткнула в Оуэна пальцем. — Ты покраснел от одного только слова! Комплексы.

— У меня нет комплексов насчет секса. Я верю в секс и люблю его. Много секса!

— Странно. Ты меня поцеловал и немедленно впал в ступор. Увидел, как целуются наши родители, и перепугался.

— Нет. Да. Возможно. Черт возьми, при чем здесь комплексы? Любой нормальный человек...

— Секундная слабость.

Вот ведь ехидина, подумал Оуэн. Впрочем, она всегда была такой.

— ...повел бы себя точно так же при виде собственной матери, целующейся взасос с давним другом семьи. А что касается нас с тобой... Ты же знаешь, все произошло дико неожиданно.

— Если честно, то только не для меня. Но у меня нет комплексов насчет секса.

— И у меня их нет.

Эйвери недоверчиво хмыкнула, отхлебнула виски и подошла к окну.

— О, снег пошел! Красиво. Господи, я же еще не все купила к Рождеству! Поезжай-ка ты домой, пока дорога не обледенела.

— Погоди минутку.

Она оглянулась.

— Зачем?

— Черт возьми, Эйвери, нельзя вначале говорить подобные вещи, а потом отправлять меня домой!

— Я просто озвучила свое мнение.

Оуэн шагнул из-за стола к ней, и она забрала у него пустой стакан.

— Больше не налью. Знаю, ты хорошо переносишь спиртное, но все же хватит. Виски, вождение и снег плохо сочетаются друг с другом.

Оуэн терпеливо повторил со всей убедительностью, на которую был способен:

— У меня нет комплексов насчет секса.

— Мы еще не поменяли тему? Ладно, моя ошибка. Ты совершенно раскрепощенный человек без комплексов.

— Ты нарочно?

— Господи, Оуэн, что тебе от меня нужно?

Он схватил Эйвери за локти и приподнял, так что ей пришлось встать на цыпочки. Яростно сверкнув глазами, словно лазерами, она предупредила:

— Осторожнее!

— А вот теперь все ожидаемо, — сказал Оуэн и прижал ее к себе.

Эйвери знала, на какие кнопки следует нажать. Пришлось разозлить Оуэна, чтобы он ее поцеловал, но Эйвери хотелось повторить поцелуй и посмотреть, что получится.

В этот раз не было взрыва, только долгое, медленное падение, постепенно ускоряющееся. Отпустив локти Эйвери, Оуэн обнял ее за бедра, затем повел руки вверх, дюйм за дюймом исследуя ее тело. Чувствуя, как нарастает напряжение, он придвигался все ближе, пока не прижал ее к углу кухонного стола.

Эйвери его спровоцировала? И что, какая разница? От привкуса виски на ее языке, легкого лимонного аромата волос, жаркого пульса прижимающегося к нему тела все его чувства сплелись в тугой узел желания. Оуэн погладил грудь Эйвери, почувствовал, как участилось ее дыхание, когда поцелуй стал глубже. Отпустив Эйвери, он едва не потерял равновесие под затуманенным взглядом ее голубых глаз.

— Комплексы насчет секса, это надо же!

Выражение лица Эйвери потеплело от сдерживаемого веселья, и она расхохоталась.

— Признаю свою ошибку!

— И... что дальше?

Вздохнув, Эйвери взяла в ладони его лицо.

— Оуэн, — прошептала она и скользнула в сторону.

— Что — Оуэн?

— Спрашиваешь, что дальше?

Эйвери взяла свой стакан с виски. Черт, может, не стоит спешить?

— Мы сорвем друг с друга одежду и упадем в постель. Если я что-нибудь понимаю, у нас будет потрясающий секс. Но раз ты спрашиваешь, значит, уже прикидываешь: «А что, если?..» и «Что потом?» — то есть ведешь себя как взрослый рассудительный человек. В общем, иди-ка ты домой и обдумай все как следует.

— Эйвери, все эти, как ты говоришь, «А что, если?» и «Что потом?» очень важны.

— Ты прав. Совершенно прав.

— И ты для меня очень важна. Мы с тобой, наши отношения мне важны.

— Знаю. Ты не был бы Оуэном, если бы не думал об этом, вместо того чтобы сорвать с меня одежду. А еще это одна из причин, почему я дала бы сорвать с себя одежду.

Теперь, когда в его мозгу возникла новая картина, Оуэн вдруг понял, что не хочет вести себя рассудительно.

— Эйвери, ты сама себе противоречишь.

— Не совсем. Просто ценю, что ты думаешь о последствиях, и одновременно жалею, что ты предпочитаешь думать о них до, а не после потрясающего секса.

— Я тебя люблю.

— Да знаю я, знаю! — Она отвернулась как можно небрежнее, опасаясь, что вот-вот расплачется. — Я тоже тебя люблю.

— Это чувство мне понятно, и я знаю, что делать, но я не совершенно не понимаю, как справиться с безумным влечением.

Эйвери осторожно вздохнула и с улыбкой повернулась к Оуэну.

— Ты перенастраиваешься — раньше ты никогда не думал обо мне в таком плане.

— Я бы не сказал, что никогда.

— Неужели? — Почти успокоившись, она посмотрела на него поверх стакана. — Правда?

— Черт возьми, Эйвери, конечно, я иногда об этом думал! Ты очень красивая.

— Нет, вот Хоуп — красотка, а я просто симпатичная, хотя могу выглядеть соблазнительной, если есть время, средства и желание. Тем не менее спасибо. Ну, что теперь? — Она присела на ручку кресла, изучающе взглянула на Оуэна. — Отправляйся-ка ты домой, пока не началась метель, и хорошенько все обдумай. Я тоже подумаю.

— Ладно.

Он подошел к ней, осторожно коснулся губами ее губ.

— Я бы остался, если бы на твоем месте была другая женщина. Я имею в виду...

— К твоему счастью, я знаю, что ты имеешь в виду. Иди домой, Оуэн.

У двери Оуэн оглянулся.

— Увидимся.

— Пока.

Какое-то время Эйвери сидела, прислушиваясь к шагам Оуэна, спускающегося по лестнице, потом встала и подошла к окну. Она стояла и смотрела, как падает снег, и вдруг ей на миг показалось, что сквозь белую пелену она видит в окне отеля женщину, которая глядит на улицу.

«Неужели кого-то ждет?» — промелькнула мысль. Сама Эйвери не любила ждать, предпочитала действовать. Тем не менее... может, в какой-то степени она тоже ждала все эти годы? Ждала Оуэна? Это открытие — приятное, досадное и обескураживающее одновременно — ее поразило. «Что теперь?» — подумала она и поняла, что поводов для размышлений у нее больше, чем предполагалось.

* * *

Снег шел всю ночь и все утро. Большую часть дня Оуэн провел, расчищая подъездные дорожки к своему дому, а также к домам матери и братьев. Работа ему нравилась, вернее, в начале зимы еще не успела надоесть — рев джипа, упругое подпрыгивание плужного снегоочистителя, рациональная стратегия, к которой приходилось прибегать, чтобы собрать снег в аккуратные кучи.

Оуэн работал на подъезде к дому Райдера; брат разбрасывал снег ручным снегоуборщиком. Нужны были две дорожки: одна от передней двери к площадке, где Райдер паркует машину, другая — от заднего входа, чтобы Тупорылый мог делать свои делишки подальше от дома. Братья трудились, почти не замечая друг друга, пока Оуэн не заехал на расчищенное место рядом с грузовичком Райдера и не остановил джип.

— Думаю, хватит.

— Сойдет, — согласился Райдер, ставя снегоуборщик под навес. — Пива хочешь?

— Почему бы и нет?

Братья устало добрели до дома и вошли в помещение, в котором Райдер устроил игровую комнату и домашний спортзал. Сбросив ботинки, выставили их на кафельный пол перед дверью. Сняли верхнюю одежду, повесили на вешалку. Подошел Тэ-Эр, коротко потерся о ногу Оуэна и устремил взор на хозяина.

— Да, путь свободен, — сказал Райдер, распахивая дверь. — Этот пес будет валяться в снегу, бегать по снегу, жрать чертов снег, но не сделает по нему ни шагу, если хочет гадить. Если я не расчищу дорожку, он нагадит прямо у двери. Почему так?

— Отсюда и его кличка.

— Ну, да, а мне приходится торчать на холоде и разгребать снег.

Они поднялись на кухню, Райдер вытащил из холодильника два пива.

— Как прошло свидание? — спросил Оуэн.

— Юрист. Умница. Мне нравятся умные женщины. Потрясающее тело. — Райдер сделал долгий глоток из бутылки. — Даже может говорить о спорте, большой плюс. Я спрашиваю себя, что мешает завершить начатое?

— И каков ответ?

— Хихиканье. Вчера я понял. Она все время хихикает. Видимо, считает, что это мило, а по правде говоря, жутко раздражает.

— Неужели все дело в хихиканье?

— Режет слух.

Райдер взлохматил волосы — как всегда, когда они нуждались в стрижке.

— Словно железом по стеклу. Невольно думаю: вдруг в постели она захихикает? — Он поднял палец, потом опустил вниз. — Так оно и будет, можно и не пробовать.

— Беруши?

— Мысль дельная, но не получится. Я почувствую хихиканье или буду гадать, хихикает она или нет... Овчинка выделки не стоит.

— Сурово, зато честно. — Оуэн уселся на стул рядом с кухонным столом с черной столешницей. — Есть что пожевать?

— Сэндвичи-рулеты «Хот покетс». — Райдер открыл буфет. — Плюс кукурузные чипсы и сальса.

— Считай, что это плата за очистку от снега.

— Идет. — Райдер заглянул в холодильник. — С курицей или говядиной?

— Курица.

Сунув сэндвичи в микроволновку, Райдер бросил на стол упаковку чипсов, вытряхнул в чашку соус. Оторвал несколько бумажных полотенец, поставил тарелки и счел приготовления законченными.

— Ты прямо Марта Стюарт в мужском облике, — заметил Оуэн.

— Моя кухня — моя крепость.

Райдер вышел, чтобы впустить собаку, вернулся и сел напротив Оуэна.

— Я подумываю о сексе с Эйвери.

— Что это вдруг случилось со связью семейств Монтгомери и Мактавиш?

Рай бросил Тупорылому чипс, взял еще один и окунул его в соус.

— Я бы не стал упоминать маму и Вилли Би. До сих пор в себя не приду.

Райдер глотнул пива.

— А как Эйвери относится к сексу с тобой?

— Только за, если не передумала со вчерашнего вечера.

— Так что вам мешает?

— Это же Эйвери!

Подцепив чипсом соус и стряхнув излишки, Райдер спросил:

— Хочешь, я займусь с ней сексом? Проведу пробный запуск?

— Весьма великодушно с твоей стороны, Рай, — сухо ответил Оуэн, — но я как-нибудь сам.

— Просто пытаюсь помочь брату.

Микроволновка пискнула, Райдер встал, выложил сэндвичи на тарелки.

— Мой совет — действуй.

— Почему?

— Разве не очевидно? Потому что это Эйвери. Ты всегда был к ней неравнодушен.

— Да... наверное.

— И ты ей всегда нравился, иначе она давно тебя убила бы. — Ухмыльнувшись, Райдер откусил сэндвич. — Так что давай, не теряйся, увидишь, серьезно это или нет. Какие могут быть отговорки?

— Вдруг ничего не выйдет? Вдруг мы только все испортим?

Райдер покачал головой, скормил псу остатки сэндвича, взял еще один.

— Чувак, мы говорим об Эйвери! Может, у вас ничего и не получится, такое часто бывает, но вы сохраните добрые отношения.

— Ты уверен?

— Вы оба умные люди и хорошо друг к другу относитесь. Возможно, не все пойдет гладко, но вы справитесь. Зато у тебя будет секс с Рыжей Горячей Штучкой.

Оуэн зачерпнул чипсом соус.

— Она не хихикает.

— Вот видишь? Что тут добавишь?

— Я еще подумаю.

Повернувшись, Райдер достал из холодильника еще два пива.

— Ха, удивил!

* * *

Думай или нет, а работа никуда не денется. Всю следующую неделю Оуэн что-то отделывал, подкрашивал, вешал. Он распаковывал коробки, собирал светильники, расписывался за доставки и поднимался по гостиничным лестницам чаще, чем мог сосчитать.

Мать затащила его в номер «Элизабет и Дарси».

— Я нашла в «Подарках» потрясающую маленькую картину. Повесь ее в ванной.

— Мы же договорились не заниматься предметами искусства, пока...

— Последний штрих. — Жюстина показала на простенок между дверей на террасу. — Здесь будет вышивка твоей бабушки, а сюда повесим эту миленькую картинку. — Она постучала по стене в ванной. — Хоуп принесет необходимые мелочи, полотенца и все остальное. Хотим взглянуть на полностью обставленный номер.

— Но «Пентхаус»...

— Там еще нет картин, значит, он не закончен. А для этого номера у меня все под рукой. Его и будем заканчивать.

Жюстина повернулась к кровати с изголовьем и изножьем лавандового цвета.

— Повесь картину, а я заправлю кровать.

— До открытия еще три недели, — начал было Оуэн, но осекся, когда мать свирепо сверкнула глазами.

— Ладно, ладно.

Оуэн достал крючок, карандаш и стоически выдержал все «ниже», «выше», «правее» — процедуру, которую, как он подозревал, ему предстояло проходить всякий раз, когда мать захочет что-нибудь повесить. Впрочем, картину она подобрала очаровательную — воздушную пастель в английском стиле.

В номер влетела Хоуп с корзиной, полной принадлежностей для ванной, полотенец и прочих необходимых мелочей. Оуэну пришлось выслушивать команды сразу двух женщин, пока обе не остались довольны. Стуча молотком, он вполуха слушал их болтовню о приеме в честь открытия, о том, что начали бронировать номера, о всяких нужных штучках, которые уже завезли или еще ожидали.

— Жюстина, какая красота!

Хоуп вышла из ванной, чтобы полюбоваться вышитыми салфеточками в рамках.

— Согласна. — На миг Жюстина отвлеклась от льняных наволочек и кивнула. — И ей бы понравилось, что они висят тут и в номере «Джейн и Рочестер».

— Так здорово, что вы приносите сюда семейные реликвии, как будто здесь что-то личное.

— Во всем здании есть что-то личное, — заметила Жюстина и схватила Оуэна за руку. — Повесь это зеркало, и ты свободен.

— Жюстина, иди сюда, посмотри, пожалуйста, как я все разложила, — позвала Хоуп.

Пока мать инспектировала ванную, Оуэн воспользовался возможностью повесить зеркало без советов женщин. Он измерял, отмечал и восхищался вкусом матери — хотя цвет рамы повторял фиолетовые тона обивки стульев, само зеркало выглядело на редкость изысканно.

Оуэн с головой погрузился в работу, попутно обдумывая остальные дела, и не заметил, как запахло жимолостью. Незаметно для себя он начел напевать мелодию, которая витала в воздухе. Забив крючок, Оуэн повесил зеркало и привычно достал из пояса с инструментами мини-уровень — проверить, ровно ли оно висит. И вдруг увидел привидение.

Женщина в сером платье с юбкой-колоколом стояла, сложив руки на талии. Светлые волосы, собранные под сетку на затылке, открывали лицо, лишь у щек вились легкие локоны. Она улыбнулась.

Оуэн резко обернулся к Хоуп — волосы заколоты сзади, из кармана джинсов свисает тряпка для пыли, на побледневшем лице выделяются широко распахнутые темные глаза.

— Ты видела?

— Я...

Она смотрела не на него, а на входную дверь. Там стоял Райдер.

— Когда закончишь играть в домики с женщинами, я дам тебе настоящую работу, — сказал он Оуэну.

— Ты видел? — спросил Оуэн. — Она была здесь.

— Кто именно? Они, черт возьми, повсюду. — Райдер бросил взгляд на Хоуп и нахмурился. — Ну-ка сядь.

Словно не слыша, Хоуп смотрела перед собой. Райдер подошел к ней, взял за руку и насильно усадил на миленький стульчик.

— Мам! На твою управляющую что-то нашло!

Прибежала Жюстина, взглянула на Хоуп и присела на пол у ее ног.

— Милая, в чем дело? Райдер, принеси воды!

— Нет, не нужно. Все в порядке. Я просто...

— Господи, неужели никто больше не видел? — Раздосадованный Оуэн взмахнул руками.

— Где, черт возьми... — осекся на полуслове Бекетт, входя в комнату. — Что случилось?

— Я ее видел. Она была здесь. Ты ее видел?

— Кого? Хоуп? Я смотрю прямо на нее. — Вдруг Бекетт прищурился. — Элизабет? Ты видел Лиззи?

— Она стояла вот здесь.

— И ты ее видел? Почему именно ты? Мне даже завидно.

— Ты ее видела? — спросил Оуэн у Хоуп, не обращая внимания на брата. — Она была вот здесь. Потом подошла ты.

— Я...

Райдер вытащил из пояса для инструментов бутылку воды и протянул Хоуп.

— Пей.

— Сейчас принесу стакан, — сказала Жюстина, когда Хоуп непонимающе уставилась на бутылку.

— Не надо. — Хоуп взяла бутылку и сделала большой глоток. — Все нормально. Я просто испугалась.

— Значит, ты ее видела.

— И да, и нет. На миг мне показалось, что видела, но это было скорее ощущение. Понимаю, странно... — Хоуп посмотрела на Райдера. — Она ждет.

— Чего?

— Я... я не знаю.

— Она мне улыбнулась. Я вешал зеркало и увидел ее отражение. Она была в сером платье, волосы уложены, сзади на голове что-то вроде сеточки. Блондинка, очень хорошенькая. Молодая, — выпалил Оуэн и, перехватив у Хоуп бутылку, которую та хотела отдать Райдеру, допил остатки воды.

— Она что-то напевала, — добавила Жюстина. — Я услышала, как она напевает, и почувствовала запах жимолости. Я удивилась, замерла, но ничего не увидела. Пойдем, милая, я отведу тебя вниз.

— Все в порядке, — повторила Хоуп. — Я не боюсь, просто от неожиданности... Я и раньше ощущала ее присутствие, хотя не так сильно.

— Здание почти закончено. А этот номер уже готов полностью. — Бекетт обвел рукой. — На стенах все развешено, постель заправлена, полотенца на месте. Думаю, ей здесь нравится.

— Теперь, когда мы порадовали наше привидение, может, займемся списком недоделок?

— Душе Райдера чужда романтика, — сокрушенно заметил Бекетт. — Все успокоились?

Хоуп кивнула.

— Все...

— В порядке, — закончил Райдер. — Сколько можно повторять? Давайте уже работать.

Тем не менее он остановился в дверях, напоследок бросил взгляд на Хоуп и заметил:

— А здесь уютно.

— Он прав. Передохни пару минут, — посоветовал Оуэну Бекетт и вышел за Райдером.

— Я ее видел, — сказал Оуэн и ухмыльнулся. — Классно! Она мне улыбнулась.

Он последовал за братьями.

— Может, и вправду отдохнешь, подышишь воздухом? — спросила Жюстина.

Хоуп покачала головой.

— Нет, спасибо. Райдер прав — на меня что-то нашло. Наверняка не в последний раз. — Хоуп встала. — По-моему, ей понравился этот номер.

— Конечно, она ведь не сумасшедшая. — Жюстина погладила Хоуп по руке. — Если ты не против, давай займемся номером «Оберон и Титания».

— Хорошо.

Да, неожиданно, подумала Хоуп, подняв пустую корзину. Оуэн прав. Элизабет ему улыбнулась — очень коротко. И уж совсем неожиданным оказался взрыв эмоций, вызванный появлением Райдера, — горько-сладкое смешение печали и радости, настолько яркое и сильное, что подкосились ноги.

Что бы это ни значило, она разберется, когда окончательно переедет в гостиницу, решила Хоуп.

7

В ее жизни царит беспорядок, и виновата в этом только она сама.

Так думала Эйвери, сидя в бывшем кабинете Бекетта, который уже наполовину превратила в свой собственный. Вокруг громоздились коробки, рулоны оберточной и папиросной бумаги, ленты и банты.

Просто безумие.

Каждый год она обещала себе, что на этот раз все будет по-другому. Она сделает покупки заранее — и по списку! Отнесется к процессу покупки, хранения, упаковки и укладки рождественских подарков как разумный взрослый человек.

Эйвери действительно собиралась поступить именно так.

В следующем году уж точно.

Похоже, все ее организационные навыки распространялись только на работу и не касались личной жизни. Именно поэтому — как обычно, за три дня до Рождества — она перебирала подарочные коробки, рылась в грудах лент, паниковала всякий раз, когда не могла найти то, что положила «вот сюда» ровно минуту назад, и изнемогала от усталости.

Эйвери обожала Рождество.

Ей нравилась музыка, которая доводила остальных людей до белого каления еще до прихода праздника. Нравились огни, яркие краски, секреты и радостное возбуждение. Она любила покупать и упаковывать подарки, а потом с удовольствием разглядывать аккуратные стопки разноцветных свертков. Так почему всегда приходится заниматься этим второпях и в последнюю минуту?

Сейчас никаких изматывающих одиннадцатичасовых гонок. Она все завернет, упакует и разложит уже сегодня. В крайнем случае — завтра.

На столе ничего не помещалось, и Эйвери расположилась на полу в окружении коробок, обрывков бумаги и мотков лент. Нет, на следующий год она точно первым делом подготовит стол и купит контейнеры для бантов и прочей мелочовки. Даже подпишет, как это делает Хоуп.

Ладно, бог с ней.

Вспомнив Хоуп с ее досадной практичностью, Эйвери полюбовалась сережками, которые купила для подруги, уложила их в коробочку, выбрала серебристую фольгу, пышный красный бант и подходящий ярлычок. Кивая головой в такт песне Брюса Спрингстина «Санта Клаус приезжает в город», она аккуратно отрезала бумагу и тщательно подвернула свободные уголки. Может, с организованностью у нее и слабовато, зато подарки будут красиво упакованы.

Эйвери взяла ролик клейкой ленты, потянула и поняла, что остался только небольшой кусок.

— Вот черт!

Ничего страшного. Скотч она точно покупала.

После пятнадцатиминутных поисков, сопровождающихся нарастающим отчаянием, приступами паники и руганью, Эйвери пришлось признать, что она только *хотела* купить скотч.

Все поправимо, надо сейчас сбегать и купить.

Посмотрев на часы, она выругалась еще раз.

Как так случилось, что уже почти полночь? Ей срочно нужна клейкая лента!.. Еще четверть часа Эйвери безуспешно шарила по ящикам и нераспечатанным коробкам и обыскивала шкафы. Вот вам и веская причина жить в Нью-Йорке, уж там-то человек может найти все необходимое в любое время суток. И когда во время упаковочной лихорадки заканчивается чертов скотч, его всегда можно купить.

Эйвери мысленно велела себе не глупить, остановилась и окинула взглядом царящий в комнате беспорядок. Из-за поисков все оказалось верх дном, даже извлеченные из закромов потенциальные подарки, которые Эйвери приобрела летом, про запас.

Плохо дело... однако бывает и хуже. И вообще, клейкая лента наверняка есть внизу в ресторане.

Эйвери схватила ключи и, оставив музыку и свет, понеслась вниз по лестнице в пиццерию. Зажгла свет, подошла к стойке и стала рыться в ящиках.

— Ага!

Она радостно вытащила держатель для клейкой ленты, но тут же разочарованно вздохнула — скотч почти закончился. В поисках запасного ролика пришлось перерыть все шкафы, чуланы и кладовую за рестораном. Поймав себя на том, что обыскивает холодильники, Эйвери сдалась и налила бокал вина.

Она сидела за стойкой, подперев голову рукой, и размышляла о том, как отсутствие клейкой ленты способно разрушить самые благие намерения.

В дверь постучали, и Эйвери подскочила от неожиданности, едва не пролив вино. В свете фонаря стоял Оуэн, глядя на нее сквозь стеклянную дверь.

Нет, только Нью-Йорк. Здесь, в Бунсборо, женщина даже не может остаться наедине со своим кризисом из-за клейкой ленты.

Эйвери побрела к двери, щелкнула замками.

— Мы закрыты.

— Тогда почему ты сидишь здесь за стойкой и пьешь вино?

— Я упаковываю рождественские подарки.

— Странно, а такое впечатление, будто ты сидишь в пустой пиццерии и пьешь вино.

— У меня закончилась клейкая лента. Я думала, что купила, но ошиблась; здесь, внизу, тоже почти ничего не осталось. И уже слишком поздно идти в магазин за чертовым скотчем, это тебе не Нью-Йорк.

Оуэн изучающе взглянул на Эйвери. Клетчатые фланелевые штаны, похоже, пижама, футболка с длинными рукавами, толстые носки. Волосы собраны на затылке при помощи одной из тех заколок, которые напоминают большие зубы.

— Значит, ты опять упаковываешь все подарки сразу.

— И что?

— Просто констатирую факт.

— Ты зачем пришел? Почему не сидишь дома и не упаковываешь подарки? Потому что наверняка все упаковал, — с горечью произнесла Эйвери. — Упаковал и разложил по соответствующим пакетам. И я точно знаю, что вы уже вручили подарки персоналу, видела фирменные джемперы «Инн-Бунсборо».

— Хочешь такой?

— Конечно.

— Принесу завтра, если угостишь вином.

— Почему бы и нет, все равно подарки я уже не упакую.

Эйвери сходила за бутылкой и бокалом.

— Как ты здесь очутился?

— Увидел через дорогу, что свет горит, а ты мечешься как помешанная, — объяснил Оуэн. — Я проверял свой контрольный список. Мы закончили.

— Что закончили?

— Гостиницу. Конечно, ее еще нужно полностью обставить, но основная работа сделана.

— Иди ты!

— Сделана, — повторил он и торжественно поднял бокал. — Завтра ждем инспекторскую проверку.

— Оуэн! — посветлев, воскликнула Эйвери, у которой сразу улучшилось настроение. — Вы успели до Рождества!

— Да. Теперь нужно получить разрешение на ввод в эксплуатацию и использование, но с этим проблем не будет. Хоуп может переезжать. Завезем остальную мебель, приберемся... За пару недель добьем все недоделки.

— Поздравляю! Хоуп говорила, что вы близки к завершению, но я даже не подозревала, насколько.

— Да, заключительный этап. После Рождества рабочие займутся зданием пекарни.

Эйвери подошла к двери, взглянула через дорогу.

— Какая красивая! Смотрю на нее и радуюсь. Хоуп сказала, что уже номера бронируют.

— Забронируют еще больше, когда мы выложим фотографии в Интернете. На следующей неделе Хоуп дает несколько интервью. Собирается показать журналистам гостиницу с самой лучшей стороны. Мы тоже дадим интервью — расскажем о семейном бизнесе. Будет хорошая реклама.

— Будет хорошая жизнь. *Slainthe!*[1] — сказала Эйвери, легонько стукнув своим бокалом бокал Оуэна. — Я забегу утром, перед открытием пиццерии. А потом пойду и куплю клейкую ленту.

— У меня в машине есть скотч.

Эйвери поставила бокал и прищурилась.

— У тебя в машине есть скотч?

— Ну да, в бардачке. И прежде чем умничать по этому поводу, не забудь — тебе нужна клейкая лента, а у меня она есть.

— Я хотела сказать, что очень предусмотрительно возить скотч в бардачке, — улыбнулась Эйвери.

---

[1] Тост за чье-нибудь здоровье (*гэльский*).

— Не верю, но попытка хорошая. Пойду принесу.

— Сама схожу. Ты припарковался за гостиницей?

— Да, и на улице мороз. Где твое пальто и ботинки?

— Наверху. Тут рядом, дорогу перейти, и все.

Оуэн не сомневался, что, несмотря на декабрь и глубокую ночь, Эйвери побежала бы через площадь в одной пижаме и без обуви.

— Пойду я, а ты закрой переднюю дверь. Встретимся у заднего входа.

— Огромное спасибо.

Оуэн отдал ей бокал и вышел на улицу. Эйвери закрыла за ним дверь, отнесла пустые бокалы на кухню. Выключив свет, пошла на лестницу, начала было спускаться вниз, чтобы отпереть заднюю дверь, и услышала щелчок замка.

Само собой, у Оуэна есть ключ, подумала Эйвери, он же владелец дома.

Она встретила его на полпути наверх и сразу же забрала скотч.

— Я куплю сразу сто роликов этой чертовой ленты!

— Чем больше, тем лучше.

Она рассмеялась.

— Держу пари, что ты хранишь по ролику в грузовичке, дома и в мастерской.

Подняв брови, Оуэн устремил на Эйвери взгляд спокойных голубых глаз.

— Умничаешь?

— Констатирую факт. Нет, это комплимент, — решила она. — И я собираюсь последовать твоему примеру и запастись клейкой лентой.

Их лица были на одном уровне — Оуэн стоял чуть ниже. Не сводя глаз с Эйвери, он сунул руку в карман.

— Начни прямо сейчас.

— Ты принес мне запасной скотч!.. На самом деле в машине было два рулончика! — рассмеялась Эйвери и взяла ленту.

«Вообще-то, три, — подумал Оуэн. — Да кто считает?»

— Хочешь, помогу упаковать подарки?

Эйвери нахмурилась.

— И будешь умничать по поводу состояния моей упаковочной зоны — после того, как я выведу тебя из обморока, в который ты упадешь, когда ее увидишь.

— Видел я твою так называемую упаковочную зону и раньше.

— Только не в этом году. Намного хуже, чем обычно, — у меня теперь больше места для беспорядка.

Заметив движение его глаз, Эйвери слегка отстранилась.

— Оуэн, я думала об этом.

— О беспорядке?

— В некотором роде да. Думала о том, что мы оба думаем по поводу того, что мы сейчас делаем. Вначале удивлялась, почему мы раньше не сделали того, о чем оба думаем, а потом решила — черт возьми, нужно сделать это, и все. И вдруг до меня дошло: мы ничего не делали раньше потому, что не хотим все испортить. Правда, Оуэн, ты так много для меня значишь. Ты мне очень дорог.

— Забавно, я тоже размышлял над тем, о чем мы оба думаем. Думал, как бы все не испортить. Райдер считает, что все будет хорошо.

— Райдер?

— Я узнавал его мнение. Только не говори, что ты не советовалась с Клэр и Хоуп.

Она хотела было возмутиться, но сдержалась.

— Ну да. А почему Райдер так считает?

— Потому что мы много значим друг для друга и оба не глупы.

Эйвери склонила голову набок.

— Верно. И еще — раз уж мы думаем...

Не выпуская ролики скотча, она положила руки на плечи Оуэну.

— Может, все будет не так, как в прошлый раз. Можно узнать.

Он обнял ее за бедра.

— Просто проверить.

— Согласись, разумно. К чему тратить время на раздумья, если окажется, что овчинка не стоит выделки? А если все будет хорошо...

— Эйвери, тише.

Оуэн наклонился, легко коснувшись губами губ Эйвери. Просто проверить. Прижал ее к себе, снова поцеловал и увидел, что она медленно закрывает глаза. Приоткрыв губы, она негромко застонала, и Оуэн почувствовал, как его подхватывает поток энергии. Оуэн покачнулся от внезапного взрыва желания — взаимного. Где оно было раньше? Как вышло, что они его не замечали?

Острое и горячее, лимоны и огонь. И Эйвери — пылкая, открытая и страстная.

Оуэн приподнял ее, и она сразу же обвила его ногами, целуя крепче. Все ее сомнения исчезли. Оуэн медленно поднялся по ступенькам на лестничную площадку, прижал Эйвери спиной к стене. Эйвери хотела было запустить руки в волосы Оуэна — как же они ей нравятся! — и ударила его роликами скотча. Прыснув от смеха, Эйвери уронила голову Оуэну на плечо, а когда он охнул от неожиданности, рассмеялась еще сильнее.

— Прости, прости! — Она обняла его, уткнулась носом в шею. — Оуэн...

Вздохнула, мысленно повторила его имя — ласковее и мягче! — и только потом посмотрела ему в лицо.

— Это определенно стоит того, чтобы подумать.

— Хорошо, что ты сказала, по крайней мере, мне не придется давать сдачи.

— Лучше поставь меня на пол.

— Я могу подняться, упакуем подарки.

— Если мы пойдем наверх, нам будет не до подарков.

— Я говорил иносказательно.

— Понятно. — Она осторожно высвободилась из его объятий. — Пожалуй, следует подождать еще несколько дней. Не то чтобы я не доверяла мнению Райдера, но если мы подождем, это будет не просто порыв.

— А я-то думал, что зря никогда не поддавался импульсу.

— Зато я поддавалась слишком часто.

Эйвери вдруг поняла, что если бы ее так не тянуло к Оуэну, то она давно могла бы напрямую спросить, есть ли у него кто-нибудь. Сейчас этот вопрос мучил ее еще сильнее, чем раньше. Хотя...

— Ты уже договорился с кем-нибудь встречать Новый год?

— Вообще-то нет.

— Нет?

— У нас было много работы.

По лицу Оуэна Эйвери поняла, что он хочет задать ей тот же вопрос.

— А ты?

— Вроде того. С Хоуп. Вы решили, что на Новый год никакой работы, вот мы и хотим побездельничать под девчачьи фильмы и разговоры о том, как нам совершенно безразлично, что ни ее, ни меня не пригласили на свидание.

— Хочешь, приглашу тебя.

Мило, подумала она.

— Я не могу просто так бросить Хоуп, тем более в самую романтичную ночь в году.

— Я устрою вечеринку. У себя дома.

Эйвери уставилась на Оуэна, словно тот вдруг заговорил на иностранном языке.

— Ты имеешь в виду, на *этот* Новый год? Через неделю?

— Конечно.

— Оуэн, это называется спонтанность. Насколько я знаю, тебе она чужда.

— Я способен принимать спонтанные решения.

— Тебе нужно полгода, чтобы организовать вечеринку. Ты составляешь сводные таблицы и разрабатываешь подробный план. А спонтанность? Это не твое.

— Я устрою вечеринку, — твердо сказал Оуэн. — Дома. На Новый год. И ты останешься у меня.

У него. В новогоднюю ночь.

— Идет. И если ты не передумаешь, я не только останусь, но и приготовлю тебе завтрак.

— Договорились. — Оуэн снова обнял Эйвери и целовал до тех пор, пока не почувствовал, как она обмякла в его руках. — Я сам закрою заднюю дверь.

— Хорошо. — Глядя, как он сбегает вниз по ступенькам, Эйвери с трудом перевела дыхание. — Оуэн?

Он обернулся и одарил Эйвери улыбкой, от которой ее сердце ухнуло вниз. Неудивительно, что она влюбилась в него, когда ей было пять лет.

— Спасибо за скотч.

— Всегда пожалуйста.

Поднимаясь по ступенькам, Эйвери услышала, как внизу щелкнул замок. Все, несмотря на поздний час, никакой упаковочный марафон ей не страшен. Клейкой ленты теперь предостаточно, да и разве можно уснуть, когда все мысли только об Оуэне Монтгомери?

* * *

Похоже, у него и вправду кровь отлила от мозга к другим частям тела, иначе он никогда бы не подписался на эту вечеринку. Так думал Оуэн, ветреным днем возвращаясь из Хейгерстауна. Нужно открывать гостиницу, Рождество на носу, запущен новый проект... Какая, к черту, вечеринка через неделю?

Он притормозил у светофора и вытащил мобильник — сделать несколько заметок о еде и напитках. Проверил сообщения. Два от Райдера, оба требовательные: «Где тебя носит?»

До Бунсборо оставалось совсем немного, и Оуэн не стал отвечать. Мысли скакали. Прием в честь открытия гостиницы гораздо важнее импровизированного празднования Нового года. В основном открытием занимались мать Оуэна, его тетя и Хоуп, и почти все уже готово. Тем не менее в портфеле лежит толстая папка с информацией о приеме, а в компьютере хранится пара-тройка сводных таблиц. И... подробный план.

Оуэн решил набросать такой же для своей вечеринки, уверяя себя, что никакая это не навязчивая идея. Обычная практичность. Экономия времени и нервов.

Навязчивая экономия времени и нервов, ну и что?

Повернув на улицу Св. Павла, он бросил взгляд на «Весту» и подумал об Эйвери. Почему он просто не пригласил ее на ужин с продолжением в постели, размышлял Оуэн, заезжая на парковку за гостиницей. Потому что она заговорила о новогодней ночи, а у него случилось помутнение рассудка. Тогда все казалось вполне разумным.

Он вылез из грузовичка, немного постоял на морозе, любуясь внутренним двором, очертаниями террас и деревянной ограды. Как нелегко дались эти красота и изящество! В памяти возникли кучи строительного мусора и грязи. А еще кошмарное количество голубиного помета — ох, лучше и не вспоминать!

Но они все выгребли и сделали кое-что еще. Раз уж он тогда справился, то уж чертову новогоднюю вечеринку устроить сможет.

В фойе Оуэн остановился, чтобы взглянуть на большой полированный стол под центральной люстрой и соломенно-желтые кресла у кирпичной стены.

Да, сделали кое-что еще, подумал он, ухмыльнувшись, и пошел через арку в обеденный зал, на звук голосов.

Райдер и Бекетт устанавливали огромный резной буфет у каменной стены, кусок которой остался неоштукатуренным — для красоты. Мать и Хоуп расставляли симпатичные деревянные столики. Тупорылый растянулся в дальнем углу, но при виде Оуэна поднял голову и завилял хвостом. Оуэну вдруг подумал, что, возможно, пес видит его как огромный пончик в человеческий рост.

— Где, черт возьми, тебя носит? — осведомился Райдер.

— Ездил по делам. Отлично смотрится!

— Согласна. — Жюстина широко улыбнулась и придвинула стул к столу. — Мы хотим повесить сюда большое зеркало. То, старинное. И похоже, нам потребуется еще один сервировочный стол. Поставим его вон туда, под окном. Сейчас сниму размеры и сбегаю в «Баст», посмотрю, найдется ли у них что-нибудь подходящее.

— У тебя же есть столик, котбрый ты купила в том шикарном французском магазине во Фредерике[1], — напомнил Райдер.

Лицо Жюстины окаменело.

— Он перекошен. Одна ножка короче остальных. Зря я его купила.

— Я же сказал, что укоротил ножки. Поставишь на него всякую дребедень, никто и не заметит.

---

[1] Фредерик (Frederick) — третий по количеству населения город в штате Мэриленд, США.

— Персонал вел себя грубо, — вмешалась Хоуп. — Если магазин отказывается возмещать убытки за вещь с дефектом, его нужно закрыть.

— Дался вам этот столик! Я его починил.

— Его купили для фойе, — не уступала Хоуп. — Мы уже присмотрели в «Басте» подходящую замену.

— Если бы не шило в заднице кое у кого, этот столик давно бы стоял в фойе.

Жюстина метнула на сына сердитый взгляд.

— Кого ты имеешь в виду, Райдер? Ведь это я велела отнести его в подвал.

— Где я его починил, — пробормотал Райдер. — Пойду принесу. Бекетт, поможешь?

Желая убраться с линии огня, Бекетт поспешил за ним в подвал.

— Если стол сюда не подойдет, мы его уберем, — пообещал Оуэн. — Хотя он красивый.

— Бракованный, и не стоит потраченных денег. Сама виновата, — признала Жюстина, почесав за ухом пса, который подошел и потерся о ее ноги. — Ладно, поживем-увидим. Хоуп, это, должно быть, идет Кароли с кухонными принадлежностями, — добавила она, услышав шаги на центральной лестнице. — Не сходите вдвоем за мармитами и кофеваркой? Проверим, как они будут смотреться.

— Конечно.

Оуэн открыл было рот, чтобы предложить свою помощь, но от взгляда матери слова застряли в горле. Жюстина молчала, пока шаги Хоуп не стихли в отдалении.

— Я хотела, чтобы она ушла на пару минут.

Сложив руки на груди, мать смотрела, как Бекетт и Райдер затаскивают починенный столик.

— Райдер Томас Монтгомери.

Оуэн прекрасно знал этот тон, этот взгляд. Хотя сейчас они адресовались не ему, Оуэн почувствовал мороз по коже.

Опустив голову и поджав хвост, Тупорылый ретировался в свой угол.

— Слушаю, мэм.

— Я вырастила тебя не для того, чтобы ты грубил людям, рычал на женщин или срывал зло на сотрудниках. Так что будь, пожалуйста, повежливее с Хоуп, независимо от того, согласен ты с ней или нет.

Райдер поставил столик на пол.

— Хорошо. Но...

— Но?

Один-единственный слог прозвенел угрозой.

Отставив ногу в сторону, Райдер умильно посмотрел на мать.

— Ты же сама сказала, чтобы мы обращались с Хоуп как с родной. Так чего ты теперь хочешь: чтобы я был вежлив или чтобы обращался с ней как с членом семьи?

Долгое напряженное мгновение. Бекетт поспешил отойти от брата. Наконец, Жюстина шагнула вперед и крепко взяла Райдера за уши.

— Думаешь, ты такой умный?

— Ага. Весь в маму.

Она рассмеялась.

— Сын своего отца, вот ты кто, — сказала Жюстина и ткнула его в живот. — Следи за языком!

— Обязательно.

Кивнув, она отошла и встала, подбоченившись.

— Столешница покороблена, Рай.

— Чуть-чуть. Ну да, столик плохо сделан, и цена завышена, но смотрится красиво. Будет еще лучше, если поставить на него те медные штуковины.

— Пожалуй. Хотя мне обидно. Моя ошибка.

— Ага, конечно. — Райдер пожал плечами. — Ты сама обставила гостиницу площадью девять тысяч квадратных футов, выбрала все от сифонов до кроватей, и это твоя ошибка? Да ладно тебе, мам!

Жюстина бросила на него внимательный взгляд.

— А ты не дурак. Может, и правда в меня пошел.

Она повернулась к двери, когда вошла Хоуп с большой коробкой, другую несла Кароли.

— Дай-ка я возьму, — предложил Райдер и забрал коробку у Хоуп. — Я стараюсь быть вежливым.

— Больно?

— Пока нет.

Бекетт взял коробку у Кароли. Оуэн тихо стоял в сторонке. Сейчас распакуют кофеварку, достанут мармиты, подставки, разбросают упаковку и оберточную бумагу... Ладно, позже он все уберет.

Кароли говорила, что надо бы помыть фужеры для вина, мать поправляла повязку на волосах. Бекетт и Райдер договаривались принести зеркало, а потом отправиться в соседнее здание, к остальным рабочим.

Оуэн подождал, пока три женщины не оценят результат своих трудов.

— Я все равно буду знать, что он бракованный, — заметила Хоуп, пригладив волосы. — И меня это бесит. — Она перевела взгляд на Райдера. — Ладно, переживу.

— Хорошо. Давайте повесим зеркало и поскорее смоемся, пока эти женщины не нашли нам работу.

— Одну минуту, я хочу кое-что сказать, — объявил Оуэн.

— Когда закончим, — возразил Райдер.

— Нет, прямо сейчас. — Оуэн сделал серьезное лицо. — По поводу разрешения на ввод в эксплуатацию.

— Господи, только не говори, что у нас возникли проблемы. Инспектор все принял.

Оуэн вздохнул, медленно покачал головой.

— Я съездил в Хейгерстаун, хотел узнать, можно ли ускорить процесс. И... получил разрешение.

Бекетт ткнул в него пальцем.

— Ты взял разрешение на ввод в эксплуатацию?

Ухмыляясь, Оуэн ткнул его в ответ.

— Точно!

— О, господи! Кароли! — Жюстина схватила сестру за руку.

Оуэн хлопнул Райдера по плечу и улыбнулся Хоуп.

— Готова к переезду? Хочешь, мы перетащим остальные вещи? Сегодня можешь ночевать здесь.

— Конечно, готова! — Она со смехом обняла его и поцеловала в губы. — Я переезжаю!

С радостным визгом Хоуп обнялась с Жюстиной и Кароли, потом бросилась на шею Бекетту и громко его расцеловала. И замерла, дойдя до Райдера.

— А что получу я? Крепкое рукопожатие?

Хоуп снова рассмеялась, покачала головой и целомудренно чмокнула его в щеку.

— Ну вот, всегда так! — возмутился Райдер.

Он положил одну руку на плечо Оуэна, другой обхватил Бекетта.

— Вот черт! Мы это сделали!

Глаза Жюстины наполнились слезами.

— Мои мальчики, — прошептала она, обнимая всех троих.

На мгновение они замерли, обнявшись, и лишь Тупорылый пытался влезть между ними.

— Ладно, — кивнула Жюстина, шагнув назад и смахнув слезы. — Пора обедать. Я угощаю. Бекетт, позови Клэр. Оуэн, ступай к Эйвери и закажи еду, пусть накроет стол и присоединяется к нам. Хоуп, неси бутылку — нет, две — шампанского, того, что приготовили для гостей.

— Ой, я не домыла фужеры! — Кароли поспешила на кухню.

— Шампанское? За обедом? — удивленно переспросил Райдер.

— Да, черт возьми!

— Кстати, о шампанском... — Оуэн почесал подбородок. — Рай, ты с кем встречаешь Новый год?

— Хотел с хихикалкой. Но я собираюсь все отменить.

— Перед самым Новым годом? — сурово спросила мать.

— Поверь, ты бы меня поняла, если бы услышала это хихиканье. А что? — Он повернулся к Оуэну. — Хочешь пригласить меня на танцы?

— Я устраиваю вечеринку.

— На *этот* Новый год? — удивилась Жюстина, широко распахнув глаза.

— Да-да, на этот. Господи, что здесь такого? Просто вечеринка. Праздничное сборище с едой и выпивкой. Ты ведь придешь?

Надув щеки, Жюстина пристально посмотрела на сына.

— Конечно.

— А ты, Рай?

— Почему бы и нет?

— Клэр уже поднимается, — объявил Бекетт, засовывая телефон в карман.

— Новогодняя вечеринка у меня дома. Придете?

— В каком году?

— Старая шутка. Так вы придете или нет?

— Мы планировали остаться дома. Мальчики хотят посмотреть, как упадет шар на Таймс-сквер, но только Мерфи намерен загадывать желание. Я спрошу Клэр, может, пригласим няню.

— Отлично. — Оуэн вытащил записную книжку. — Теперь обед.

Тупорылый радостно завилял хвостом.

Из кухни донесся хлопок пробки от шампанского. Оуэн довольно улыбнулся.

— Вот теперь все официально. Добро пожаловать в отель «Инн-Бунсборо».

8

Так как Хоуп ей доверяла — и позже наверняка все поменяет! — Эйвери занялась обустройством новой кухни. Она обожала чистые, эффективно используемые помещения и новую, с иголочки, утварь.

— Здорово, правда? — По-прежнему в рабочих джинсах и футболке с логотипом «Весты», Эйвери весело раскладывала столовые приборы по ящикам буфета. — Жаль, Клэр все пропустила.

— Так бывает, когда заводишь детей, — отозвалась Хоуп из ванной, где снимала макияж.

— Это точно. А ты хочешь детей?

— Конечно. В будущем. А ты?

— Тоже. Особенно когда пообщаюсь с ребятишками Клэр. К ним так быстро привыкаешь! — Закрыв ящик, Эйвери принялась за следующий. — Однако, как правило, обзаведению детьми должно предшествовать замужество. И вот тут-то возникает проблема.

— У тебя слишком романтичная натура, чтобы считать замужество проблемой.

— Легко быть романтичной в глазах посторонних — ничем не рискуешь. Ладно, давай лучше о тебе: ты начинаешь новое дело, и сегодня твоя первая ночь. Не боишься ночевать здесь одна?

— Нет. — Хоуп высунула голову из ванной. — Хотя я подумала... может, ты захочешь остаться. Выбирай номер.

— Ух! — Зажав в кулаках вилки и ложки, Эйвери победно вскинула руки. — Я уж боялась, что ты не предложишь! Правда, можно?

— Даже более чем. Жюстина попросила пару недель ночевать во всех номерах про очереди. Так будет легче обнаружить неполадки с канализацией, электричеством да и просто почувствовать атмосферу номеров. А сегодня мне бы хотелось переночевать в своей квартире — все-таки первая ночь. В общем, будешь моей первой гостьей.

— Тогда номер «Оберон и Титания». Какой кайф — по уши погрузиться в ту огромную медную ванну... Или нет, погоди, лучше «Джейн и Рочестер». Там есть не только медная ванна, но и камин. Или...

Хоуп со смехом вышла из ванной.

— Трудно выбрать, да?

— Еще как трудно! Наверное, придется тянуть жребий из шляпы. А Оуэн уже решил, где будет ночевать после торжественного открытия?

— Он выбрал номер «Ник и Нора».

— Хорошо, этот номер из шляпы убираем — вдруг к тому времени я буду спать с Оуэном? Тогда я и так заночую в этом номере.

— Неужели?

— Ага. Мы решили подождать несколько дней и убедиться, что это не просто сумасшедший порыв. — Эйвери закрыла ящик и повернулась к Хоуп. — Хотя не похоже.

— Конечно, не похоже. Оуэн — потрясающий парень, красивый, умный, добрый. Вы очень гармоничная пара.

— Потому-то я и сомневаюсь. Секс может все испортить.

— Вы прекрасно подойдете друг другу.

— Надеюсь. Кстати, хочу попросить тебя об одолжении. Видишь ли, вчера вечером Оуэн одолжил мне клейкую ленту, а там слово за слово...

Хоуп подбоченилась.

— Ты уже с ним переспала и только сейчас собралась мне рассказать?

— Нет. Чуть было не переспала. Я спросила, с кем он встречает Новый год. Вообще-то я хотела узнать, встречается ли он — ну, хорошо, спит ли он! — с кем-нибудь еще.

— Разумно.

— Нужно было спросить его напрямую, но я кружила вокруг да около, и Оуэн спросил, как я буду встречать Новый год, а я ответила, что мы с тобой намерены тусоваться вдвоем.

— Эйвери, если ты хочешь встречать Новый год с Оуэном, я только за. Абсолютно, на все сто процентов. Ты же знаешь.

— Я не могу тебя бросить! Ты бы так не поступила.

— Как знать, вот если бы Оуэн пригласил меня...

Хоуп картинно похлопала ресницами.

— Заведи себе собственного Монтгомери. Еще один не занят.

— Могу одолжить у тебя Оуэна. Протестировать.

— Ах, ты такая хорошая подруга! — Эйвери притворно смахнула слезу и обняла Хоуп. — Короче говоря, Оуэн предложил устроить вечеринку у себя дома, что совсем на него не похоже — обычно ему нужно несколько недель, а то и месяцев, чтобы все распланировать и подготовиться. В общем, встречаем Новый год у Оуэна.

Хоуп задумчиво открывала шкафы, проверяя, как организовано кухонное пространство.

— Эйвери, у меня нет пары. Собственно, она мне и не нужна, просто стыдно быть одной на новогодней вечеринке.

— Ничуть, если выглядишь, как ты. Кроме того, там будут не только пары. Я почти наизусть знаю список предполагаемых гостей и гарантирую, что наберется достаточно одиночек любого пола. У Оуэна всегда шикарные вечеринки. Ты встретишь кучу разных людей, — вкрадчиво сказала Эйвери. — Прекрасная возможность для управляющей гостиницей поддержать связь с местным населением.

Хоуп повернула ручку чашки чуть влево.

— Ты на меня давишь.

— Ага, но я же права! Клэр и Бек пригласят няню и могут потом подбросить тебя домой. Если, конечно, ты не уйдешь в отрыв.

— Не уйду, обещаю. — Хоуп вздохнула. — Наверное, не стоит отказываться от предложений своего начальства. По крайней мере, сразу.

— Тебе понравится, обещаю! — Эйвери на радостях обняла подругу. — Спасибо!

Держа Хоуп за плечи, она оглядела комнату.

— Очень мило, что Райдер перенес твою рождественскую елку.

— Он бурчал из-за украшений.

— Да, но все собрал, принес сюда и установил.

— Наверняка его заставила Жюстина.

— Неважно, главное, что в твоей новой квартире есть елка. Такое впечатление, что ты уже здесь живешь. Ты рада?

— Конечно, и волнуюсь. Не дождусь, когда...

Дверная ручка щелкнула, и они, вздрогнув, уставились на открывающуюся дверь.

— Господи, Клэр! — воскликнула Эйвери. — В следующий раз просто пристрели нас обеих!

— Простите. Дети уснули. Бекетт дал мне ключ и разрешил на несколько часов прийти сюда. Знал, как мне этого хочется. — Оглядевшись, Клэр сняла перчатки. — О, вы уже так много сделали! Похоже...

— Что Хоуп давно здесь живет, — закончила Эйвери.

— Точно! Что мне делать?

— Кухня моя! — предупредила Эйвери.

— Тогда...

Клэр снова открыла дверь и подняла картину, которую, перед тем как войти, прислонила к стене.

— Мой подарок на новоселье!

— Мадлен сказала, что, если она сюда не подойдет, ты можешь ее поменять, — сообщила Эйвери. — Выбрать в «Подарках» другую картину или еще что-нибудь.

— Как раз то, что мне хотелось. Она великолепна, эти цветущие вишни будут каждые день напоминать мне о весне. Спасибо вам обеим. Я знаю, где ее повесить — в спальне, чтобы каждое утро просыпаться как весной.

Хоуп взяла картину.

— Повешу-ка я ее прямо сейчас.

В спальне Клэр застелила изящную кровать, взбила подушки и разгладила одеяло, пока Хоуп с достойной Оуэна дотошностью измеряла, отмечала и выравнивала.

— Вот здесь будет то, что надо, — бормотала она. — Просто прекрасно!

— Как и ты. Прекрасно сюда вписываешься. То, что надо.

— Именно этого я и хочу.

— Кухня готова, — объявила Эйвери, войдя в спальню и с улыбкой взглянув на картину. — Ты права. От нее веет весной. Добро пожаловать домой, Хоуп.

* * *

Позже, когда Клэр ушла, а Эйвери побежала домой за всем необходимым для ночевки, Хоуп обошла здание. Она чувствовала себя как дома. Приятное ощущение!

Уже поднимаясь по лестнице в свою квартиру, Хоуп уловила аромат жимолости, сладкий как лето.

— Я здесь, — сказала Хоуп, — и я останусь. Думаю, теперь ни тебе, ни мне не придется быть одной.

* * *

Спустившись утром вниз, Эйвери обнаружила семейство Монтгомери и Клэр, которая готовила завтрак на гостиничной кухне.

— Мы же не полностью ее оборудовали, — заметила Эйвери.

— Ничего, я пока обхожусь. Подходящий случай кое-что опробовать.

— Давай помогу.

— Ни в коем случае! — Хоуп подняла палец, чтобы усилить смысл своих слов. — Никакой помощи. Ты — гостья. Иди в обеденный зал.

— А кофе там есть?

— Само собой. Ну, как тебе номер «Джейн и Рочестер»?

— Как прекрасный сон. Ладно, сперва кофе, а потом уже отчет.

Эйвери отправилась в обеденный зал и налила себе кофе из медного кофейника. Она думала о том, какое чудесное сейчас время. Все рады и счастливы. Завершен проект, большой проект! Конечно, еще несколько дней придется поработать, утрясти разные мелочи...

В комнату вошел Оуэн.

— Слышал, что ты стала первой гостьей отеля.

— Да, удостоилась такой чести.

— Завтракать будем вместе. Утром Хоуп прислала всем сообщения. — Он сел напротив Эйвери. — Ну, как?

— Замечательно. Когда все соберутся, расскажу подробно. Вкалываете в фойе?

— Мама хочет еще один шкафчик, Рай вешает зеркало, а Бек прибивает полки в чулане. Хорошо выглядишь, — добавил Оуэн.

— Правда?

— Правда. Бодрая и отдохнувшая. Ты сегодня работаешь?

— С четырех часов и до закрытия.

— Тогда почему ты так рано встала?

— Привычка. Должно быть, почувствовала, что кто-то другой готовит.

Кароли внесла поднос пышных вафель, аромат которых сразу наполнил комнату, и поставила на мармит. Весело подмигнув племяннику и Эйвери, она поспешила обратно на кухню. Хоуп принесла прозрачную миску ягод и сок в стеклянном кувшине.

— Позволь мне...

Хоуп пренебрежительно фыркнула.

— Ты гостья, — бросила она и снова вышла.

— Мне хочется опробовать новую плиту, — пробормотала Эйвери. — Она так блестит!

Принесли блюдо с беконом и еще одно, с яичницей-болтуньей.

— Нас позвали к столу. — Бекетт неторопливо вошел и принюхался. — Пахнет завтраком.

Он приподнял крышку блюда.

— Похоже на завтрак.

Стянув кусок бекона, он объявил:

— Да, на вкус тоже как завтрак. О, вафли!

— Вафли? — переспросил Райдер и направился прямиком к мармиту. — Вот эти пухлые и круглые?

— Угощайтесь. — Хоуп завела в комнату Жюстину. — Если что-то нужно, спрашивайте. И, пожалуйста, высказывайте свое мнение, только честно. Лучше узнать о недостатках сейчас, чем когда мы откроемся.

Она подождала, пока все наполнят тарелки и рассядутся. Райдер отправил в рот первый кусок вафли, щедро политой сиропом.

— Ты не уволена, — сообщил он Хоуп.

— Высокая похвала.

— Восхитительно, Хоуп! — Жюстина положила себе яичницу. — И столики весело смотрятся, как мы и хотели. Присядь.

— Мне нужно еще кое за чем присмотреть, но я очень хочу услышать, что думает Эйвери о своей ночи в номере «Джейн и Рочестер».

— Как будто я выиграла приз. Вернее, самый главный приз, — сказала Эйвери. — И я отмылась до блеска — вчера вечером опробовала ванную, а утром — душ. Потрясающе! А туалетные принадлежности просто изумительные! — Она протянула руку Оуэну. — Понюхай!

Оуэн понюхал.

— Очень приятный запах, — признал он.

— Вот именно! Полотенца такие мягкие и пушистые! А что сказать о кафельных полах с подогревом и горячей сушилке для полотенец? Просто восторг! Побывав в ванной комнате, чувствуешь себя отдохнувшей и ухоженной.

— Так и планировалось! — Жюстина широко улыбнулась. — Все верно.

— А еще я хочу себе такой халат. Камин — тоже замечательная штука, особенно когда залезешь в восхитительную постель. Да, между прочим, это самая удобная кровать из тех, на которых мне доводилось спать. Так классно, что на ней много подушек, и все разные! Я посмотрела телевизор, проверила, как работает радиоприемник с будильником, прочитала пару глав «Джейн Эйр», нашла DVD-диск с фильмом. В общем, будь у меня десять больших пальцев, я бы все подняла вверх.

— Именно это я и хотела услышать, — сказала Хоуп, уходя на кухню. — Вернусь через несколько минут.

— Вопросы, жалобы, предложения есть? — спросила Жюстина у Эйвери.

— Только одно предложение. Ничего не меняйте. Мне там все понравилось.

— Хорошо. — Жюстина удовлетворенно кивнула и откинулась на спинку стула. — С одним номером покончено.

— Пока вы все здесь, давайте кое-что обсудим, — сказала Эйвери. — Это имеет косвенное отношение к гостинице.

— Валяй, говори, — кивнул Райдер, поднимаясь. — Хочу еще вафель. Погодите, а где Тупорылый?

— В фойе, греется у камина. Нельзя приводить собаку туда, где люди едят, — ответила ему мать.

— Но...

— Ты не будешь кормить пса со стола. Хоуп дала ему пару собачьих галет, и он вполне доволен. Ладно, Эйвери, начинай.

Сердце Эйвери забилось сильнее.

— Думаю, что, когда в отель заселятся постояльцы, кто-то будет заходить в «Весту» пообедать, поужинать или выпить пива. Некоторым наверняка захочется чего-нибудь получше, чем семейная закусочная, и они будут уезжать в Саут-Маунтин или Шепердстаун. Жаль, что ресторан на другом углу не работает.

— Не заводи меня, — проворчал Оуэн.

— Мы все с этим согласны, — заметила Эйвери. — Но дело в том, что в городе хватит места еще для одного ресторана, более шикарного, чем итальянская пиццерия.

От волнения у нее по коже побежали мурашки.

— Люди часто ко мне заходят и спрашивают, где можно выпить бокал вина. Конечно, я подаю вино, но все-таки пиццерия не то место, где приятно пропустить стаканчик-другой или устроить романтический ужин.

— В первую очередь мы займемся булочной, — сказал Оуэн. — И обязательно поищем арендатора для ресторана, кого-нибудь с разумным бизнес-планом и пониманием окружающей обстановки.

— Согласна. — Эйвери откашлялась. — Вы купили два смежных помещения.

Она стала гонять по тарелке кусочки яичницы, чтобы занять руки.

— Я знаю, что вы хотите сдать их в аренду, но когда-то это было одно здание, и если вы вернете его в первоначальное состояние, то с одной стороны неплохо бы устроить лаунж-бар, а с другой — ресторан. Люди могли бы зайти, выпить бокал-другой или поужинать. Или и то, и другое. А во второй половине есть место для небольшой сцены. Живая музыка пользуется популярностью, а у нас в городе нет ни одного заведения с живой музыкой. Представьте, хороший ресторан с лаунж-баром или пабом в придачу. С хорошей едой, большим выбором вина, пива и коктейлей, приятной музыкой...

— Неплохая идея, — начала было Жюстина.

— Эйвери, не заводи ее! — предупредил Райдер.

— Ресторан отлично дополнил бы гостиницу, — продолжила Эйвери. — У постояльцев появится выбор, они смогут пройти через площадь, выпить бутылочку вина и не переживать, что придется вести машину. Можно организовать доставку еды в номера, точно так же, как вы договорились с «Вестой». Гости не хотят выходить из отеля? Пусть едят пиццу в лобби-баре или спокойно обедают в обеденном зале. Еще вы предлагаете пакет услуг. Добавьте к ним обед на двоих в хорошем ресторане по соседству — или пусть еду приносят сюда, — клиентам понравится.

— Несомненно, — кивнул Бекетт. — Мы даже это обсуждали. Одна беда: как найти человека, который не только хочет, но и может управлять подобным заведением.

— Я хочу! — выпалила Эйвери, стиснув кулаки на коленях под столом. — Я справлюсь.

— У тебя уже есть ресторан, «Веста». — Райдер прищурил глаза. — Рыжая Малютка, если ты скажешь, что собираешься оттуда уйти, я сильно огорчусь. Кто будет готовить мою любимую пиццу с перцем?

— Да не собирается она никуда уходить! — Оуэн озабоченно отодвинул тарелку. — Два ресторана, Эйвери? Тебе мало хлопот?

— Кое-что я переложила бы на Фрэнни, а Дэн работал бы по скользящему графику и там и там. Для нового ресторана нужен хороший администратор, у меня уже есть на примете один человек. Жюстина, раньше ничего не получилось, потому что не было правильной организации. Я знаю, как добиться успеха.

— Слушаю.

— Ох, братец! — Райдер опустил голову и занялся вафлями.

— Нужно уютное, современное и не пафосное заведение. Поставим пару двухместных диванчиков, столики разной высоты. Длинная стойка с опытными барменами. Расслабляющая, изысканная обстановка. Хорошее вино, качественное разливное пиво. В общем, все по высшему классу.

Никто не перебивал, и, глубоко вздохнув, Эйвери продолжила:

— На обед необходимо предложить широкий выбор салатов, сэндвичей и супов. Да, нужно, чтобы в обеденное время ресторан работал, — с чем, собственно, и возникли проблемы. Цены должны быть разумными, обслуживание — радушным.

— С этим тоже не получилось, — заметил Бекетт.

— Вот именно. — Она воодушевленно кивнула. — К меню ужина желательно добавить еще блюда. Хорошее мясо, рыбу, цыпленка, какие-нибудь интересные закуски. По возможности нужно использовать местные продукты. Можно сделать отличный ресторан, и не забывайте, что он будет расположен на центральной площади Бунсборо. Я знаю город, знаю, чего хотят люди.

— Нисколько не сомневаюсь, — пробормотала Жюстина.

— Я составила бизнес-план. Набросала меню, прикинула цены. Конечно, вам придется поработать — заново соединить два помещения, оборудовать барную зону, но все окупится. — Эйвери сделала глубокий вдох. — Я постараюсь.

— И долго ты над этим думаешь? — спросил Оуэн.

— Около двух лет, с тех пор, как увидела, что тот проект не удался, и поняла почему. Это не сиюминутный порыв, — заверила она, хорошо зная его взгляд. — Я могу быть импульсивной, но только не в тех случаях, когда дело касается бизнеса. Вы мне поверили, когда я предложила открыть «Весту».

— Да, и не прогадали. — Бекетт оценивающе взглянул на Эйвери. — Нужно еще раз взглянуть на то здание, прежде чем мы что-то решим.

— Я пришлю вам бизнес-план и примерное меню.

— Хорошо, — кивнула Жюстина. — Я посмотрю. Тем не менее, Эйвери, мы с мальчиками должны все как следует обсудить.

— Понимаю. И если вы не согласитесь... Что ж, попытаюсь вас переубедить. Ладно, пойду. — Она встала, машинально собрав свою посуду. — Спасибо, что разрешили опробовать номер. Эта ночь запомнится мне надолго.

— Мы скоро вернемся к нашему разговору, — пообещала Жюстина, рассматривая остывший кофе.

Она дождалась, пока Эйвери выйдет, и спросила сыновей:

— Ваше мнение?

— Один ресторан — и то довольно хлопотное дело, — начал Оуэн. — А два сразу? Ей придется руководить персоналом обоих заведений, составлять два меню, а если добавить бар, о котором она говорила, то получится уже три предприятия.

— Эйвери — Маленькая Рыжая Машина, — пожал плечами Райдер и налил матери еще кофе. — Лично я ставлю на нее.

— Мне нужно взглянуть на помещение, убедиться, что это осуществимо.

Жюстина улыбнулась Бекетту.

— Все осуществимо. Для нас главное преимущество в том, что проектом займется человек, которого мы знаем, надежный и с убедительной новаторской идеей. Концепция чертовски хороша.

— Сама идея мне тоже нравится. — Оуэн немного помедлил и продолжил: — Меня тревожит, что Эйвери будет заниматься всем в одиночку.

— Вот пусть она и тревожится. Ты боишься, что она будет сильно уставать, взвалив на себя слишком много? Дружеская забота, — добавила Жюстина, — к которой примешивается мысль «Когда же мы будем проводить время вместе, раз уж мы решили проводить его вместе?».

Оуэн отвел взгляд и сердито посмотрел на Райдера. Тот шутливо поднял руки.

— Я ничего не говорил. Ни словечка.

— Ради бога, Оуэн! — Жюстина фыркнула и махнула рукой. — Думаешь, мне нужно рассказывать? Глупый мальчишка. Неужели ты до сих пор не знаешь моих способностей?

Она самодовольно улыбнулась.

— Я понимаю твою тревогу и разделяю ее. Но, как и Райдер, поставила бы на Эйвери. Она вполне способна устроить на том углу что-нибудь эдакое, что пойдет на пользу городу. А еще гостинице и другим нашим предприятиям.

Жюстина помолчала.

— Давайте-ка взглянем на помещение, затем вы, мальчики, подумаете, можно ли там сделать то, что предлагает Эйвери, и если да, то что для этого потребуется. Изучим ее бизнес-план, посмотрим, какое меню она составила. А уже потом серьезно поговорим. Хорошо?

— Идет, — сказал Райдер.

Бекетт кивнул.

— Ладно, поживем — увидим, — вздохнул Оуэн.

* * *

Чуть позже Оуэн отыскал Эйвери в гостиной отеля. Девушка сидела на полу в окружении DVD-дисков и методично распаковывала их при помощи небольшого инструмента.

— Чем занимаешься?

— Загораю на пляже в Сен-Тропе.

— Ты намазалась солнцезащитным кремом?

— С такой-то кожей? Я использую силовое поле.

Оуэн присел на коричневую кожаную скамью.

— У тебя сегодня выходной?

— Да, поэтому я на пляже. А пока загораю, забавляюсь дисками. Хоуп дала мне вот эту штуковину. Я даже не знала, что сейчас делают открывалки для DVD-дисков. Сколько часов в общей сложности я провела, сражаясь с дурацкими наклейками и обертками, когда достаточно было одного взмаха! Теперь наверстываю, распаковываю все гостиничные диски, пока Хоуп и Кароли совещаются. Ты это смотрел?

Она протянула диск с фильмом «Реальная любовь»[1].

— Нет.

---

[1] «Реальная любовь» (*англ.* «Love Actually»), 2003 г. — британская романтическая комедия, сюжет которой состоит из десяти параллельно развивающихся историй.

Наклонив голову, Эйвери окинула его проницательным взглядом.

— Считаешь, что это девчачья киношка, да?

— Так оно и есть.

— Ошибаешься.

— Там что-нибудь взрывается?

— Нет, зато в наличии обнаженка и ненормативная лексика. Никакое это не девчачье кино, просто отличный фильм. Он у меня есть. И этот тоже.

Она показала на диск с «Терминатором».

— Вот это действительно хорошее кино!.. Эйвери, ты нервничаешь?

— Ничуть. Я загораю на солнце, распаковываю диски и болтаю про кино.

— Эйвери.

«Да уж, в том, что кто-то так хорошо чувствует твое настроение, есть и минусы», — подумала она. Ладно, по крайней мере, экономия времени.

— Я боюсь, что твои родственники послали тебя сказать, что никакого нового ресторана не будет.

— Мы еще ничего не решили. Только осмотрели помещение, кое-что прикинули. Вполне осуществимый проект — с нашей стороны, — правда, Бекетту нужно над ним поработать.

— Вполне осуществимый — с вашей стороны. — Эйвери тоже успела изучить Оуэна. — Но не с моей.

— Где ты возьмешь время и силы? Я ведь знаю, как ты выкладываешься в «Весте».

Эйвери вскрыла очередной DVD-диск.

— С чего ты взял?

«Потому что часто за тобой наблюдал».

— Я там ем, провожу встречи. Больше года каждый божий день я вкалывал напротив твоей пиццерии. Я имею представление о твоей работе, Эйвери.

— Если бы у тебя было верное представление, ты бы понимал — я знаю, что делаю.

— Я и не говорю, что не знаешь. Но теперь тебе придется разрываться на два ресторана. Похоже, ты хочешь взвалить на себя больше, чем может выдержать один человек.

Не торопясь с ответом, Эйвери смяла мусор и швырнула в коробку неподалеку.

— Почему-то мне кажется, что ты голосовал против.

— Я такого не говорил.

— А тебе и не надо ничего говорить. Я знаю тебя, Оуэн, столько же, сколько и ты меня.

— Никто не хочет, чтобы ты замучила себя работой или попала в безвыходное положение.

Борясь с желанием швырнуть открыватель для DVD-дисков, Эйвери аккуратно положила его рядом с собой.

— Неужели ты считаешь, что я не в состоянии трезво оценить свои возможности? Сколько дел ты делаешь одновременно, Оуэн? Сколько сданных в аренду помещений у тебя под присмотром? Сколько проектов на разных стадиях готовности, сколько клиентов у тебя в списке, людей, которым ты платишь зарплату, субподрядчиков?

— Нас много, а Эйвери только одна.

Она взъерошила волосы — сейчас они были цвета полированного красного дерева.

— Да ладно тебе! Я знаю, что ты отвечаешь за объекты, сданные в аренду, общаешься с арендаторами. Я знаю потому, что я сама арендатор. Ты весьма внимателен к деталям, Оуэн, а компания «Семейный подряд Монтгомери» имеет дело с чертовски большим количеством деталей. Райдер — прораб, Бекетт проектирует помещения. Ваша мать ведет бухгалтерию, помогает клиентам с дизайном интерьера и наблюдает за проектом в целом. Ты связываешь вместе все маленькие кусочки. И все вы, включая Жюстину, занимаетесь строительными работами.

— Ты права, но...

— Никаких но! — Рассерженная, Эйвери говорила резко и отрывисто. — Вы работаете через дорогу от меня уже больше года. Не тебе меня судить, Оуэн. Я видела, что ты сделал, с каким объемом работы тебе приходится сталкиваться. Тебе и всем остальным. Если бы ты сказал, что вы планируете перестроить чертов Белый дом, я бы не сомневалась, что у вас все получится. И ты тоже должен в меня верить.

— Дело не в вере... — начал было Оуэн.

Эйвери вскочила на ноги.

— Послушай, нет, значит, нет. Это ваша собственность, и вы имеете право сдавать ее в аренду, кому захотите. Я не обижусь. Но вы не должны отказывать только потому, что боитесь, как бы я не устала.

— Эйвери...

— Нет, постой. Вы должны были попросить мой бизнес-план, график работы, приблизительное меню, баланс прибылей и убытков «Весты», предполагаемый бюджет нового ресторана. Вы должны были отнестись ко мне с тем же уважением, что и к другим предпринимателям или потенциальным арендаторам. Я не пустой мечтатель, Оуэн, я оцениваю свои силы и только потом принимаюсь за работу. Если ты этого не понимаешь, значит, изучил меня не так хорошо, как мы оба считали.

Оуэн достаточно изучил Эйвери, чтобы не пойти за ней, когда она выбежала из комнаты. Эйвери не просто злилась, с этим бы он справился; он умудрился ее обидеть.

— Молодец, ничего не скажешь! — пробормотал Оуэн.

Давая себе время подумать, он собрал все распечатанные диски и сложил в шкафчик под настенным телевизором, машинально расположив их в алфавитном порядке.

9

Оуэн долго размышлял над тем, как и когда подступиться к Эйвери, и решил сделать ставку на праздничное настроение.

Ровно в пять часов вечера перед Рождеством он постучал в ее дверь.

Эйвери снова покрасила волосы, на этот раз в оттенок рождественского красного. На ней были обтягивающие брюки, подчеркивающие форму ног, и свитер с косами, голубой, как ее глаза. Она была босиком, и Оуэн заметил, что к рождественским красным волосам Эйвери подобрала рождественский зеленый лак для ногтей на ногах.

И почему это так сексуально?

— С Рождеством.

— Еще рано для поздравлений.

— Хорошо. С Рождественским сочельником. — Постаравшись, он добавил непринужденную улыбку. — Найдется минутка?

— Не больше. Я иду к Клэр, потом к отцу и останусь у него, так что...

— Ты успеешь накормить его завтраком до того, как вы оба придете к маме на рождественский обед. Вот здесь, — он постучал пальцами по виску, — планы всех наших на праздники. Хоуп сейчас в Филадельфии, встретит Рождество с родственниками и завтра после обеда вернется сюда. Рай забежит к Клэр, а потом мы оба собираемся переночевать у мамы.

— Чтобы вас накормили и завтраком, и обедом.

— Именно.

— Зачем ты пришел, если идешь к Клэр? Все равно увидимся через полчаса.

— Удели мне пару минут. Можно войти или ты еще злишься?

— Уже нет.

Она шагнула назад, давая ему пройти.

— Ты начала распаковывать вещи, — заметил Оуэн.

По его подсчетам, груда коробок и корзинок уменьшилась больше чем наполовину.

— Продолжила, — поправила его Эйвери. — Я была вне себя от злости, а когда я зла или огорчена, то готовлю еду. У отца холодильник забит лазаньей, каннеллоне и разными супами. Пришлось перенести энергию на распаковку. Почти закончила.

— Очень продуктивно.

— Не люблю терять хороший заряд злости.

— Прости, что так вышло.

Эйвери покачала головой, отмахиваясь от извинения.

— Я еще не оделась.

Когда она пошла в спальню, Оуэн последовал за ней.

При виде комнаты он даже не поморщился, решив, что не стоит снова злить Эйвери, но понял — она, похоже, долго выбирала, пока не остановилась на брюках и свитере. Отвергнутая одежда валялась на кровати. Оуэну всегда нравилась старинная медная кровать с витыми стойками, ее старомодное очарование. Сейчас всю красоту скрывали груды одежды, подушки и небольшая дорожная сумка.

Эйвери выдвинула верхний ящик комода — тот, в котором большинство людей хранят белье; ящик Эйвери был доверху забит сережками.

— Господи, сколько у тебя ушей?

— Обычно я не ношу часы, кольца и браслеты. Мешают готовить соусы и тесто для пиццы. Приходится компенсировать.

Немного подумав, она выбрала серебряные обручи с кольцами поменьше внутри.

— Как тебе?

— Э-э... хорошо.

Эйвери хмыкнула, сняла серьги и надела другие, с голубыми камешками и бусинами.

— Я зашел, чтобы...

Она поймала его взгляд в зеркале.

— Нет, я скажу первой.

— Хорошо, давай.

Эйвери подошла к кровати, бросила в сумку еще пару вещей.

— Я, наверное, тогда слишком бурно отреагировала. Думаю, из-за тебя, я-то считала, что ты в меня веришь.

— Эйвери...

— Я не закончила.

Она торопливо забежала в ванную за подвесным несессером с прозрачной панелью спереди, положила его на кровать, и Оуэн увидел, что тот набит косметикой и инструментами, которыми пользуются женщины.

Где Эйвери находит время, чтобы использовать всю эту косметику? Когда? Он видел ее лицо без макияжа, оно и так красивое.

— Я должна была ожидать, что ты в первую очередь подумаешь о практической стороне вопроса. Наверное, мне просто хотелось, чтобы ты думал о том, чего хочу я. Погоди, — сказала она, когда Оуэн открыл рот.

Она свернула несессер, завязала, сунула в сумку.

— И только после того, как я наготовила столько еды, что в случае внезапного голода хватило бы на весь город, и распаковала все ненужное барахло, я вдруг кое-что поняла. Мне было бы неприятно, если бы твоя семья сочла, что я не справлюсь, и отказала, но в то же время я не хочу, чтобы ты согласился только потому, что я — это я и мы давно дружим.

Эйвери повернулась и посмотрела на Оуэна.

— Я хочу, чтобы меня уважали, но не потакали. Такова моя позиция, и я от нее не отступлю.

— Это честно, хотя наверняка я буду иногда сбиваться, да и ты тоже.

— Ты прав. И все-таки нужно ее придерживаться.

Эйвери подошла к шкафу, достала черные сапоги на высоком тонком каблуке и села на скамеечку у изножья кровати. У Оуэна пересохло во рту, когда Эйвери надела сапог и потянула молнию вверх.

— Э-э... Короче... Я хотел сказать... — Он сбился и замолчал, когда Эйвери встала. — Ух ты!

— Это все сапоги, да? — Эйвери задумчиво посмотрела вниз. — Хоуп уговорила купить.

— Обожаю Хоуп! — сказал Оуэн, глядя, как Эйвери открывает дверь шкафа и смотрится в большое зеркало. — Никогда не видел на тебе ничего подобного.

— Сегодня канун Рождества, и я не работаю.

— Ты работаешь для меня.

Эйвери расхохоталась и подарила ему сияющий взгляд.

— Я заметила и оценила твою реакцию. Мне редко перепадает шанс носить каблуки. Хоуп помогает заполнить огромную пропасть в моем обувном гардеробе. Ладно, пора идти. Раз уж ты здесь, помоги отнести вниз подарки, чтобы я не бегала в этих сапогах туда-сюда по лестнице.

— Конечно, но все-таки удели мне минуту.

— Ах да, конечно, прости. Я думала, что это насчет той размолвки, и мы вроде разобрались.

— Не совсем. — Оуэн вытащил из кармана пальто коробочку в яркой обертке. — У нас в семье есть традиция дарить один подарок перед Рождеством.

— Я помню.

— Так вот, это тебе.

— Подарок из серии «Помирюсь-ка я с ней, иначе на следующей неделе она не согласится со мной переспать»?

— Нет, тот подарок я приберег на завтра.

Она весело расхохоталась, Оуэн тоже не смог сдержать улыбку.

— Ну-ка, что там такое? Мне не терпится взглянуть! — воскликнула Эйвери.

Она схватила коробочку и встряхнула. Ни звука.

— Ты набил ее ватой!

— Все знают, что ты встряхиваешь подарки.

— Я люблю угадывать, добавляет интриги. Возможно, серьги, — размышляла она вслух. — Тебя явно смутил мой ящик с сережками, но, поверь, они лишними не бывают.

Эйвери разорвала упаковку, бросила бумагу и ленточку на туалетный столик. Открыла коробочку, вытащила вату и увидела два ключа.

— От здания через дорогу, — пояснил Оуэн. — От обоих помещений.

Она молча подняла голову и взглянула ему в глаза.

— Я посмотрел бизнес-план, который ты прислала маме, меню и все остальное тоже. Очень убедительно. Ты молодец!

Эйвери вновь опустилась на скамеечку, не сводя глаз с ключей.

— Райдер был за тебя с самого начала. Знаешь, он иногда называет тебя Маленькой Рыжей Машиной.

Эйвери кивнула, не в силах произнести ни слова.

— Бекетт перешел на твою сторону после того, как еще раз посмотрел на здание. Думаю, отчасти потому, что хочет заняться этим проектом, взять его в свои руки. А еще потому, что верит в тебя. Мама? Ты собираешься сделать как раз то, что она хочет, даже больше. У нее вообще нет никаких сомнений. А что касается меня...

— Если бы ты был против, значит, ничего бы не было.

Оуэн нахмурил брови, засунул руки в карманы.

— Погоди минутку. Мы так не работаем.

— Оуэн. — Опустив голову, Эйвери задумчиво перекладывала в коробке ключи. — Они тебя слушают. Может, ты не в курсе, но если дело касается бизнеса, с твоим мнением всегда считаются. Тебя уважают за компетентность. Точно так, как вы все полагаетесь на Бекетта в вопросах проектирования и дизайна, а Райдер отвечает за строительство и рабочих. Ты не представляешь, как я восхищаюсь вашей семьей.

Он не знал, что сказать.

— Ты тоже был за меня.

— Эйвери, дело не в том, что я в тебя не верил, конечно, нет. Просто я не думал о тебе как об арендаторе. Не рассматривал тебя в этом качестве. И я не привык относится к тебе, к нам, так, как сейчас. Причем мы еще даже не начали отношения.

Эйвери молчала, по-прежнему глядя на ключи.

— Ты очень много работаешь.

— Мне это необходимо. — На какой-то миг она сжала губы. — Я не буду сейчас говорить о психологических проблемах. Хорошо?

Когда она подняла взгляд, Оуэн заметил, что в ее прекрасных, восхитительных ярко-голубых глазах стоят слезы.

— Конечно. А что, нужно?

— Я не расплачусь, черт возьми, я не испорчу свой макияж. Я красилась почти целую вечность!

— Ты выглядишь потрясающе! — Оуэн присел на скамью рядом с ней. — Просто обворожительно!

— Я не буду плакать. Мне нужна минута, чтобы собраться.

Одна-единственная слезинка все же скатилась по щеке, но Эйвери быстро ее смахнула.

— Похоже, я даже не подозревала, как сильно хочу заняться этим проектом, пока не открыла коробку! Наверное, боялась себе признаться — чтобы не расстраиваться, если вы мне откажете.

Сдерживая слезы, она еще раз медленно вздохнула.

— Лучше ожидать худшего, чем разочаровываться, потому я никому не сказала, как мечтаю об этом ресторане. Даже Клэр. Даже отцу. Я твердила себе, что это просто работа, заурядное бизнес-предложение. На самом деле этот проект для меня нечто большее. Не могу сейчас объяснить. Да и макияж нельзя портить, тем более что через минуту я буду радоваться.

Оуэн взял ее за руку, мысленно подыскивая способы срочного перехода от слез к радости.

— Как ты его назовешь?

— «Ресторан и бар МакТ».

— Мне нравится.

— Мне тоже.

— А что подсказывает знаменитое мактавишское чутье?

— Что я сделаю этот ресторан суперпопулярным. Вот увидишь! О, боже, боже!

Рассмеявшись, Эйвери обняла Оуэна, потом вскочила и начала прыгать в своих обтягивающих сексуальных сапогах.

— Погоди-погоди. Я спущусь за бутылкой шампанского. Нет, за двумя! — Она бросилась Оуэну на шею. — Спасибо!

— Это бизнес.

— Тем не менее благодарность всегда уместна. А вот это тебе лично. — Эйвери прижалась губами к губам Оуэна, запустила пальцы в его волосы, прильнула к нему всем телом. — Огромное спасибо!

— Моих братьев ты тоже так поблагодаришь?

— Не совсем. — Эйвери рассмеялась. — Никто из них не был моей первой любовью.

Она высвободилась из его объятий и схватила сумку.

— Теперь мы точно опоздаем. Ты не любишь опаздывать.

— Сегодня исключение.

— Сделаешь еще одно? Не хмурься, когда мы зайдем за подарками. Я знаю, что там жуткий беспорядок.

— Я не буду смотреть.

Оуэн держал сумку, пока Эйвери надевала пальто, заматывала шарф, натягивала перчатки. Он мужественно сохранил невозмутимый вид, когда она завела его в комнату, полную подарков, пакетов, оберточной бумаги и спутанных лент.

— Это все подарки?

— Некоторые на сегодня, другие раздам, когда будем праздновать у папы, а потом у твоей мамы. Обожаю Рождество!

— Оно и видно.

Оуэн отдал Эйвери сумку, которая, похоже, была самой легкой и удобной из всего, что предстояло нести к Клэр.

— Иди за шампанским, а я пока соберу подарки.

— Спасибо.

Хорошо хоть она уложила подарки в картонные коробки, подумал Оуэн, поднимая первую. Эйвери уже вышла, и он позволил себе закатить глаза.

— Я все вижу! — крикнула Эйвери, и ее веселый смех эхом отзывался на лестнице, пока она сбегала вниз по ступенькам.

* * *

Эйвери наслаждалась сочельником с той минуты, как вошла в дом Клэр, нагруженная подарками для детей, друзей и собак, а еще бутылками шампанского и подносом с лазаньей, и до тех пор, пока не забралась в постель, где спала еще ребенком.

Когда Клэр, молодая вдова с двумя маленькими детьми, беременная третьим, вернулась в Бунсборо, Эйвери проводила с ней и мальчиками несколько часов накануне каждого Рождества.

В этом году дом заполнили Монтгомери.

Эйвери видела, как малыш Мерфи, проворный как мартышка, забирается на ногу Бекетта, пока тот обсуждает футбол с отцом Клэр.

И Оуэна, который терпеливо помогал Гарри строить навороченный военный корабль из полумиллиона — по крайней мере, так казалось — кирпичиков «Лего». И Райдера, который азартно рубился с Лиамом в компьютерные игры, пока Тупорылый и оба щенка носились вокруг, боролись друг с другом и исподтишка клянчили еду.

Эйвери с удовольствием послушала, как Жюстина и мать Клэр обсуждают предстоящую свадьбу. Обратила внимание, с какой нежностью ее отец смотрит на Жюстину, — почему она раньше ничего не замечала? У нее потеплело на сердце, когда Мерфи отпустил Бекетта и полез вверх по большой, похожей на ствол дерева, ноге Вилли Би.

В этом мире еще есть место волшебству, думала Эйвери.

Лежа в постели и глядя, как солнце медленно подсвечивает небо за окном, она думала, что чуть больше волшебства случилось, когда Оуэн проводил ее до машины. Когда поцеловал на морозном, в переливах огней, воздухе, остро пахнущем хвоей.

Чудесная ночь. Эйвери закрыла глаза, чтобы продлить ее хотя бы на мгновение. А впереди ждет чудесный день.

Она осторожно выскользнула из постели, натянула толстые носки, заколола волосы сзади. В тусклом свете вытащила из своей сумки пакет и тихо вышла из комнаты.

Эйвери на цыпочках спустилась вниз, перешагнув четвертую ступеньку — та скрипела посредине, — и вошла в гостиную с большим продавленным диваном, большой нарядной рождественской елкой и маленьким кирпичным камином, над которым висели два рождественских носка.

Носок Эйвери раздувался от подарков.

— Ну вот как он это делает? — прошептала она.

Вечером в носке ничего не было. Эйвери с отцом легли спать в одно время, она еще часок почитала, чтобы немного успокоиться после всех событий.

Она *слышала,* как Вилли Би храпит в соседней комнате.

Каждый год он проделывал этот фокус, вне зависимости от того, когда Эйвери ложилась спать или вставала утром. И опять Вилли Би наполнил ее носок, как наполнял каждое Рождество всю ее жизнь.

Покачав головой, Эйвери положила в носок отца разные пустяковые подарки: его любимые конфеты, подарочный сертификат из книжного магазина и билет ежегодной лотереи — вдруг повезет?

Улыбаясь, она шагнула назад и обняла себя за плечи. Всего два рождественских носка, но они висят рядом, полны подарков, и это самое важное.

Эйвери, как была в пижаме и толстых носках, пошла на маленькую, не больше чем в ее квартире, кухню. Когда-то она училась здесь готовить, на старой газовой плите. Сперва в силу необходимости — хотя Вилли Би многое умел, готовка ему так и не далась, что бы он ни делал.

Когда мать их бросила, он изо всех сил старался ее заменить, желая, чтобы дочь росла счастливой и знала, что он ее очень любит. Ему это удалось, только вот стряпня... Сгоревшие кастрюли, полусырая курица, пережаренное мясо, подгоревшие или разваренные в кашу овощи.

Эйвери научилась готовить, и то, что вначале было необходимостью, вдруг стало страстным увлечением. Даже в какой-то мере компенсацией, подумала Эйвери, доставая из холодильника яйца, молоко и масло. Отец столько для нее сделал и так много для нее значил! Она готовила еду, чтобы хоть как-то выразить свою любовь. Бог свидетель, Вилли превозносил ее первые кулинарные опыты до небес.

Она собиралась накормить его рождественским завтраком — ежегодная традиция с тех пор, как Эйвери исполнилось двенадцать — и уже успела сварить кофе, подсушить бекон и накрыть маленький круглый стол, когда услышала шаги отца и раскатистое «Хо-хо-хо»!

«И так каждый год, — с улыбкой подумала Эйвери. — Постоянен, как восход солнца».

— С Рождеством, моя маленькая прекрасная дочурка!

— С Рождеством, мой большой красивый папочка!

Эйвери встала на цыпочки, чтобы поцеловать отца, и почти исчезла в его медвежьем объятии. Нет, никто, никто на свете не может обнимать так крепко, как Вилли Би Мактавиш.

Вилли Би чмокнул дочь в макушку.

— Вижу, Санта уже приходил, наполнил носки.

— Да, я тоже заметила. Хитрец этот Санта! Выпей кофе. Еще есть апельсиновый сок, свежие ягоды, бекон, и греется сковорода для блинчиков.

— Никто не умеет готовить лучше моей девочки.

— Никто не умеет покушать лучше моего папочки.

Он похлопал ладонью по животу.

— Много свободного места.

— Ты прав, Вилли Би. Только учти: когда у мужчины заводится подружка, ему нужно следить за фигурой.

У отца порозовели уши.

— Ох, Эйвери.

Она шутливо ткнула его пальцем в живот, затем посерьезнела.

— Я рада за тебя, папа. За вас обоих, рада, что вы нашли друг друга. Знаешь, Томми тоже был бы рад, что у Жюстины есть ты, а у тебя — она.

— Мы просто...

— Неважно. Пей кофе.

— Слушаю, мэм. — Отец сделал первый глоток. — У меня никогда не получается так вкусно.

— У тебя нет способностей к кулинарии, пап. Это проклятие.

— Да уж, нашей кухне тебя не хватало. Ты прирожденная повариха. А теперь у тебя будет два ресторана.

— И бар.

— Ты прям основательница сети ресторанов!

Эйвери рассмеялась и вылила половник жидкого теста на сковороду.

— Пока еще маленькой. Конечно, потребуется время, но мне это на руку — закончу разработку.

— Жюстина тоже в восторге и очень довольна, что именно ты арендуешь здание. Она возлагает на тебя большие надежды.

— А я на нее, на всех Монтгомери. Разве не классно было вчера у Клэр? — Радостная, как рождественское утро, Эйвери переворачивала блинчики, встряхивая сковородкой. — Так чудесно со всеми увидеться, посмотреть, как Бекетт и все остальные возятся с детишками! И этот шум, благостное веселье и... семья.

Она подняла взгляд на отца, и ее улыбка стала чуть печальной.

— Ты всегда хотел большую семью.

— У меня самая лучшая семья в мире.

— У меня тоже. Но я знаю, ты хотел много детей и наверняка был бы замечательным отцом для большой семьи — таким же, каким был для меня одной.

— А чего ты хочешь, милая?

— Видимо, ресторанной сети.

Вилли Би откашлялся.

— И Оуэна.

Эйвери сбросила блинники на блюдо, посмотрела через плечо. Ну, конечно, ее здоровяк-отец покраснел.

— Кажется, его тоже. Ты не против?

— Он хороший мальчик... мужчина. Ты давно на него глаз положила.

— Пап, мне было пять лет. Я даже не знала, что это такое.

— Что-то я сомневаюсь. Просто... шепни, если он вдруг тебя обидит.

— И ты раздавишь его как червяка.

Состроив свирепую гримасу, Вилли Би напряг внушительные мышцы.

— Если потребуется.

— Буду иметь в виду. — Она повернулась с блюдом дымящихся блинов. — Давай поедим и займемся подарками.

* * *

Эйвери всегда считала, что Рождество без толпы людей на кухне это не Рождество. Спасибо Жюстине, ее дом и большая кухня всегда были открыты для Вилли Би и его дочери. А в этом году, когда к компании присоединилась Клэр с мальчиками, ее родители и Хоуп, народ толпился везде.

Еще дети — сыновья Клэр, две внучки Кароли. А если добавить двух псов Жюстины, которые путались у всех под ногами, Тупорылого и двух щенков, то Рождество, можно сказать, удалось.

Эйвери нравились праздники наедине с отцом, но вся эта суета — шум, восторженные ребятишки, взбудораженные собаки, запах ветчины из духовки, бульканье соусов, остывающие пироги — задевала струны ее души.

Эйвери всегда этого хотела.

Она перестала рубить чеснок и взяла бокал вина, который принес Оуэн.

— У тебя радостный вид.

— Когда радоваться, если не на Рождество?

Сгорая от любопытства, Оуэн заглянул в миску, где Эйвери что-то смешивала.

— Пахнет вкусно!

— Будет еще лучше, когда я начиню этим фаршем шляпки грибов и запеку.

— Фаршированные грибы, да? Слушай, может, сделаешь их и на следующей неделе?

Эйвери отпила вино, поставила бокал на стол и вновь начала рубить чеснок.

— Хорошо.

— А как насчет тех фрикаделек, которые ты иногда готовишь?

— Коктейльные фрикадельки?

— Ага. Они самые.

— Возможно.

— Я попросил маму сделать ветчину, порежу для бутербродов, куплю несколько сырных тарелок и овощи для обмакивания в соусы. А еще...

— Не покупай сырные тарелки. Просто набери сыра, а я покажу, как его разложить.

Оуэн ждал, что она предложит помощь, и не ошибся.

— Ладно. Скажи, что еще нужно купить.

На кухню пробрался Тэ-Эр, сел у ног Эйвери и уставился на нее печальным взглядом, привлекая внимание. Эйвери печально посмотрела в ответ.

— Тебе это не понравится, — заверила она пса.

Из большой комнаты этажом ниже донесся громкий смех. Кто это? Гарри?

— Я выиграл! Утритесь!

— Игровая приставка. — Оуэн с притворным сожалением покачал головой. — Пробуждает в людях лучшее или худшее.

— Во что они играют?

— Боксировали, когда я уходил.

— Я его обыграю. — Эйвери бросила взгляд на Клэр, которая выкладывала в большую форму ломтики картофеля для гратена. — Я вызову твоего первенца на бой и уложу его нокаутом. Никакой пощады!

— Гарри хитрюга и много тренировался.

Эйвери напрягла бицепсы, совсем как ее отец утром.

— Маленькие, но могучие.

— Бьет ниже пояса! — проворчал Райдер, заходя на кухню и обращаясь к Клэр. — Ты растишь нечестного бойца.

— Гарри тебя победил?

— Он жульничал! — Райдер открыл холодильник, чтобы взять пиво, и нахмурился. — А это еще что за странная штука?

— «Пустячок».

Чуть отодвинув Райдера, Клэр достала из холодильника блюдо с нарезанными овощами.

— Ничего себе пустячок! На вид он довольно большой.

— Так называется десерт. Шоколадный бисквит со взбитыми сливками и фруктами. Держи, отнесешь вниз.

Райдер подозрительно уставился на овощи.

— Ребятишки не хотят морковку, сельдерей и прочий силос. Давайте чипсы с соусом, сальса подойдет. И поострее.

— Пусть едят морковку, сельдерей и силос, — решительно сказала Клэр. — А Мерфи не получит никаких чипсов с острым соусом до обеда.

— И ты тоже, — сказала сыну Жюстина, заглядывая в духовку проверить, готова ли ветчина. — Оуэн, возьми прихватки и вытащи окорок. Он слишком тяжелый. Клэр, духовка твоя.

— Когда мы сможем нормально поесть? — осведомился Райдер.

— Часа через полтора.

— Мы мужчины, которые боксируют, бегают на лыжах, сражаются с инопланетянами, играют в футбол и гоняют на автомобилях. Нам нужна нормальная еда, причем сейчас.

— Закуски будут через полчаса, — сказала Эйвери, перехватив внимание Райдера.

— Те, что ты обычно готовишь?

— Да.

— Тогда ладно. — Райдер взял пиво, блюдо с овощами и пошел к лестнице. — Зачем, спрашивается, называть десерт «Пустячком», когда он огромный?

— Я узнаю, — пообещала Хоуп.

Тупорылый с унылым видом поплелся за хозяином в большую комнату, откуда в очередной раз долетел радостный возглас Гарри:

— Я опять выиграл!

— Все, перерыв. — Эйвери сняла фартук, швырнула в сторону. — Ох, и задам я кому-то трепку!

Размяв плечи, она зашагала вниз по лестнице. И через пять минут вернулась обратно под крики Гарри:

— Она меня сделала!

Эйвери замерла на мгновение, окинула взглядом кухню, где оживленно хлопотали женщины, прислушалась к доносящемуся снизу утробному хохоту отца, голосам Жюстины и Кароли в столовой. Потом проскользнула в гостиную, где царил беспорядок после рождественского утра. Открытые подарки громоздились под сверкающей елью. Пес Жюстины, Кус, дремал у зажженного камина, задрав лапы кверху. Гомон в большой комнате отдавался под ногами как небольшое землетрясение.

— Что-то случилось? — донесся сзади голос Оуэна, и Эйвери обернулась.

Улыбаясь, она подошла к Оуэну, обняла, положила голову ему на грудь.

— Нет, все хорошо. Так, как и должно быть.

10

Через неделю после Рождества, отправившись пополнять запасы, Эйвери не выдержала и купила себе игровую приставку. Вначале она долго колебалась — и так день-деньской на ногах, у нее нет времени для игр. Однако после двух проигрышей подряд — в матче-реванше с Гарри после рождественского обеда и унизительного поражения в боулинге, где даже четырехлетняя внучка Кароли набрала больше очков, — решение было принято.

Она научится. Будет тренироваться и разгромит всех.

А пока она крутилась как белка в колесе. Швыряла в печь пиццы, делала соусы, увольняла разносчика — черт его дери! — перекраивала график работы, пока не найдется замена. Когда выдавалась свободная минутка, помогала Хоуп обустраивать гостиницу и даже — огромная жертва! — переночевала в номере «Уэстли и Баттеркап».

Попутно она нашла время на окончательную разработку нового ресторана, лично измерила помещение, набросала несколько эскизов и отдала все Бекетту.

С Оуэном они почти не виделись. Братья Монтгомери вплотную занялись зданием по соседству с гостиницей, и у Эйвери не было повода — как, впрочем, и времени — туда забегать.

Пока.

Каждый вечер перед сном она смотрела на здание через дорогу и представляла себе новый ресторан. Свой ресторан. И желала спокойной ночи гостинице.

Пару раз Эйвери видела у перил террасы силуэт женщины. В ожидании Билли.

Редкая преданность. Большинство людей не способны поддерживать длительные отношения в нормальной жизни, а здесь кто-то хранит верность за гранью реальности.

Эйвери искренне надеялась, что в один прекрасный день эта преданность будет вознаграждена.

И каждое утро бросала взгляд в окно на свой будущий ресторан и думала, как она там все устроит. Неподвижная женская фигура никогда не появлялась при свете дня.

Рождественская неделя пролетела как в тумане, оставив в памяти только два момента — последний взгляд через дорогу вечером и первый утром.

* * *

Тридцать первого декабря Эйвери закрыла пиццерию в четыре часа, поднялась наверх за кастрюлей с приготовленными накануне фрикадельками, спустилась к машине, вновь взбежала по ступенькам. К пяти часам она приняла душ, уложила волосы, оделась и собрала сумку.

Сегодняшние сборы отличаются от сборов на прошлой неделе, думала Эйвери, надевая сексуальное белье и укладывая в сумку крошечные черные трусики и коротенькую черную маечку, для «сна».

Спать с Оуэном, как это будет?

Нет, решила она, застегивая молнию на сумке, лучше ничего не представлять и ни о чем не думать.

Схватив сумку, она торопливо сошла вниз, отправив по пути сообщение Хоуп.

«Сейчас забегу, оценишь мой вид».

Не успела Эйвери повернуть ключ в замке зажигания, как пришел ответ.

«Жду».

Проехав через площадь, Эйвери остановилась на гостиничной парковке и выскочила из машины. Хоуп уже открывала дверь в фойе.

— Я наводила порядок у себя в кабинете.

— Ты ведь уже навела там порядок.

— Хотела кое-что поменять, а заодно проверить бронирование. Заказали еще два номера на март.

— Так держать!.. Ладно, давай, только честно!

Эйвери сняла пальто, бросила его на спинку стула перед камином и крутанулась на каблуках.

— Не так быстро, Спиди-гонщик!

— Хорошо. — Эйвери глубоко вздохнула. — Я немного волнуюсь. У меня был ужасный день, после расскажу, потом я не могла выбрать серьги, а обычно я всегда знаю, какие надеть. Тут-то я и поняла, что нервничаю. В следующем году у нас с Оуэном будет секс. То есть завтра, вернее, сегодня ночью, после вечеринки.

— Классные сережки! — сказала Хоуп, одобрительно кивнув при виде цитриновых капель в оправе из тонкой серебряной проволоки. — Тебе идет этот цвет, и к платью подходит. Ну-ка, повернись, только медленно.

Эйвери послушалась, демонстрируя короткое облегающее платье оттенка мерцающей меди.

— Отлично. И туфли мне нравятся, особенно в сочетании с металлическим блеском платья.

— Знаешь, с тех пор, как ты сюда переехала, я купила больше туфель, чем за предыдущие пять лет.

— Видишь, как положительно я на тебя влияю! Что под платьем?

— Гранатовый лосьон для тела «Маргарита и Перси», бюстгальтер-балконет лимонного цвета и стринги, которые ты уговорила меня купить.

— Прекрасный выбор.

— И еще! — Многозначительно подвигав бровями, Эйвери показала на вырез платья. — Бюстгальтер приподнимает грудь, и она кажется больше, чем на самом деле.

— Именно то, чего заслуживает каждая женщина и что так ценят мужчины. Однако... — Хоуп задумчиво обошла вокруг Эйвери. — Нужен последний штрих.

— Какой?

— Есть у меня одна штучка... Браслет, сестра подарила на Рождество.

— Я не могу взять твой подарок.

— Глупости. Моя сестра тебя обожает, а он забавный и удобный — бронза, медь и бусины из матового золота. Пойду принесу.

— А почему ты не одеваешься?

— Клэр с Бекеттом заедут за мной часов в восемь. У меня еще куча времени. Если хочешь, возьми газировку, и вот тут кексы. Я осваиваю новые рецепты.

Эйвери выбрала имбирный эль, решив, что обойдется без кофеина. Она и так нервничает. В хорошем смысле слова. Нет ничего лучше хорошей вечеринки, а у Оуэна они всегда превосходные. Угощение точно не вызовет нареканий, ведь она лично приготовила или приготовит большую часть блюд.

И выглядит она отлично; Хоуп наверняка бы сказала, если бы она промахнулась с нарядом. Будет весело. Много друзей, еды, выпивки, музыки, болтовни. А новый год откроет дверь и новым... отношениям с Оуэном.

— Ничего страшного, если вдруг не сложится, — пробормотала она, сделала большой глоток и направилась к фойе. В воздухе нежно и сладко пахло «Пыльцой фей», ароматом из номера «Оберон и Титания».

Эйвери вошла в обеденный зал, посмотрела на здание через дорогу. Еще несколько месяцев, и у нее будет новый ресторан. Она надеялась, что будет готова.

Она надеялась, что будет готова и к тому шагу, который собиралась сделать сегодня ночью.

Вдруг до нее донесся аромат жимолости, словно подул летний ветерок. Сердце подпрыгнуло к горлу от радости и волнения.

— Я не знала, что вы сюда спуститесь, впрочем, вы, наверное, можете пойти куда хотите. Эта картина здесь так чудесно смотрится.

Застывшие на картине подсолнухи вдруг словно ожили, затем полотно вновь стало неподвижным.

— Ух!.. Да, я про эту картину. Ничего себе, фокус! Ладно... С Новым годом! — добавила Эйвери.

Она услышала на лестнице шаги Хоуп — если только это была Хоуп! — и выбежала в коридор.

— Я понятия не имела, что твоя товарка по гостинице — понимаешь о ком я? — спускается на нижний этаж.

— Иногда. Ты ее видела?

— Да. Моя первая встреча с ней наедине. Как вы ладите?

— Превосходно. — Спокойная Хоуп невозмутимо прошествовала на кухню. — Вчера я ночевала в номере «Элизабет и Дарси».

— Правда? А тебе не было немного... — Эйвери театрально содрогнулась.

— Почти нет. Если я не могу там переночевать, то вряд ли за номер захотят платить постояльцы. Все в порядке. — Хоуп открыла холодильник и достала бутылку воды.

— Она ничего не делала?

— Ну, я была в постели, работала на ноутбуке, и примерно в полночь погасли прикроватные лампы.

— Черт! Я не слышала твоего крика.

— Я и не кричала. Немного испугалась, врать не буду, но щелкнула выключателем, и ночники снова зажглись. Через пару секунд она их снова погасила, и до меня наконец дошло. Туши свет и спи.

— И что ты сделала?

— Выключила компьютер. — Хоуп рассмеялась и отхлебнула воды. — Все равно я почти засыпала.

Как только я устроилась поудобнее, случилось самое странное.

— Куда уж страннее.

— Я услышала, как дверь на другом конце коридора открылась и закрылась. Словно Лиззи дала понять, что оставит меня в покое. Я оценила ее жест... Ладно, давай померь.

Хоуп застегнула браслет на запястье Эйвери.

— Мы должны узнать, кто такой Билли.

Свет несколько раз мигнул, потом, казалось, засиял еще ярче.

— Похоже, Лиззи одобряет твое предложение.

— У меня пока не было времени. Как только откроем гостиницу и я войду в рабочий ритм, можно будет поискать информацию. Я этим займусь.

— Я скажу Оуэну. Вдвоем вы наверняка что-нибудь отыщете. — Эйвери покрутила рукой, любуясь украшением. — Спасибо! Мне нужно бежать. Я пообещала, что приду в половине шестого, помогу все приготовить и накрыть стол.

— Оуэну повезло с девушкой, ты просто замечательная!

— Пока я не его девушка. — Эйвери рассмеялась. — Может, в следующем году...

Она немного замешкалась, когда Хоуп провожала ее к выходу.

— Ты точно не боишься здесь одна?

— Вообще-то я не одна. — Хоуп оглянулась на залитое светом фойе. — И прекрасно себя чувствую.

— Если вдруг захочешь, чтобы я переночевала...

— Скажи, что тебе просто хочется окунуться в роскошь.

— И это тоже. Серьезно, Хоуп. В любое время.

— Хорошо. — Хоуп подала Эйвери пальто. — Иди, будь умницей.

— Постараюсь.

* * *

Оуэн просмотрел план подготовки к вечеринке, который повесил на кухне, вычеркнул пункт насчет музыки. С этим все в порядке. С камином, покупками и уборкой тоже. Он уже подготовил игровую зону для любителей компьютерных игр и установил на террасе пару уличных обогревателей для тех, кто предпочитает забавы на свежем воздухе. Осталось заполнить бар, накрыть на стол, выложить пакеты со льдом из морозильника в емкости для пива и безалкогольных напитков и... и...

О чем это он думал?

Ах да, Эйвери. Он думал об Эйвери. А теперь пора готовить — резать, взбалтывать, смешивать, нарезать ломтиками и красиво раскладывать. И чем скорее, тем лучше.

Сосредоточившись, Оуэн вытащил продукты, достал кухонную утварь и изучал меню, когда входная дверь открылась. Услышав звонкий голос, Оуэн улыбнулся — прибыла его личная кавалерия! — и пошел встречать.

— Господи, Эйвери! Дай сюда! — Он забрал у нее огромную кастрюлю из нержавеющей стали. — Да она весом почти с тебя!

— Все любят мои фрикадельки, вот я и наготовила побольше. Мне нужно забрать из машины сумку.

— Я принесу. Снимай пальто, — предложил Оуэн, поставив кастрюлю на плиту. — Налей себе вина.

— Ладно. Сумка на заднем сиденье.

— Сейчас вернусь.

— Как у тебя хорошо! — крикнула она ему вслед.

Впрочем, у Оуэна дома всегда хорошо. Чисто, опрятно, очень уютно и много свободного места. Приглушенные оттенки, думала Эйвери, Оуэну они подходят, хотя ей больше нравятся яркие цвета.

А еще Эйвери нравилась его кухня. Хотя Оуэн готовил мало, это не помешало ему сделать кухню красивой и функциональной. Темные шкафы на фоне бледно-зеленых стен цвета молодого лука (Эйвери выбрала бы цвет зеленых помидоров, для живости), панели темного дерева вокруг огромных окон и дверей, ведущих в патио, темно-серые столешницы, — на которых, естественно, нет ничего лишнего, — и ослепительно-белая бытовая техника.

Снимая пальто, Эйвери прочитала план подготовки и усмехнулась. Если решение устроить вечеринку и было спонтанным, то все остальное...

У нее хватило ума не бросать пальто и шарф на стул, а отнести в чулан и повесить рядом с рабочей курткой Оуэна. В хозяйственном шкафу нашелся фартук, и, перекинув его через руку, Эйвери вернулась на кухню и поставила подогревать кастрюлю с фрикадельками.

— Я отнес твою сумку наверх, если тебе что-нибудь нужно...

Она повернулась, и Оуэн сразу потерял дар речи — и, по его собственному мнению, половину интеллекта в придачу.

— Что такое? — Эйвери встревоженно оглядела себя. — Я ничем не заляпалась?

— Не... Просто... Ты выглядишь... выглядишь...

Лицо Эйвери озарилось довольной улыбкой.

— Хорошо?

— Э-э... — не находил слов Оуэн.

Пожалуй, не половину интеллекта, а куда больше.

— Новое платье. Хоуп помогает мне пополнять гардероб и опустошать банковский счет.

— Оно того стоит. Я забыл про твои ноги.

— Чего?

— Не то, что они у тебя есть, а то, как... какие они.

— Ну, мне теперь на год вперед радости хватит.

Эйвери воспользовалась ногами и подошла к Оуэну. Хотя она была на каблуках, ей все равно пришлось встать на цыпочки, чтобы дотянуться губами до его рта.

— Спасибо.

— Всегда пожалуйста.

От него классно пахло, и он классно выглядел. И целоваться с ним тоже было классно.

Она прижалась к Оуэну, и тут в ее голове возникла идея.

— Ты составил очень подробный план.

— Какой еще план? А, этот... За последние два дня нужно было столько сделать по работе, что я не все успел.

— Слушай... У нас есть пара часов, пока не начнет собираться народ. Мы с тобой, похоже, перемудрили, решив ждать до окончания вечеринки, чтобы, так сказать, вступить в новую жизнь.

Оуэн обнял ее за талию.

— Я могу повесить табличку «Не тревожить. Вечеринка отменяется».

— Смело. Все равно народ будет ломиться в дверь. А если воспользоваться оставшимся временем? Пойдем наверх и... проводим старую жизнь?

— Отличная мысль. Но я не хочу тебя торопить. Вернее, нас.

— Думаю, мы подберем нужную скорость. Ты можешь даже добавить этот пункт в план.

Оуэн улыбнулся и наклонил к ней голову.

— Эйвери.

Он осторожно поцеловал ее, и Эйвери почувствовала, что они словно медленно скользят по склону, постепенно разгоняясь. Скорость вполне приемлемая, подумала Эйвери, поддав еще чуточку жару.

Внезапно задняя дверь дома распахнулась. В комнату протрусил Тупорылый, за ним шел Райдер.

— Вот, принес огромный окорок... Если вы, ребята, хотите поваляться на полу прямо здесь, я поставлю его, возьму пиво и сразу уйду.

— Господи, Райдер!

— Простите, что помешал, — извинился он, впрочем, не совсем искренне, судя по широкой улыбке. — Подчиняюсь маминым приказам. Она велела заскочить к ней, взять окорок и привезти сюда, где, по ее мнению, ты наверстываешь упущенное время, а не тискаешься с Рыжей Горячей Штучкой. Это ты, детка, — пояснил он Эйвери.

— А то, — согласно кивнула она и ухмыльнулась Райдеру.

— Еще мама велела мне порезать ветчину, если нужна помощь. Но ты, как я вижу, наверстываешь упущенное в обжимашках, — добавил он, обходя брата и доставая пиво, — и моя помощь тебе вряд ли понадобится.

Поддев бутылочную крышку открывалкой, что висела на стене, Райдер окинул Эйвери взглядом.

— Определенно Горячая Штучка. Придурок, хотя бы отведи ее наверх!

— Черт! — единственное, что смог сказать Оуэн.

— Похоже, время вышло.

Эйвери погладила Оуэна по руке и надела фартук.

— Простите, — повторил Райдер. — Приказ.

— Может, оно и к лучшему. Список дел очень длинный, — добавила Эйвери, когда Оуэн молча посмотрел на нее. — А теперь в твоем распоряжении еще одна пара рук, так как в сложившихся обстоятельствах Райдеру придется поработать. И серьезно.

— Ладно, помогу. — Допив пиво, Райдер наклонился к Эйвери. — Приятно пахнешь. Какими-то экзотическими фруктами и... жимолостью.

— Гранатом. Жимолостью? — Эйвери понюхала свою руку. — Должно быть, она передала свой запах...

Я забегала к Хоуп, и появилась Элизабет, чтобы поздороваться или поздравить нас с Новым годом.

— Ты ее видела? — спросил Оуэн.

— Нет, и не знаю, радоваться или огорчаться. — Эйвери взяла деревянную ложку, подняла крышку кастрюли и слегка помешала фрикадельки. — Почувствовала запах, а когда мы с Хоуп заговорили о том, что вы с ней поищете информацию о Билли, лампы несколько раз мигнули и загорелись ярче. Мы обе поняли: она хочет, чтобы ты его нашел.

— Не вопрос. Забью в поисковик «Билли, друг покойной Элизабет», и все.

— Ну, это вы уже с Хоуп сами решайте. — Увидев, что Райдер нахмурился, Эйвери вопросительно подняла брови. — В чем дело?

— Наша управляющая гостиницей справляется с ситуацией?

— Хоуп так просто не напугаешь. Оуэн, я бы не отказалась от бокала вина.

— Она явно нервничала, — пробормотал Райдер.

— В тот день, когда Оуэн заметил Элизабет в зеркале? Я бы сказала, что Хоуп на миг растерялась. Да, растерялась, — повторила Эйвери.

Райдер вспомнил, как впервые встретился с Хоуп Бомонт, — его мать привела потенциальную управляющую наверх, где он работал. Она побледнела и уставилась на него остекленевшими глазами, словно увидела привидение.

Он пожал плечами.

— Как скажешь.

— Она провела ночь в номере «Элизабет и Дарси», столкнулась с призраком и, будучи человеком прагматичным, сразу уснула. Вот такая она, Хоуп. Ладно, мне нужно приготовить соус из шпината и артишоков, фаршированные грибы и... сосиски в тесте? Что, правда?

Оуэн ссутулился.

— Народ их любит.

— Хорошо. Оуэн, займись баром, а ты, Рай, режь ветчину.

При слове «ветчина» Тупорылый завилял хвостом.

— Почему он сидел спокойно, когда я упоминала шпинат и грибы? — удивилась Эйвери.

— Из овощей он ест только жареную картошку, — объяснил Райдер. — Привереда.

Эйвери фыркнула и принялась за работу.

Может, оно и к лучшему. Оуэн мысленно повторял слова Эйвери, пока расставлял бокалы и бутылки. Он бы ничего не успел сделать, если бы они с Эйвери... решились проводить старую жизнь. Лучше уж придерживаться плана, тем более и выбора-то нет из-за Райдера, который режет ветчину, а Тэ-Эр сидит у его ног и смотрит на хозяина с обожанием и надеждой.

Едва Оуэн покончил с баром и с емкостями для охлаждения напитков, как Эйвери подсунула ему вымытые овощи, разделочную доску, овощечистку и нож.

— Чисти, режь и руби кубиками, — велела она. — Я нашла все необходимое, добавим к твоему меню еще салат из макарон. Углеводы — самое то для тех, кто выпивает. Включая меня.

В качестве иллюстрации она подняла свой бокал.

От горячей плиты Эйвери разрумянилась, голубые глаза восторженно блестели. Оуэн вдруг подумал, что и раньше видел ее такой, прямо здесь, когда она помогала ему с вечеринками, смеялась с его братьями. Только раньше он никогда не смотрел на нее как на желанную женщину. Как на женщину, которая хочет его. Неужели тот неожиданный поцелуй на самом деле все изменил, дал понять, что они с Эйвери значат друг для друга? Или это чувство существовало всегда, просто нужен был толчок, чтобы оно разгорелось?

Оуэн подошел к Эйвери, которая посмотрела на него настороженным взглядом, и притянул к себе, не сводя глаз с ее губ, округлившихся для поцелуя. Долгого, нежного и сладкого.

— Не занимайте помещение, — сказал брату Райдер, включая воду, чтобы помыть руки. — У тебя есть своя комната наверху.

— Вообще-то эта комната тоже моя. А разве тебе не нужно съездить за подружкой?

— Сегодня я одинок. Я же говорил, что не выношу хихиканья.

— Ты отменил новогоднее свидание? — не поверила Эйвери.

— Скорее, спас чью-то жизнь. Либо я сам задушил бы эту девицу до конца ночи, либо кто-нибудь из гостей. И другую девушку не стал приглашать, она наверняка бы решила, что совместная встреча Нового года ведет к серьезным отношениям. Я не готов к серьезным отношениям и потому сегодня одинок.

Эйвери достала еще один нож.

— Тогда режь и кроши, — велела она Райдеру. — И не притворяйся, что не умеешь.

Она вернулась к плите, бросив через плечо сияющий взгляд на Оуэна.

Оуэн никогда еще не хотел, чтобы вечеринка закончилась до того, как началась.

* * *

Тем не менее празднество удалось. Гости заполнили весь дом и патио. Кто-то включил танцевальную музыку.

Оуэн шутил и смеялся, проверял емкости для напитков, подносы, блюда, наполнял их заново, вступал в короткие схватки с друзьями в игровой комнате.

И поцеловал свою мать, когда увидел, что она моет посуду на кухне.

— Оставь.

— Если я не помою, придется мыть тебе, а сегодня твой праздник. Кстати, очень неплохой.

Он забрал у нее блюдо, поставил на стол.

— Если праздник такой хороший, почему ты со мной не танцуешь?

— Ну, — протянула Жюстина, театрально похлопав ресницами и поправив прическу, — я ждала приглашения.

Оуэн вывел ее из кухни.

При виде их Эйвери улыбнулась. Как здорово они смотрятся вместе, а как двигаются! Посреди танца пару разбил Райдер.

— Твою девушку увели, — заметила Эйвери, когда Оуэн подошел к ней.

— Ничего страшного, у меня есть запасная.

Он забрал у Эйвери бокал, поставил и увлек ее в гущу танцующих.

— Хорошо танцуешь.

— Мы с тобой уже танцевали раньше, — напомнил Оуэн.

— Да, и ты всегда отлично двигался.

— Несколько движений я с тобой еще не пробовал.

— Неужели?

Он притянул ее к себе.

— Позже.

От одного слова по телу Эйвери побежали мурашки.

— Куда уж позже? Сейчас почти полночь.

— Слава богу.

Эйвери рассмеялась, откинув назад волосы.

— Хочешь открыть еще шампанского?

— Сейчас. Я хочу поцеловать тебя в полночь, так что будь рядом.

— Не премину.

Пока Оуэн хлопал пробками, Эйвери вновь наполняла блюда и тарелки. До конца года оставалось несколько минут. Гости возвращались с улицы, поднимались наверх, шум стал громче.

Оуэн взял Эйвери за руки, когда начался последний отсчет — десять, девять, восемь. Она повернулась к нему, поднялась на цыпочки — семь, шесть, пять. Он обнял ее — четыре, три, два.

— С Новым годом, Эйвери.

Их губы встретились под веселые возгласы гостей, и наступил Новый год.

Хоуп незаметно ускользнула на кухню. Пока не утихла вся эта суета с парочками и новогодними поцелуями, надо бы открыть еще одну-две бутылки. Гости громко отсчитывали последние секунды старого года.

И тут вошел Райдер.

Они оба замерли.

— Я тут открываю очередную бутылку, — начала было Хоуп.

— Вижу.

Из комнаты донеслись громкие крики «С Новым годом!».

— Что ж, — произнесла она, — с Новым годом.

— Ага, с Новым годом.

Райдер поднял брови, увидев, что Хоуп протягивает ему руку.

— Ты серьезно? Опять дружеское рукопожатие? — Покачав головой, он шагнул к Хоуп. — Давай сделаем как надо.

Он обнял Хоуп за бедра, выжидательно поднял брови.

— Конечно. — Пожав плечами, она обвила руками его шею.

Они осторожно соприкоснулись губами. Пальцы Хоуп вцепились в плечи Райдера, его рука обняла ее талию. От этого прикосновения как будто что-то взорвалось, и у Хоуп перехватило дыхание. Райдер отпрянул, шагнул назад; она тоже. Невыносимо долгое мгновение они стояли молча, уставившись друг на друга.

— Ну, ладно, — сказал Райдер.

— Ладно, — повторила Хоуп.

Он кивнул и вышел из кухни. Хоуп с трудом перевела дух и дрожащей рукой взяла открытую бутылку.

«Да уж, дурацкое начало Нового года!» — подумала она.

11

Хотя Новый год наступил в полночь, было уже три часа, когда Оуэн выпроводил последних гостей.

Он закрыл дверь и повернулся к Эйвери:

— Никто не отрубился где-нибудь в укромном уголке? Больше никого не осталось?

Эйвери жестом попросила его подождать и посмотрела в окно на задние сигнальные огни отъезжающих от дома машин.

— Мы только что проводили последнего дежурного водителя с его подопечными. Похоже, все ушли. Уф, — вздохнула она, отходя от окна. — Если люди не хотят расходиться, это признак хорошей вечеринки. К сожалению, это же ее недостаток.

— Значит, можно с уверенностью сказать, что праздник удался. И я подготовил его меньше чем за неделю.

— Вряд ли один-единственный раз дает тебе право назваться мистером Спонтанность, но все равно ты молодец!

— Почти все угощение — твоя заслуга.

— Верно. — Она изогнулась и похлопала себя по спине. — Ну что, попьем кофе — еще остался свежий — и проанализируем вечеринку?

— Ага. За завтраком.

Эйвери улыбнулась.

— Читаешь мои мысли.

Он взял ее за руку, и они вместе обошли дом, выключая свет.

— И нет никакой неловкости, — заметил Оуэн.

— Пока.

Держась за руки, они поднялись по лестнице.

— Вообще-то я уже видел тебя голой.

— В пять лет не считается.

— Ну, скорее в тринадцать. Да, тебе было лет тринадцать.

Эйвери остановилась у двери в спальню.

— И как же ты увидел меня голой в тринадцать лет?

— Помнишь то лето, когда мы пару недель снимали домик в Пенсильвании? У озера в Лорел-Хайлендс?

— Да.

Лето, после которого мать их бросила. Эйвери запомнила его навсегда.

— Ты несколько раз сбегала ночью из дома и купалась нагишом.

— Э-э... да. Ты шпионил за мной?

— Я не виноват, что сидел у окна и смотрел на звезды в небольшой телескоп, когда ты изображала Деву озера.

— В телескоп?

— Ага. И брал с Райдера и Бекетта по доллару за минуту, когда они просили посмотреть, — мечтательно вспомнил Оуэн. — Если не ошибаюсь, вышло где-то двадцать восемь долларов.

— Ты брал с них по доллару за минуту, и вы все за мной шпионили?

— «Шпионили» — не совсем подходящее слово. Скорее, наблюдали.

— Весьма предприимчиво.

— Мне не откажешь в деловой хватке. К тому же это было очень красиво. Лунный свет, вода... У тебя тогда были длинные волосы. — Он провел рукой по ее волосам. — Кстати, какой это цвет?

— «Красная тревога», и не переводи разговор на другую тему.

— Очень романтичное зрелище, хотя тогда я этого не понимал. Тогда это было: «Ух ты, голая девчонка!» Одно слово — мальчишки!

Мысли Эйвери вернулись к тем жарким, подернутым знойной дымкой дням у озера.

— Ты купил мне мороженое. Дважды за неделю.

— Наверное, чувствовал себя виноватым и хотел поделиться с тобой прибылью.

— А я-то думала, что ты в меня влюбился!

— Так оно и было. Я ведь видел тебя голой. Даже хотел пригласить тебя в кино.

— Врешь! Неужели?

— Да, но ты начала рассказывать о Джейсоне Уикселе — помнишь такого? — и как ты пойдешь с ним есть пиццу, когда мы вернемся домой. Вот я и передумал.

Эйвери признала, что немного увлекалась Джейсоном Уикселом, хотя сейчас не могла даже отчетливо вспомнить его лицо.

— Я действительно ела пиццу с Джейсоном и еще пятнадцатью ребятами. Был чей-то день рождения. Я хотела, чтобы ты подумал, что у нас с Джейсоном свидание. Одно слово — девчонки!

— Упустила случай.

— До сегодняшнего дня.

— Да.

Оуэн взял ее лицо в ладони, нашел губами ее губы.

Медленно и нежно, не под влиянием минутного порыва, как это могло бы случиться в другое время. Успокоенная, Эйвери ответила на поцелуй, не испытывая сомнений или страха. Оуэн провел ладонями по ее плечам, коснулся груди, и Эйвери охватило возбуждение, сильное и ровное, как удары пульса.

Кружась, словно в танце, Эйвери и Оуэн оказались у кровати.

— Я хочу снова увидеть твое тело.

Она подставила губы для поцелуя.

— С тебя двадцать восемь долларов.

Оуэн, который расстегивал молнию на спине Эйвери, невольно рассмеялся.

— Оно того стоит.

— Лучше удостовериться заранее, — посоветовала Эйвери и выскользнула из платья.

Она перешагнула через него, подняла и бросила на кресло. Оуэн даже не заметил, как платье свалилось с подлокотника на пол.

— Кажется, у меня остановилось сердце. От взгляда на тебя.

Да, какое-то мгновение он действительно глядел на нее так, словно никогда раньше не видел. Потом Оуэн вновь встретился с Эйвери взглядом, между ними словно что-то щелкнуло, и возникло знакомое ощущение узнавания и принадлежности. Он притянул ее к себе.

От прикосновения его рук по телу Эйвери пробежала дрожь.

Их губы слились в поцелуе.

Вот он, Оуэн, высокий и прекрасный. Его сердце бешено колотится под прикосновениями ее пальцев. Ее Оуэн, потому что в какой-то мере он всегда принадлежал ей, и она чувствовала под ладонями стук его сердца.

Оуэн опустился на кровать вместе с Эйвери. Миниатюрной и соблазнительной Эйвери. С яркими волосами и глазами, гладкой кожей, бледной, словно лунный свет. На Оуэна нахлынули ощущения — ее запах, вкус, шорох простыней, когда она потянулась к нему... Все такое знакомое, и в то же время неожиданное.

Пальцы Оуэна и Эйвери переплелись, он уткнулся лицом в ее грудь. Такую мягкую, гладкую и ароматную. У Эйвери вырвался гортанный стон, она изогнулась всем телом, соглашаясь и уступая. Оуэн коснулся губами ложбинки над верхним краем бюстгальтера, потом проник языком под кружево и почувствовал, как она стиснула его руку. Он накрыл Эйвери своим телом, и она вновь приподнялась, потянулась к нему, когда он целовал ее, впитывая ее вкус до тех пор, пока ее пальцы не разжались.

Оуэн отпустил руки Эйвери, чтобы дотронуться до ее тела, провести ладонями по коже, шелку и кружеву, восторженно принимая каждое новое открытие. Уткнувшись носом в ее шею, он расстегнул застежку бюстгальтера и, когда их пальцы снова сомкнулись, коснулся губами груди.

Обстоятельно. Можно было предположить, что Оуэн будет внимательным и обстоятельным, лаская ее губами, скользя руками по ее коже. Он разжигал желание неторопливым и сосредоточенным вниманием с присущей только ему, Оуэну, настойчивостью.

Кровь Эйвери забурлила, пульс участился, нежные прикосновения погрузили ее в сладкое, влажное удовольствие. Прерывисто дыша, она приподнялась, открылась ему навстречу, чувствуя, что не осталось никаких преград или запретов.

Только Оуэн.

Она заполнила его, окружила своей сущностью, своим стремлением отдавать. Оуэн подумал, что у ее энергии нет границ, как нет границ у чувственности и готовности, с которыми она отвечает на его ласки. Все в ней было таким свежим и новым и в то же время удивительно знакомым.

У Эйвери перехватило дыхание, и она тихо застонала, когда он скользнул в нее, заполнив всю. Оуэну показалось, что его сердце остановилось — потрясающее мгновение, от которого захватило дух. Он замер, глядя вниз на Эйвери, удивляясь и восхищаясь. Она приподнялась, обвила руками его шею, а ногами — талию. Откинула голову назад, когда Оуэн уткнулся лицом в ее плечо.

С медленным, неторопливым ритмом было покончено. Эйвери двигалась, гладкая как пуля и быстрая как молния, стремительно уводя Оуэна от восхищения к жадному желанию и наслаждению. Отбросив благоразумие, она, безрассудная и нетерпеливая, прижималась к нему всем телом, брала так же яростно, как и отдавала. Достигнув грани, она прильнула к Оуэну, чувствуя, как ощущение захлестывает ее и уносит, даря разрядку.

Оуэн с Эйвери не столько опустились, сколько упали на кровать. Распростертые и обессиленные, оба долго не могли перевести дух.

— Почему? — выдавил Оуэн, пытаясь выровнять дыхание.

— Что почему?

Не открывая глаз, он поднял палец, показывая, что просит немного подождать, и повторил:

— Почему мы не сделали этого раньше?

— Чертовски правильный вопрос. Мы оба хороши в сексе.

— Слава богу.

Задыхаясь от смеха, Эйвери похлопала его по заду.

— Я знала, что у тебя с этим все в порядке. Ты всегда уделяешь внимание деталям. И огромное спасибо за то, что ни одной не упустил.

— Пожалуйста, и спасибо тебе. Кстати, у тебя на заднице татуировка в виде цветка.

— Не просто цветка, а чертополоха, традиционного символа Шотландии. Знак гордости за наследие предков, — сказала Эйвери. — А на ягодице — потому что это единственное место, где его не увидит мой отец и не задаст мне взбучку.

— Мудрое решение. Мне нравится твоя татуировка.

Удовлетворенно вздохнув, Эйвери закрыла глаза.

— По идее, я должна быть без сил.

— У тебя еще остались силы? Значит, я не закончил.

— Закончил-закончил. Я хочу сказать, что после такого долгого дня в четыре часа ночи я должна была упасть замертво, а мне хорошо, спокойно и хочется спать.

Оуэн повернулся, прижимая ее к себе и укрывая обоих одеялом.

— Завтра никакой работы.

— Ага. — Почти утонув в его объятиях, Эйвери ухмыльнулась. — Слава богу.

— Может, поспим, а потом проверим, не упустили ли мы в первый раз какую-нибудь деталь?

— Мудрое решение. — Эйвери прижалась к Оуэну еще сильнее и на миг открыла глаза.

— Счастливого нового года!

— Тебе тоже.

Эйвери вновь сомкнула глаза и поддалась сну. Засыпая, она думала о том, что ее друг стал ее любовником. И она счастлива.

* * *

Он узнал эту тишину, словно все вокруг обернуто ватой.

Оуэн открыл глаза, поморгал и увидел, как за окном падает снег, ложится на пушистые сугробы. Нужно достать снегоочиститель. Потом. Оуэн перекатился на другой бок, намереваясь разбудить Эйвери способом, который она оценит, но рядом никого не было.

Где она?

Оуэн вылез из постели, заглянул в открытую дверь ванной. Заметив на краю раковины чужую зубную щетку, он размышлял, куда могла деться Эйвери, пока надевал фланелевые штаны. Уже на лестнице он почувствовал запах кофе и — о, блаженство! — бекона.

На экране кухонного телевизора маршировал оркестр, за стеклянной дверью снег укутал патио толстым покрывалом. А у стола стояла Эйвери и резала кубиками перец.

Она была босиком, волосы заколоты сзади, поверх халата в голубую клетку надет поварской фартук. Оуэн вспомнил ее во вчерашнем сексуальном платье, а потом в еще более сексуальном белье. Удивительно, но чаще всего он представлял ее такой, как сейчас, — в фартуке и на кухне.

— Что на завтрак?

Эйвери подняла голову, улыбнулась.

— Ты встал?

— Более-менее. А почему ты не спишь?

— Потому что уже почти одиннадцать, идет снег и я умираю от голода.

— Одиннадцать? — Нахмурившись, Оуэн посмотрел на часы. — Даже не помню, когда я просыпался так поздно. Ну и ладно.

Он показал на снег за окном.

— Школа отменяется.

— Ура!

Подойдя ближе, Оуэн повернул Эйвери к себе и поцеловал.

— С добрым утром.

— Тебя тоже. — На миг она прижалась к нему. — Здесь так тихо. В городе всегда слышен какой-то шум.

А здесь, когда вокруг столько снега, кажется, что весь мир онемел.

Теперь они оба смотрели сквозь стеклянную дверь.

— Гляди.

Три оленя безмолвными призраками пробирались сквозь сугробы под засыпанными снегом деревьями на гребне горы.

— Какие красивые!.. Готова поспорить, ты часто видишь оленей.

— Да.

— Мальчики будут в восторге, когда переедут в новый дом. Я помню, как в детстве вы с братьями носились по лесу.

— Хорошие были времена. — Оуэн поцеловал ее в макушку. — И сейчас тоже. Что это ты тут готовишь?

— Пустила в дело вчерашние остатки. Можно назвать это блюдо омлетом из поскребков.

— Отличное название! Ты бы могла и не готовить.

— Еда, кухня... — Эйвери развела руки. — Не могу удержаться. К тому же у тебя отличная кухонная техника, которой ты почти не пользуешься.

— Зато я знаю, что она у меня есть.

— Верно. Закину это в кастрюлю — гости никогда не съедают все свежие овощи. Зачем добру пропадать? Сварю суп.

— Снежный день, домашний суп...

Неужели это означает, что она хочет остаться?

— Разве можно устоять? — Оуэн налил себе кофе. — Придется выйти и расчистить двор.

— Да, хотя жалко. Так уютно, когда вокруг много снега. Что ж, мужчине, который собирается разгребать снег, нужна настоящая мужская еда.

Пока Эйвери готовила, Оуэн убрал посуду, наслаждаясь царящей вокруг гармонией.

— Кстати, об отложенном анализе вечеринки, — сказала вдруг Эйвери. — Знаешь о Джиме с Карин?

— Я слышал, что Джим сейчас в Питсбурге, а Карин не захотела прийти одна.

— Ты не с теми людьми разговаривал. — Эйвери свернула омлеты. — Джим в Питсбурге у своей матери потому, что Карин его выгнала.

— Неужели? Почему?

— Узнала, что он изменяет ей с матерью друга их старшего сына.

— Джим? Да ладно, не может быть.

— Еще как может, и, как сообщили мои источники, длится почти два года.

Эйвери выложила омлет на тарелку, добавила бекон и тосты, передала Оуэну.

— Надо же... Они казались такой крепкой парой!

— Ну, — протянула Эйвери, взяв свою тарелку и усаживаясь рядом с Оуэном, — Карин с детьми заходит ко мне в пиццерию, и чаще всего без Джима. Почти перед самым Рождеством я встретила ее в клубе у Сэма, когда делала покупки. Она плохо выглядела и не стала со мной разговаривать. Я тогда подумала, что это обычная предрождественская депрессия матери троих детей, а на самом деле... Она нашла в своей кровати трусики другой женщины.

— Боже правый! Это не только ужасно, отвратительно и жестоко, но и глупо.

— Возможно, его любовница-шлюха — она уже разъехалась со своим мужем! — специально их подбросила. В общем, это стало последней каплей. Карин его выгнала и уже нашла адвоката.

— Я бы сказал, что «хорошо» здесь не совсем уместное слово. Не могу поверить, что Джим так поступил. Сколько лет он женаты, десять?

— Последние два года Джим гулял направо и налево. Это непростительно. Если ты несчастлив, попробуй наладить отношения или разорви совсем. К тому же, раз уж он в Питсбурге у своей мамаши, значит, со шлюхой у них тоже не серьезно.

Озадаченный подобной логикой, Оуэн взял тост, который Эйвери намазала для него маслом.

— С чего ты взяла?

— Если бы у Джима с ней было серьезно, он бы переехал к ней. Он разрушил семью, уничтожил свой брак, репутацию, не говоря уже о том, как это отразится на детях. И все из-за посторонней женщины. Надеюсь, Карин обдерет его дочиста.

Оуэн промолчал.

— А ты что скажешь? — спросила Эйвери.

— Трудно понять, что происходит между двумя людьми или в семье, но, судя по тому, что ты рассказала, Джим заслуживает, чтобы его ободрали. Вообще-то он мне нравился. Позвонил мне пару недель назад насчет ремонта ванной комнаты. Я хотел взглянуть на нее после праздников.

Эйвери взмахнула ломтиком бекона.

— Планирует переделать ванную и трахает шлюху в постели жены. Несерьезное отношение к любовнице и никакого уважения к жене и семье.

— Согласен, никакого уважения, но, может, она и не шлюха?

— Да ладно тебе! — Эйвери подцепила кусок омлета. — Она еще не рассталась с мужем, когда спуталась с Джимом, и, как мне сообщили, Джим не был ее первым ковбоем.

— Откуда люди все знают? Кстати, кто она?

— Понятия не имею. Вроде бы живет в Шарпсбурге, работает в страховой компании. У нее странное имя — ни слова по поводу имени Эйвери!.. Ее зовут Гармония, что ей совершенно не подходит.

— Хм.

— Что такое?

— Я знаю Гармонию, которая работает у нашего страхового агента. Какой вкусный омлет!

— Ага!

— Что — ага?

— Меняешь тему разговора, ерзаешь. — Проницательно взглянув на него, Эйвери погрозила пальцем. — Явный признак вины и недоговоренности. Ты с ней встречался?

— Нет! Она замужем... ну, или была замужем. И вообще, она не в моем вкусе. Мы с ней пару раз беседовали по поводу страхования, и в разговоре чувствовался какой-то намек.

— Шлюха! — Эйвери состроила гримасу. — Сразу видно.

— Скажу только, что первые намеки появились, когда она еще была замужем.

— Вот потаскуха! Как она выглядит? Опиши подробно.

— Ну, не знаю... Блондинка.

— Крашеная.

Оуэн невольно бросил взгляд на волосы Эйвери, небрежно заколотые сзади.

— Вынужден заметить, что кому-кому, только не тебе осуждать смену цвета.

— Ты прав, и все-таки... Она красивая?

— Наверное. Хотя не в моем вкусе, — повторил Оуэн. — Она... чересчур броская, вот подходящее слово. Она хорошо разбирается в своем деле, и это все, что меня интересовало... интересует. Когда Карин выгнала Джима?

— На другой день после Рождества. Узнала за неделю до того, но разрешила Джиму ненадолго остаться, чтобы не портить детям праздник. А что?

— Я заходил в агентство пару дней назад, нужно было кое-что подписать. Дамочка была вполне довольной жизнью. Ах да, намеки присутствовали.

Голубые глаза Эйвери потемнели.

— Шлюха, распутная сучка без стыда и совести. Помогла разрушить брак, а теперь ищет очередного дурачка. Совсем как моя мать.

Оуэн ничего не сказал, просто накрыл ладонью ее руки.

— Наверное, поэтому я терпеть не могу потаскух и изменщиц.

Пожав плечами, Эйвери встала, чтобы принести еще кофе.

— Кстати, в дополнение к новости о разводе. Ты слышал, что Бет и Гаррett решили пожениться?

— Конечно, вчера она показывала кольцо. Похоже, они оба счастливы.

— Ага, а у Бет еще дополнительный повод для радости — она беременна, уже восемь недель.

— Да ты что? Почему я не знаю?

— Потому что проводишь слишком много времени с мужчинами, а с ними не посплетничаешь. Бет с Гарреттом рады, что у них будет малыш. Они вместе уже почти два года и на третий решили узаконить отношения, похоже, из-за ребенка. Мы с Бет говорили о том, чтобы устроить свадьбу в гостинице.

— В гостинице?

— Клэр и Бекетт поженятся весной. А эта свадьба могла бы стать для нас пробной, тем более Бет с Гарреттом хотят скромный прием. Вообще-то они собирались просто расписаться, но их матери ужасно расстроились, — добавила Эйвери, вернувшись с двумя стаканчиками свежего кофе. — Когда я предложила гостиницу, Бет очень обрадовалась. Она не знала, что есть такая услуга.

— Я тоже не знал.

— Решать, конечно, вам, но Хоуп прекрасный организатор. Я бы занялась банкетом, не вопрос, а цветы можно заказать в магазине «Маунтинсайд». Бет говорит, что они хотят пригласить только самых близких друзей и родственников. Всего человек двадцать пять или тридцать. На День святого Валентина все номера уже забронированы, но выходные за ним вполне подойдут.

— В следующем месяце? — Оуэн едва не подавился кофе. — Что-то слишком быстро.

— Как я и говорила вчера, одна внезапная вечеринка не дает тебе право называться мистером Спонтанность. Расслабься, тебе лично ничего не придется делать. Бет хочет покрасоваться в свадебном платье, пока живот еще не заметен, потому они и торопятся. Они уже спрашивали, можно ли провести первую брачную ночь в гостинице. В общем, получится все в одном флаконе.

— И сколько будет стоить такой пакет свадебных услуг?

Эйвери улыбнулась.

— Решайте. Я, наверное, сделаю им скидку — все-таки первые клиенты. Приглашенные гости займут все номера за день до свадьбы.

Выгодное дело, подумал Оуэн. Эйвери разбирается в бизнесе.

— Поговорю завтра с Хоуп. У тебя хорошие мозги!

— Знаю. И сейчас они подсказывают, что нужно допивать кофе. Ты пойдешь расчищать дорожки, а я наведу порядок. А потом можешь уложить меня в постель и расплатиться за услуги.

— Похоже, я не прогадаю.

— Мои мозги считают, что мы оба в выигрыше.

* * *

Убрав снег со своей подъездной дорожки, Оуэн направился к дому Райдера. Тропинки для Тупорылого были уже расчищены. Оуэн припарковался, вошел в дом и потопал, чтобы стряхнуть снег с ботинок.

— Эй, Рай, ты где?

— Внизу. Спускайся.

— Я весь в снегу. Ты иди сюда.

Виляя хвостом, по лестнице поднялся Тупорылый. Он слизнул снег с ботинок Оуэна. Через пару секунд появился Райдер в майке и обрезанных по колено тренировочных штанах.

— Что случилось? Я тренируюсь, а потом хотел немного побездельничать до футбола по телевизору, но планы изменились. Мама зовет к себе кататься на санках и играть в снежки.

— Когда?

— Ты забыл мобильник? Неужели наступил конец света?

— Вот мой телефон. — Оуэн выудил из кармана мобильник. — Никаких сообщений.

— Наверное, тебя просто не пригласили. Мама больше любит меня.

— Притворяется, чтобы ты не ныл, как маленький ребенок. Должно быть, она позвонила на домашний номер. Ладно, все нормально. Я забираю твой грузовичок, а ты закончишь расчистку снега. Сперва у дома Бека, потом у маминого. Там и поменяемся машинами.

— Ты же у нас мистер Снегоуборщик.

— У тебя дома сейчас есть женщина?

Громко вздохнув, Райдер сунул руки в мешковатые карманы.

— Увы, нет.

— А у меня есть. Я забираю твой грузовичок.

— Значит, будешь заводить Маленькую Рыжую Машину? Говорю исключительно с любовью и уважением. К ней.

— Я забираю твой грузовичок, а потом у меня будет секс, а у тебя нет. Так что сегодня снегом занимаешься ты.

— Только не зуди, если я сделаю что не так.

— Главное, не напортачь. — Оуэн взял ключи со столика и двери. — Во сколько встречаемся у мамы?

— Не знаю. Мы же не на работу идем. В два или три, как тебе удобно.

— Тогда увидимся.

Когда Оуэн ушел, Райдер перевел взгляд на пса.

— Кому-то из нас придется найти женщину. Терпеть не могу убирать снег.

* * *

Войдя в дом, Оуэн сразу почувствовал аромат томящегося супа. Кухня сияла чистотой. Громко играла музыка, и Оуэн решил, что Эйвери вряд ли его услышит, но все равно отправился ее искать, громко зовя по имени.

Эйвери пела в душе. Отчаянно фальшивя, она воодушевлением восполняла сомнительную мелодичность.

Хотя вместо занавески душ закрывала стеклянная дверь, соблазн был слишком велик, и Оуэн распахнул ее, сымитировав пронзительные, тревожные звуки из хичкоковского «Психоза».

Ответный вопль Эйвери был великолепен. Вжавшись в стенку душевой кабины, она уставилась на него круглыми, как две луны, глазами.

— Ты что, больной?!

Он с трудом подавил остатки смеха.

— Чуть не надорвал живот от хохота, а так все в порядке.

— Господи, Оуэн!

— Не смог удержаться. Просто напрашивалось...

— Да? Тогда и это напросилось!

Эйвери схватила ручной душ, включила воду и окатила Оуэна с ног до головы.

— Вот теперь мы квиты, — удовлетворенно сказала она.

— Значит, можно к тебе присоединиться?

Эйвери хмыкнула.

— После работы на холоде — горячий душ и горячая женщина, — глубокомысленно произнес Оуэн, снимая мокрую насквозь рубашку.

— Я думала, ты придешь не раньше чем через час.

— Рай выручил. — Оуэн стащил ботинки. — Суп пахнет!..

— Я закончила внизу и решила ополоснуться. Твоя ванная не уступает гостиничной. Боюсь, я скоро совсем избалуюсь. Да, кстати, звонила твоя мама.

— Знаю, санки и снежки сегодня после обеда.

— Я сказала, что захвачу суп, — продолжила Эйвери, вопросительно посмотрев на Оуэна.

— Отличная мысль!

— Клэр может заехать ко мне, взять мои ботинки и теплую одежду.

— Конечно.

Оуэн снял мокрые брюки, бросил пару полотенец на пол — вытереть лужу.

— Она совсем не удивилась, когда я подняла трубку.

— Мама всегда все знает. — Оуэн шагнул в душ и закрыл за собой дверь. — Да, если ты переключишь телевизор в режим цифрового радио, здесь будет все слышно.

Он показал на динамики на потолке.

— Ой.

— Так, для информации, — сказал Оуэн и улыбнулся. — Вот уж не ожидал ничего подобного много лет назад, когда подсматривал, как ты купаешься нагишом. — Он провел ладонями по ее телу. — Ты такая мокрая и теплая.

— Ты тоже мокрый. — Она обхватила его руками. — Только немного холодный.

— Я был на морозе, занимался мужской работой.

Эйвери рассмеялась, откинув голову назад.

— Здесь тебя тоже ждет мужская работа.

— Пожалуй, начну прямо сейчас.

Стоя в клубах пара под струями горячей воды, он прижимался губами ко рту Эйвери. Его руки блуждали по ее мокрому скользкому телу, а она, поднявшись на цыпочки, обнимала его за шею. Нет, он не ожидал ничего подобного, не представлял, что все будет так легко и упоительно. Не думал о том, как чудесно открывать заново человека, которого знаешь всю свою жизнь.

Гладкая нежная кожа, волнующие изгибы, упругое гибкое тело... И горячее желание ласкать и поддаваться ласкам, брать и отдавать.

Теперь она пахла его мылом, новая деталь во всем знакомом.

Эйвери намылила Оуэна, наслаждаясь игрой мышц. Она редко думала о его силе, считая, что важнее его ум, доброта и то, что он *Оуэн*. Но сейчас, когда она ласкала его тело, все эти бугры и шершавости напомнили, что Оуэн работает не только головой, но и руками, спиной, мускулами.

Под его загрубевшими ладонями в ней пробуждались новые, глубокие чувства, желания и фантазии. Эйвери вздрагивала от его прикосновений, тяжело и прерывисто дышала, а он уводил ее все дальше и дальше, пока ее тело не превратилось в пульсирующий комок желания. Вода стекала по откинутым назад волосам. Голубые глаза, такие ярко-голубые, затуманились.

— Я не... у нас не получится, — выдохнула она, с трудом сохраняя равновесие. — Ты слишком высокий.

— Это ты слишком маленькая, — поправил Оуэн, затем подхватил ее за бедра и поднял. — Тогда держись крепче!

— Оуэн...

Она ахнула, когда он вошел в нее, прижав к мокрой стене. Открыв глаза, Эйвери встретилась с ним взглядом. От еще одного толчка у нее вырвался стон удовольствия, но она по-прежнему глядела ему в глаза.

— Не останавливайся, только не останавливайся!

— Ты тоже, — выдохнул он, вновь прижимаясь к ее рту губами.

Они оба не останавливались.

Чуть позже голая Эйвери распростерлась ничком на кровати.

— Еще минутку, и встаю. Нужно одеться.

— Не торопись, — сказал Оуэн, любуясь цветком чертополоха. — Мне нравится вид.

— Почему парни с ума сходят от девичьих татуировок?

— Понятия не имею.

— Наверное, фактор Зены — королевы воинов. Женщина-воительница.

— У тебя случайно нет черного кожаного костюма-бикини?

— Сдала в химчистку. — Она положила голову на руки. — Сделать еще одну татуировку?

Оуэн стал одеваться, поглядывая на задницу Эйвери, потом спросил:

— Какую татуировку? Где? Почему?

— Я еще не решила, нужно подумать. Понимаешь, когда татушка на заднице, ее толком не разглядишь, а раз уж ты вытерпела сам процесс, то хорошо бы смотреть на результат всегда, когда захочешь. К тому же мой зад почти никто не видит. В общем, я считаю ее чем-то вроде тайного ритуала подросткового бунта. Собственно, так оно и было. А татуировка должна быть зрелой и обдуманной.

— Зрелая татуировка, забавно.

— Ладно, — Эйвери перекатилась на спину, села. — У тебя классный душ. И ты классный в ду́ше. — Лениво вздохнув, она взяла свой халат в голубую клетку. — Пойду, взгляну на суп.

— Оставайся ночевать.

Эйвери замерла, так и не успев одеться.

— Сегодня? Мы оба завтра работаем.

— Ну и что? После снежков, супа и, возможно, боев во время просмотра футбольного матча вернемся ко мне. Оставайся.

Эйвери завернулась в халат, завязала пояс, посмотрела на Оуэна.

— Ладно. Проверю, как там суп, и начну собираться.

— Хорошо.

Спускаясь по лестнице, она думала, что делать с трепетом в груди. Эйвери узнала этот трепет, она чувствовала его раньше.

Когда ей было пять лет.

Вновь влюбиться в Оуэна — сейчас это так же глупо, как и тогда. Впрочем, мактавишское чутье никогда не подводило. Но вот как насчет мактавишского сердца?

12

В самом начале января Эйвери снова внимательно осматривала помещение, о котором теперь думала не иначе, как о «Ресторане и баре МакТ». На сей раз ее сопровождала референтная группа в лице Хоуп и Клэр.

— Вот здесь будет бар. Темное дерево, что-нибудь очень солидное. Буду использовать лесть, просьбы и секс, пока не уговорю Оуэна его обустроить.

— И как идут дела? — поинтересовалась Клэр. — Я имею в виду секс.

— Взгляни на это лицо.

Эйвери показала большими пальцами на свое лицо.

— Спокойное и счастливое. И чуточку самодовольное. Ответ засчитывается.

— Пока все хорошо. Светильники здесь, здесь и здесь, теплые тона. Туда я хочу кожаный диван — темно-коричневый? — и кофейный столик. Высокие столики у переднего окна, низенькие — там и там. А сквозной проход в ресторан сделаем здесь.

— Будет классно. Но прежде чем мы займемся цветовой гаммой и столиками, — вмешалась Хоуп, — хочется спросить, почему ты не хвастаешься упомянутым сексом и не пересказываешь все подробности своей менее везучей подруге, у которой секса нет и не предвидится.

— Вдруг сглажу? Ты тогда расстроишься.

— Я тебя умоляю! — отмахнулась Хоуп. — Я видела Оуэна, он тоже спокойный и счастливый. Не скажу насчет самодовольства, возможно, он его искусно скрывает. Вы сегодня встречаетесь?

— Нет. У меня примерно час времени, потом нужно возвращаться в пиццерию. Я работаю. Он — да и все Монтгомери — сейчас очень занят. Они готовятся к торжественному открытию гостиницы, работают в другом здании, готовят техническую документацию на ресторан. С Нового года мы с Оуэном почти каждую ночь проводили вместе, вот я и подумала...

— Что тебе нужен перерыв? — продолжила Клэр.

— Я подумала, что мне... нам... нужно взять тайм-аут. Вы же знаете, как у меня бывает. Начинаешь отношения, считая их временными и ни к чему не обязывающими, так, для развлечения: тебе нравится парень, ты ему доверяешь, считаешь привлекательным... Но я это я, и вот я начинаю сомневаться: а вдруг это что-то серьезное? Вдруг это любовь, настоящая, с большой буквы?

— Ты любишь Оуэна? — спросила Клэр.

— У меня...

Эйвери помахала рукой у груди.

— Мактавишское сердце, — кивнула Хоуп.

— Ему нельзя доверять. Дело в том, что я всегда любила Оуэна. Я люблю всех Монтгомери. Это у меня в крови. Поэтому, возможно, у меня что-то вроде ложноположительной реакции. Если вдруг я влюблюсь по-настоящему, то все испорчу.

— С чего ты взяла, что твое большое чувство не будет взаимным? — требовательно спросила Клэр.

— Не знаю, может, это тоже в крови. Думаю, в какой-то степени виноваты мои комплексы из-за матери.

— Ты не похожа на свою мать.

— И не хочу быть похожей, — сказала Эйвери, кивнув Клэр. — Она изменяла, лгала и использовала всех, кого можно. Секс для нее всегда был ни к чему не обязывающим пустяком. Наверное, та часть меня, которая боится быть похожей на мать, не хочет случайного секса, а непроизвольно стремится к чему-то большему. Вроде как противоядие. А немного погодя я даю задний ход, потому что, оказывается, это не настоящая любовь. Глупо.

— Вовсе нет, — возразила Хоуп. — Просто ты — это ты.

— Да, но теперь это я и Оуэн. Каждый раз, когда у меня завязывался роман, я добивалась серьезных отношений — из-за трепета в груди... ну, вы понимаете, о чем я. А потом трепет проходил, и я видела: нет, это не настоящая любовь. Хоть он и хороший человек — а большинство из них действительно были отличными парнями! — но не тот, *единственный*, если он вообще существует.

— Существует, — твердо сказала Клэр.

— Возможно. Теперь я чувствую трепет в груди из-за Оуэна, а когда прекратится...

— Да ладно тебе! — Клэр покачала головой. — Вдруг не прекратится?

— Как показывает история, это всего лишь вопрос времени. Я не хочу завязывать серьезные отношения, а потом давать задний ход. Только не с Оуэном. Он для меня значит гораздо больше, чем дурацкий трепет или комплексы из-за матери.

— Думаю, ты недооцениваешь вас обоих. Впрочем... — Клэр посмотрела на часы. — У меня сейчас нет времени вдаваться в подробности, нужно бежать домой. Но мы еще вернемся к этому разговору!

— Отлично, — кивнула Эйвери. — Мне тоже пора. Мы можем дойти вместе до гостиницы, обсудим по дороге меню для приема в честь открытия, а потом я пойду на работу.

— Давай.

Они вышли и разошлись в разные стороны: Клэр двинулась через Центральную улицу, а Эйвери с Хоуп пересекли улицу св. Павла.

— Она влюблена, — заметила Эйвери. — Такая любовь делает людей оптимистами, которые все видят в розовом цвете.

— Почему бы тебе не побыть оптимисткой?

— Ну, я и не пессимистка. Скорее, просто осторожный человек.

— Знаешь, я не влюблена и не оптимистка по жизни, но мне нравятся ваши с Оуэном отношения, вы прекрасная пара.

Хоуп отперла дверь в фойе гостиницы.

— И я понимаю, почему ты, как любой нормальный человек, хочешь взять небольшой тайм-аут. Секс, даже легкий и ни к чему не обязывающий, здорово затуманивает ум. Так что подумай денек-другой.

— Вот именно! — Эйвери про себя благословила трезвомыслящую Хоуп. — Нужно прочистить мозги.

— Я заварю чай, пока мы обсуждаем меню.

— Ты готовишь чай в гостинице, мы обсуждаем меню для дня открытия... — Эйвери уселась на табурет у кухонного «острова». — Год назад ничего этого и в помине не было. Ты вообще жила в другом городе.

— Год назад я считала, что мое будущее связано с отелем «Уикхем» и Джонатаном.

— Ты чувствовала трепет в груди?

— Нет. — Поставив чайник, Хоуп на миг задумалась. — Я полагала, что влюблена. Я доверяла ему, восхищалась им, радовалась нашему общению. Конечно, я считала, что люблю его. И он об этом знал. Знал о моих чувствах и о том, что я уверена в нашем совместном будущем.

— А почему ты не должна была верить?

— Вот именно почему? — кивнула Хоуп, уже без привкуса горечи, которую когда-то слишком часто сглатывала. — Мы разве что не жили вместе. Он говорил, что любит меня, говорил о нашем будущем.

— Мне так жаль, Хоуп! Тебе еще больно?

— Уже нет... ну, разве что совсем чуть-чуть, — призналась она, доставая чашки. — Больше пострадала гордость, а не сердце. Он меня использовал, и это обидно. Вряд ли так было задумано с самого начала, но последние месяцы он лгал, пользовался мной, а в конце концов сделал из меня дуру. Больно и обидно, когда из тебя делают дурака.

— Он сам дурак. Я бы никогда никого так не обидела.

— Ты бы и не смогла, в тебе этого нет.

Эйвери искренне надеялась, что подруга права, однако порой эта мысль мучила ее, не давая спать по ночам.

* * *

В тихой, еще закрытой пиццерии Эйвери повязала фартук и начала готовиться к открытию. Включила печи, занялась кофе. Проверила контрольно-кассовый аппарат, посмотрела, достаточно ли льда в ледогенераторе. Снуя из открытой части кухни в закрытую, выложила начинки для пиццы на подносы, отметила, что нужно заказать упаковочные коробки, открыла новую банку моцареллы.

Сунув в холодильник под стойкой несколько кастрюль с тестом, Эйвери подумала, что до обеда нужно замесить еще. Принесла сотейники с соусом, поставила на медленный огонь. Соуса «Маринара» было маловато, и Эйвери вытащила продукты, чтобы приготовить очередную порцию.

В дверь постучали, и она замерла, разглядев за стеклом Оуэна. Черт, вот и знакомый трепет в груди! Оуэн помахал ключом и, когда Эйвери согласно кивнула, отпер переднюю дверь.

— Похоже, ты занята.

— Не очень. У нас мало «Маринары».

— Можно я здесь немного поработаю? На стройке слишком шумно, а в гостинице проводят пресс-тур.

— Конечно. Хочешь кофе?

— Сам налью через минуту.

Оуэн поставил на пол портфель и длинный тубус, снял куртку и лыжную шапочку. Пригладил пятерней волосы, а потом зашел за стойку, взял лицо Эйвери в ладони и поцеловал.

— Здравствуй.

— Привет.

— Какой классный запах!

— Лучший соус «Маринара» в округе.

— Вообще-то я говорил о тебе, но соус тоже неплох. Кофе налить?

— У меня будут заняты руки, пока не закончу с соусом. А разве ты не должен встречаться с журналистами?

— Разве что изредка.

Пока Эйвери открывала большую банку дробленых томатов, Оуэн пошел за стаканом.

— У нас есть кому этим заняться, — пояснил он, чуть повысив голос. — У Хоуп нашлись связи в округе Колумбия и в Филадельфии, так что гостиницей интересуются не только в местных краях. И это нам на руку.

— Конечно.

— Мама и Кароли помогают Хоуп, а остальные подключаются по мере необходимости.

— Вот здорово!

Оуэн подошел ближе, наблюдая, как Эйвери помешивает соус, на глазок добавляет приправы.

— Разве не нужно отмерять?

— Мне — нет, — коротко ответила она.

— Я просмотрел меню, которое ты предлагаешь для нового ресторана. Откуда ты знаешь, как готовить все эти блюда?

Эйвери бросила на него взгляд, который Хоуп наверняка назвала бы самодовольным.

— Я много чего умею.

— Мне тут подумалось, что ты захочешь проверить кое-какие блюда на добровольце.

Она подняла голову.

— Правда? Предлагаешь свои услуги?

— Это самое малое, что я могу для тебя сделать.

— Ты великодушен до неприличия.

Впрочем, Эйвери признала, что сама идея неплоха. Вроде того, как опробовать каждый номер в гостинице, прежде чем ее открыть.

— Я свободна в понедельник вечером.

— Идет.

— Выбирай.

— Все, что предложишь.

— Нет, еще раз прочитай меню и сделай заказ — салат, закуску, горячее. Все, как полагается. Конечно, когда ресторан откроется, там будет повар с помощниками, и я не буду готовить всю еду, но это своего рода индикатор. Можно опробовать разные блюда на разных людях, внести, пока не поздно, изменения.

— Кстати, об изменениях. Ты закончила?

— Да, — ответила Эйвери, подумав, следовало бы замесить тесто, сэкономить время после обеда.

— Я хочу тебе что-то показать.

— Только быстро, — сказала она, вытирая руки. — Мне еще тесто месить. А разве тебе не нужно работать?

Эйвери направилась к холодильнику и достала банку диетической колы.

— Я и сейчас работаю.

Оуэн достал из тубуса несколько чертежей, развернул на стойке.

— Это проект булочной? Я его еще не...

Прочитав надпись, Эйвери на миг потеряла дар речи.

«Ресторан и бар МакТ».

— «МакТ». Здесь написано «МакТ».

— Ты же так хочешь назвать ресторан, правильно? Хотя можешь и по-другому. Можешь поменять все, что считаешь нужным, прямо на чертежах. Это твой экземпляр. Бекетт сегодня занят, а потом вы вместе просмотрите весь проект. Сейчас я могу ответить на вопросы и объяснить, если что-то непонятно.

— Мои чертежи...

— Да.

— Погоди-ка.

Эйвери выбежала в обеденный зал, закружилась в танце. Она подпрыгивала, вертелась волчком, вскидывала ноги, и Оуэн вспомнил, что в свое время Эйвери участвовала в школьной группе поддержки. Когда она сделала колесо, он слегка оторопел, потом рассмеялся.

— Надо же! Ты до сих пор так можешь?

— Как видишь.

С восторженным криком она бросилась ему на шею. Оуэн поймал ее на лету, чуть пошатнувшись.

— Я-то надеялся, что ты больше обрадуешься.

— Да? А как тебе это?

Эйвери обвила его руками и ногами, прильнула губами к его рту.

— Неплохо, — Оуэн покружил ее в воздухе. — Совсем неплохо.

— Я должна на них взглянуть! Я должна на них взглянуть!

Эйвери вывернулась из его объятий, едва не упав на чертежи.

— Я тебе все объясню, — предложил Оуэн, но Эйвери лишь махнула рукой.

— Думаешь, я не умею читать чертежи? Да я практически спала с ними в обнимку, когда строили «Весту»!.. Так, хорошо, это тоже хорошо, — пробормотала она. — Я бы хотела перенести холодильник вот сюда. Здесь он не будет мешать движению. Еще мне нужен стол вот здесь, рядом с посудомоечной машиной.

Оуэн достал из портфеля карандаш.

— Отметь.

Эйвери отметила, добавила еще пару небольших изменений.

— Хорошо, что между баром и рестораном есть проход. Удобно и для официантов, и для посетителей. Вот сидит кто-нибудь в баре, выпивает с приятелем. «Эй, может, пообедаем?» И они идут прямо в ресторан.

— Бар довольно большой.

Эйвери одобрительно кивнула.

— Он должен выглядеть солидно и представительно.

— Скажи, что именно ты хочешь. Какое дерево, отделку, стиль — чтобы я мог разработать дизайн.

Эйвери подняла на него взгляд.

— Ты обустроишь бар?

— Собирался. А что?

— Я хотела использовать секс, чтобы тебя уговорить.

— Вообще-то я вдруг понял, что очень занят.

Рассмеявшись, Эйвери обняла его.

— Оуэн...

— Возможно, не так уж и занят...

Закрыв глаза, она прижалась к нему.

— Я вас не подведу.

— Никто и не думает, что подведешь.

Эйвери покачала головой, посмотрела на Оуэна, чувствуя, что это больше, чем новый ресторан, больше, чем бизнес. Это Оуэн, и трепет в груди не проходит.

— Я тебя не подведу.

— Хорошо.

Кивнув, она положила голову ему на грудь. Старый фундамент, новый этап.

— Мне пора заняться делом.

— Неужели?

Улыбнувшись, Эйвери склонила голову набок.

— Нужно замесить тесто для пиццы, чтобы заработать денег и расплатиться с арендодателем.

— Пока ты месишь тесто, я сделаю в тишине несколько звонков.

Оуэн последний раз сжал Эйвери в объятиях.

— Да, кстати. — Он показал на чертежи. — Придется подождать. Пока внесем все изменения, сделаем макет, получим разрешение... К тому же мы сейчас заняты другим зданием.

— Ничего страшного, я подожду. — Эйвери подумала об Оуэне, о них двоих, так, как будто они уже разделили жизнь. — Когда будет, тогда будет.

* * *

Хоуп ворвалась в дверь сразу же после открытия. Эйвери как раз выкладывала пепперони.

— Привет. Как дела в Голливуде?

— Пока все идет гладко. Сейчас у Монтгомери берут интервью и снимают их на видео. У меня есть десять минут.

— Садись, — предложила Эйвери, засовывая пиццу в печь.

— Я подумала, что лучше не посылать сообщение, а самой сбегать и предупредить тебя. Многие журналисты спрашивают, где можно перекусить, мы советуем «Весту».

— Спасибо за рекомендацию. Хорошо, что я замесила побольше теста.

— Дело в том, что кому-то из журналистов пришла в голову мысль снять парочку сюжетов и взять интервью у местных жителей. Начнут прямо отсюда, с тебя.

— Меня?

— Несколько фотографий...

— Что? Нет, я не могу. Посмотри на меня. У меня соус на фартуке. Я сегодня не мыла голову и не успела накраситься.

— Не переживай насчет соуса, ты ведь на работе. С волосами все в порядке. У меня осталось девять минут, могу тебя накрасить за шесть. Пошли.

— Но у меня заказы... А, к черту! Чэд! В печке две большие пиццы навынос. Займись. Буду через пять минут.

— Шесть, — поправила Хоуп.

— Через шесть! — крикнула Эйвери, спеша к двери. — Почему, почему никто не предупредил? Я бы хоть накрасилась.

— Шесть минут, может, еще меньше. Боги одарили тебя прекрасной кожей. Просто подчеркнем глаза, добавим цвета, уберем блеск.

— У меня блестит лицо! — В отчаянии Эйвери распахнула дверь в свою квартиру, забежала в ванную. — На мне старая рубашка!

— Под фартуком не видно.

Сосредоточившись, Хоуп открыла ящик туалетного столика.

— Заляпанный фартук!

— Я же сказала, ничего страшного! Соус вроде рекламы. Садись, — велела Хоуп. — Да ладно, это ведь не пробы на главную роль в художественном фильме, а всего несколько секунд в вечерних новостях.

— О, господи!

— Успокойся. Почему ты не разложишь косметику по порядку? Средства для глаз отдельно, для губ и щек...

— Только не наезжай на меня, когда я почти на грани нервного срыва. Зачем я покрасила волосы в этот цвет?

— Зачем ты вообще красишь волосы, когда у тебя прекрасный свой цвет?

— В знак протеста. Вернее, сперва из протеста, а потом по привычке.

— Заткнись и закрой глаза.

Хоуп нанесла тени, растушевала, нарисовала стрелку, чуть размазала.

— Разве я не велела тебе купить устройство для подкручивания ресниц?

Эйвери осторожно открыла один глаз.

— Я их боюсь.

— Перебори страх. Смотри сюда.

Хоуп подняла палец и накрасила тушью ресницы Эйвери.

— Почему ты всегда так классно выглядишь? — посетовала та. — Почему ты красивая? Я тебя ненавижу!

— Сейчас нарисую тебе клоунские щеки.

— Не надо!

— У тебя кожа как фарфоровая! — Хоуп ловко и быстро нанесла румяна. — Ради бога, купи наконец подкручиватель для ресниц! И контурный карандаш для губ. Расслабь нижнюю челюсть.

Она прошлась по лицу Эйвери пуховкой с полупрозрачной пудрой, смахнула излишки.

— Готово! Четыре минуты.

— Моя пицца!

— Чэд вытащит. Взгляни-ка.

Эйвери встала, чтобы посмотреть на результат в зеркале над раковиной. Глаза стали больше и ярче, щеки — румянее, губы порозовели.

— Хоуп, ты гений!

— Знаю.

— Ой, а как же волосы?

— Спокойно. Двадцать секунд. — Хоуп вытащила прядку здесь, пригладила там. Удовлетворенно кивнула. — Все. Естественно, небрежно и чуточку сексуально.

— Рубашка...

— Сойдет. Нужны другие сережки. Тридцать секунд.

Хоуп стремительно выдвинула ящик с серьгами, окинула содержимое взглядом.

— Вот эти. Ненавязчиво блестят, слегка покачиваются, к тому же из местного магазина подарков. Симбиотические отношения.

Она вдела одну серьгу, Эйвери — другую.

— Может, мне...

— Все! — провозгласила Хоуп и взяла Эйвери за руку. — Поменяй приоритеты. Ты ведь хочешь, чтобы репортеры упомянули отличную еду, быстрое дружелюбное обслуживание и приятную обстановку, верно?

— Верно, что-то я не сообразила. Неважно, как я выгляжу. Нет, конечно, важно, но предупрежу-ка я персонал. И позвоню Фрэнни.

— Не помешает. Мне пора бежать.

— Спасибо за макияж!

* * *

К часу дня Эйвери была слишком занята, чтобы беспокоиться о рубашке, заляпанном соусом фартуке или о том, осталась ли на губах помада. Она сосредоточилась на пицце, пекла пирог за пирогом и благодарила бога за Фрэнни, которая пришла по ее просьбе и взяла на себя пасту и салаты.

Встреча с репортерами прошла успешно: прямо за стойкой Эйвери дала два коротких интервью и даже подбросила перед камерой тесто для пиццы. Классно, что пиццерию покажут в теленовостях, пусть всего лишь на две-три секунды!

В три часа, когда сумасшедшая гонка закончилась, Эйвери наконец, сделала перерыв, без сил свалилась с бутылочкой «Гаторейда» в пустом обеденном зале и лишь слабо помахала Клэр, когда та вошла в пиццерию.

— Похоже, у меня сели батарейки. К вам заходили репортеры?

Клэр протянула кружку с логотипом своего магазина «Переверни страницу».

— Латте с обезжиренным молоком и двойным эспрессо.

— Вот и ответ.

— Ладно, это только на пользу. На пользу моему книжному, гостинице, да и всему городу.

— Держу пари, что Хоуп не пришлось бежать в «Переверни страницу» и делать тебе макияж.

— Ну, я и не работаю целый день в натопленной кухне.

— Хороший ответ.

— Журналистка из «Хейгерстаун-мэгэзин» намерена предложить редактору продолжение сюжета или связанную с ним историю. О тебе, мне и Хоуп.

— О нас? Что еще за история?

— Три женщины, три подруги. Одна — хозяйка книжного магазина, другая — ресторана, в скором времени двух, а третья управляет отелем.

— Я не хочу, чтобы меня сфотографировали в сомнительном фартуке.

— В смысле как у французской горничной?

— Догадайся! — Ухмыльнувшись, Эйвери показала на пятна от соуса на фартуке. — Нас ведь предупредят заранее? Хватит с меня макияжа за четыре минуты до съемок.

— Конечно, предупредят. Если редактор даст добро, мы договоримся о времени и дате. Хорошая реклама. Хотя, если честно, я до сих пор не знаю, как у Хоуп так получается. Она привела журналистов к нам в магазин и выглядела...

— Безупречно.

— Вот именно. И совершенно не волновалась. Не могу дождаться, когда сюжет появится в новостях, а потом еще и в газетах... Мальчиков из школы заберет Бекетт. Сказал, что им нужна мужская компания.

Эйвери растрогалась.

— Клэр, ты нашла клад.

— Еще какой! Кстати, мне поручили заказать в «Весте» спагетти с тефтельками. Мужские порции.

— Поможем, не вопрос.

— Скоро мне понадобится помощь и в другом деле. После открытия гостиницы останется всего лишь два месяца до нашей свадьбы. Конечно, мы не будем устраивать шумное празднество, но...

— ...все должно быть великолепно.

— Да, начиная с платьев. Наших с Хоуп и твоего.

— Назови день, когда пойдем выбирать. Я освобожусь.

— Лучше всего в какой-нибудь четверг после открытия, только поскорее. Нужно поговорить с Хоуп. Я могу кое-что поменять и освободиться в среду, если вам удобнее.

— Мне все равно, в любой день.

— Я разговаривала с Кэрол из «Маунтинсайд» насчет цветов. Практически договорились. А банкет мы с тобой не обсудили.

— Давай я сама все продумаю. Набросаю меню, а ты потом посмотришь, поменяешь, если нужно, добавишь что-нибудь или уберешь. Тебе будет от чего оттолкнуться.

— Словно гора с плеч... Спасибо! — Наклонившись вперед, Клэр с ослепительной улыбкой взяла ладони подруги в свои. — Я выхожу замуж, Эйвери!

— Да, ходят слухи.

— Все так завертелось! Помнишь, когда они только начали работу в гостинице? Кажется, прошла целая вечность. А теперь все готово, отель вот-вот откроется. Я выхожу замуж. Бекетт достраивает дом. Я выбираю кафель, смесители и светильники.

— Волнуешься?

— Нет. Слегка ошарашена. Замужество, новый дом, и если все пойдет, как мы надеемся, еще один малыш через несколько месяцев.

— От всего этого ты только хорошеешь.

— Я и чувствую себя замечательно! А ты волнуешься?

— Из-за чего?

— По поводу вас с Оуэном.

— Не то чтобы волнуюсь, скорее, немного ошеломлена. Иногда думаю: «Ну, конечно, так все и должно быть», а потом вдруг: «Что? Откуда это взялось и что мне с этим делать?»

Эйвери подперла подбородок кулаком.

— А потом опять кажется, что все правильно. Мы дружили с самого детства, а теперь смотрим друг на друга по-новому. Причем внезапно... Кто знает, возможно, в противном случае «конечно, все правильно» слишком быстро перешло бы в «ну и что?».

Клэр сжала руку Эйвери.

— Ты считаешь, что легкомысленно относишься к людям. Не понимаю, откуда такая уверенность. Мы давно знакомы, и ты никогда не пренебрегала интересами других. В школе мы просто хорошо общались. У каждой была своя компания, хотя мы вместе возглавляли группу поддержки.

— Вперед, «Воины»!

— Вперед, «Воины». Но когда я вернулась домой после того, как убили Клинта, ты меня поддержала. Именно ты, Эйвери. Не знаю, что бы я без тебя делала, до сих пор не знаю.

Теперь Эйвери взяла подругу за руку.

— И не нужно узнавать, я буду рядом.

— Эйвери, ты не тот человек, которому наплевать на других... Ладно, мне пора. Забегу за спагетти и тефтельками для мужчин часов в пять.

— Кто-нибудь отнесет, зачем тебе зря бегать.

Какое-то время Эйвери посидела одна, потом решила, что хватит с нее перерывов и таймаутов. Лучше наслаждаться настоящим, чем переживать из-за того, что, возможно, произойдет в будущем.

Она вытащила мобильник и отправила Оуэну сообщение.

«Освобожусь через час. Хочешь подняться ко мне на пирог и вино?»

Эйвери допила энергетический напиток, размяла усталые плечи. И улыбнулась, прочитав ответ Оуэна.

«Скоро заканчиваем, зайдем с Раем к тебе выпить пива, а потом я провожу тебя домой».

— Да, проводи меня, Оуэн. Хорошие бойфренды так и поступают.

Она встала, прошлась в танце по залу и снова принялась за работу.

13

В день открытия «Инн-Бунсборо» Эйвери с самого утра без устали сновала туда-сюда через дорогу и до полудня пробежала миль двадцать. По морозу.

Каждый ярд того стоил.

Целый день Хоуп и Кароли драили и мыли отель, пока все не засверкало чистотой. Столы, каминные полки и подоконники обеденного зала украшали цветы, и, пробегая мимо, Эйвери каждый раз отмечала, что их становится больше и больше. Во внутренний двор и на террасы выставили столы и стулья, в каминах по всему зданию пылал огонь.

В какой-то момент нагруженная подносами с едой Эйвери столкнулась с Хоуп — подруга в джинсах и свитере расписывалась за доставку взятой напрокат посуды.

— Я вернусь, — пообещала Эйвери. — Кто-нибудь из моих ребят принесет остальную еду, а потом еще, если понадобится.

— Все идет по расписанию. Кароли пошла переодеваться.

— Мне тоже нужно переодеться, но я вернусь, самое большее через час.

— Не торопись, — спокойно сказала Хоуп. — Мы успеваем.

— Почему я так волнуюсь? Это не моя гостиница! — Эйвери выбежала на улицу и поспешила домой.

Через пятьдесят пять минут она вернулась с сумкой, страшно довольная, что так быстро собралась, и увидела Хоуп, которая заполняла бар напитками. На ней было потрясающее красное платье.

— Ты переоделась! Обалденно выглядишь, это даже нечестно! Я снова тебя ненавижу.

— Все рассчитано. Я не хотела в мыле бежать наверх и приводить себя в порядок, когда придут Монтгомери. Кстати, они появятся с минуты на минуту.

— Это я должна была приготовиться первой! Даже обидно.

— Смирись. — Удивленно подняв брови, Хоуп посмотрела из-под колючей черной челки на подругу и выразительно кивнула. — Вынуждена заметить, что у тебя разные туфли.

— Какие выбрать? — Эйвери переступила с каблука на носок, покружилась. — Не могу решить. Еще и платье не подходит, да? Оно серое.

— Не серое, а цвета лунной пыли. Мне нравятся блестки на лифе. Где ты взяла эти сапфировые туфли? Хочу такие!

— Купила в прошлом году в минуту слабости и еще не носила. Не уверена, что они подойдут.

— Конечно, подойдут! Знаешь что по-настоящему обидно? У тебя нога на целый размер меньше, чем у меня. Иначе туфли я отобрала бы. Возможно, еще и отберу.

— Значит, надену голубые. Я оставлю у тебя свои вещи, включая отвергнутые черные лодочки, ладно?

— Само собой.

— Я быстро, сейчас спущусь и помогу.

Эйвери сбросила обе туфли и босиком побежала вверх по лестнице. Оставила сумку и черные туфли в квартире Хоуп, надела голубые.

Дверь в «Пентхаус» была открыта, и Эйвери вошла внутрь, окунувшись в прохладный воздух. Везде стояли цветы — под окнами в гостиной, на плавучем столике в ванне, в спальне. Все блестело и сияло.

Интересно, что сейчас чувствуют Монтгомери, если даже ее переполняет чувство гордости и удовлетворения? А ведь она только наблюдала за процессом. Ну, и немного помогала.

Эйвери пошла вниз, ведя рукой по железным перилам. Потом ей захотелось чего-то еще, и она зашла в номер «Ник и Нора». Подумать только, они с Оуэном останутся здесь на ночь! В роскошной кровати, среди запаха цветов и блеска хрусталя. Будут заниматься любовью в темноте, станут первыми влюбленными, которые обнимут друг друга в этом номере. Настоящее чудо!

Услышав шум шагов, она обернулась и улыбнулась Оуэну.

— Только подумала о тебе, как ты появился. Да еще такой красивый!

В темном костюме и галстуке почти одного цвета с ее платьем — еще одно чудо! — Оуэн выглядел превосходно.

— Эйвери, ты не перестаешь меня удивлять.

Она тепло улыбнулась.

— Сегодня все должно быть стильным, и мы с тобой определенно стильная пара. Я думала о том, что вы сейчас чувствуете. Должно быть, что-то необыкновенное, ведь даже я радуюсь и горжусь, хотя ничего не делала.

— Не говори так. Ты таскала вещи, убирала, кормила. И помогла нам найти Хоуп.

— И сама лично собрала эту сверкающую напольную лампу. — С сияющими глазами Эйвери качнула хрустальную подвеску. — Немало.

— Конечно. И у меня для тебя кое-что есть.

— Для меня?

— Хочу отблагодарить тебя за все, что ты сделала для нас.

— Подарок? — Она удивленно шагнула к нему. — Вообще-то я помогала бескорыстно — это касается и собранной лампы! — но подарки я люблю.

Оуэн вытащил из кармана маленькую коробочку и скомкал упаковку, когда Эйвери сорвала ее и подняла крышку.

— Господи, какая красота!

В коробке лежал маленький платиновый ключик на цепочке, украшенной крошечными бриллиантами.

— Я его увидел и сразу понял — самое то. Символ. Ключ от нашей гостиницы. Для тебя она всегда открыта.

— Замечательно, какие прекрасные слова! Спасибо! Спасибо! — повторяла Эйвери, целуя Оуэна. — Я просто в восторге! Мои первые бриллианты!

— Правда? Они совсем крохотные.

— Бриллианты крохотными не бывают. Хочу надеть кулон прямо сейчас!

— Давай помогу.

Оуэн встал сзади, застегнул цепочку. Эйвери потрогала ключик, взглянула в большое трюмо с серебряной рамой. Подняла руку к ладони Оуэна, которая лежала на ее плече, и поняла, что у нее нет слов, чтобы выразить, как она себя чувствует, стоя рядом с Оуэном и любуясь отражением в зеркале.

В груди возник знакомый трепет, а потом родилось что-то новое — медленное ровное биение, которое распространилось по всему телу до самых пяток.

— Оуэн.

Все, что Эйвери могла или хотела сказать, вдруг куда-то исчезло, когда она заметила в зеркале тень.

— Оуэн, — повторила Эйвери.

— Да, я вижу.

Она сглотнула.

— Что ты видишь?

— Элизабет.

— Я вижу только тень. Силуэт.

— Я вижу ее полностью. Она улыбается, хотя в глазах стоят слезы. Она... машет рукой? Нет, показывает свою руку. Левую. У нее на пальце кольцо с маленьким красным камушком.

— Рубин?

— Нет, темнее.

— Гранат?

— Возможно. Обручальное кольцо?

В голове Оуэна прозвучал тихий, как просьба, голос: «Билли».

— Ты слышала?

— Нет. Я чувствую аромат жимолости, вижу силуэт Элизабет. Вернее, видела, — сказала Эйвери, когда тень исчезла. — Что ты слышал?

— Она снова назвала имя. Билли.

Эйвери повернулась.

— Кольцо, ты сказал, у нее на руке обручальное кольцо.

— Всего лишь догадка.

— Она показала тебе кольцо, потом ты услышал имя. Держу пари, что кольцо обручальное. Элизабет и Билли хотели пожениться. Мы должны его найти, Оуэн. Ради нее.

Эйвери стиснула руки Оуэна, поразив его настойчивостью.

— Сделаю все, что смогу.

— Как долго... Как долго она любит!

Эйвери вдруг поняла, что у нее появилась надежда. Надежда на то, что любовь имеет значение и может длиться очень долго.

— У меня не было времени, поэтому я пока ничего не узнал. Немного освобожусь после сегодняшнего приема и поищу. Нам нужно спуститься вниз — через двадцать минут будут разрезать ленточку.

— Я сказала Хоуп, что вернусь помогать, а сама отвлеклась!

Эйвери вновь потрогала ключик.

— Спасибо еще раз.

— Хорошо смотрится с платьем. — Оуэн рассеянно погладил ее по плечу. — Иди вперед, я сейчас подойду.

Оставшись один, Оуэн подошел к номеру «Элизабет и Дарси».

— Прости, я был занят подготовкой к сегодняшнему дню и...

Слово «жизнью» прозвучало бы невежливо.

— Другими делами. Но я обещаю, что попытаюсь его найти. Знаешь, у нас сегодня много гостей, будут ходить туда-сюда, заглядывать в номер. В общем, прием. А после моя мама останется здесь на ночь. Это моя мама, так что... Я просто хотел тебе сказать.

Он замолчал на полуслове, покачал головой.

— Бекетт, наверное, уже предупредил. Сегодня очень важное событие для моей семьи, для всего города, и мне нужно там присутствовать.

Оуэн почувствовал, как что-то легко коснулось лацканов пиджака, — так женщина поправляет одежду мужчины перед тем, как выйти с ним на люди. На пути вниз он бросил последний взгляд через плечо, однако ничего не увидел и пошел навстречу голосам и свету.

* * *

Старый отель на главной площади города вновь распахнул свои двери для гостей. Они бродили по теплым, уютным комнатам, толпились у пылающих каминов, общались с соседями на открытой кухне.

Свет заливал помещения, которые так долго стояли темными; гул людских голосов вернул их к жизни.

Люди ходили по красивому кафелю и полированному дереву, присаживались на желтый, как масло, диван или потягивали напитки под аркой. Те, кто не боялся холода, выходили на улицу, чтобы взглянуть на внутренний дворик или полюбоваться видом с элегантной террасы.

Некоторые чувствовали легкий летний аромат жимолости, но не обращали на него внимания. Порой кто-то ощущал прикосновение к плечу, однако, обернувшись, никого не видел. Дважды Оуэн показывал гостиницу друзьям, и оба раза двери на террасу в номере «Элизабет и Дарси» были открыты. Он просто закрыл их, пока гости восхищались кроватью, узорчатым полом или красивым абажуром из витражного стекла.

— Прекрати, — тихо сказал Оуэн и повел гостей дальше.

Позже он еще раз зашел проверить двери и с радостью отметил, что они закрыты. Возможно, Лиззи увлеклась гостями, и ей некогда его разыгрывать.

Когда он повернулся, чтобы уйти, вошла Фрэнни. Вместо привычных джинсов и футболки на ней были черные брюки, отделанная рюшем блузка и черный жакет.

— Привет! Я принесла еще подносы с едой, а сейчас тоже хочу совершить экскурсию по отелю.

— Хорошо выглядишь, Фрэнни.

— Спасибо. Решила принарядиться, раз уж ношусь туда-сюда. Черт, Оуэн, до чего же красиво!

У Фрэнни разбегались глаза. Она погладила обтянутую тканью скамеечку для ног.

— Я знаю, сколько сюда вложено времени и сил, но, клянусь, это похоже на чудо.

— Спасибо, мы гордимся тем, что сделали.

— Еще бы! Я посмотрела номера только на этом этаже и уже не могу решить, какой мне нравится больше.

Оуэн улыбнулся, хотя весь вечер слышал нечто подобное.

— Я тоже. Хочешь, все покажу?

— Не нужно, сама справлюсь. Чувствую себя исследователем, — сказала она и рассмеялась. — Постоянно натыкаюсь на знакомых. Только что видела Дика в номере «Ева и Рорк».

— Дика-парикмахера или Дика-банкира?

— Ха, а ты забавный! Дика-парикмахера. А в библиотеке встретила Жюстину с родителями Клэр. — Фрэнни обошла Оуэна, заглянула в ванную. — О, какая ванна! Словно из английского романа.

— Так и было задумано.

— Отличная мысль! Я бы жила в этой ванной! Впрочем, во всех остальных ванных комнатах тоже. Не волнуйся за меня, иди к гостям.

— Иногда хорошо немного передохнуть.

— Согласна. Раз уж я застала тебя одного, хочу сказать, что рада за вас с Эйвери.

— Хм. Э-э...

— Я привыкла, что вы с ней друзья — думаю, все привыкли, — и ваши новые отношения стали приятным сюрпризом.

— Полагаю, для нас тоже.

— Отлично. Она заслуживает счастья. А ты заслуживаешь ее.

— Я стараюсь.

— Вижу, и мне это нравится. Эйвери много для меня значит.

— Понимаю.

— И еще к твоему сведению... — Фрэнни подошла к нему, похлопала по груди. — Если ты ее обидишь, я добавлю в твою пиццу изрядную дозу слабительного. — Она подняла брови, кивнула и продолжила: — Так как ты тоже мне дорог, и я за справедливость: если Эйвери обидит тебя, с ней будет то же самое.

Оуэн подумал, что пока придется заказывать шаурму, на всякий случай.

— Ты меня пугаешь.

— Правильно, бойся. А я пойду дальше.

Когда Фрэнни вышла, за спиной Оуэна послышался негромкий смех и в комнате запахло жимолостью.

— Да уж, вы, женщины, умеете нагнать страху!

Едва Оуэн собрался идти вниз, как его снова остановили. На этот раз Вилли Би, который встал в дверях, заполнив собой проем. Оуэну пришло в голову, что если бы вожди древних шотландских кланов носили костюмы и галстуки в горошек, то выглядели бы точь-в-точь как Вилли Би Мактавиш.

— Привет. Я искал Жюстину.

— Мне сказали, что она в библиотеке. Библиотека дальше по коридору и налево.

— Да, помню.

Вилли Би неуклюже переминался с ноги на ногу — явный признак того, что он хочет что-то сказать, но не знает, с чего начать.

— Раз уж я застал тебя одного...

— Знакомая песня.

— Ты о чем?

— Да так, навеяло. Что-то случилось?

— Вроде того. Я подумал, что должен тебе сказать... тебе и твоим братьям. Жюстина попросила... — Он вошел в комнату. — Попросила меня остаться. Здесь. На ночь. Ну, ты понимаешь.

Вот черт! И как он сразу не сообразил, к чему клонит Вилли Би? Пробурчав что-то невнятное, Оуэн сунул руки в карманы.

— Я понимаю, что ты чувствуешь себя слегка... но... В общем, так.

— Да. Могу ли я спросить, насколько... какие у тебя планы?

— Твоя мама много для меня значит. Я любил твоего отца.

— Я знаю.

— Он наверняка хотел бы, чтобы я за ней присмотрел. И... Она потрясающая женщина. Я ее очень уважаю и никогда не причиню ей боль. Скорее, отрежу себе руку.

— Хорошо.

У Вилли Би кровь отлила от лица.

— Ладно. Пойду, поговорю с Райдером и Бекеттом.

— Я сам им скажу, — предложил Оуэн, понимая, что иначе Вилли Би опять будет часа полтора смущаться и запинаться, прежде чем заговорить.

— Если ты считаешь, что так лучше, — кивнул Вилли Би и откашлялся. — Хм... вы с Эйвери... с моей Эйвери.

«Та же песня с другим припевом», — подумал Оуэн.

— Все, что ты сказал о моей матери, я могу сказать об Эйвери. Она мне очень дорога. Всегда была дорога.

— Да. А ты ей всегда нравился.

Оуэн почувствовал, что сейчас сам покраснеет и начнет запинаться.

— Я даже не знаю...

— Ты-то, может, и не знаешь, зато я знаю. Как и то, что Эйвери до сих пор переживает из-за матери, из-за того, что она нас бросила. Береги ее, Оуэн. Она встречалась с другими парнями, но с тобой все иначе. Вы давно знакомы, вас многое связывает, и ты ей всегда нравился. Она очень сильная, моя девочка, но у нее ранимая душа. Об этом легко забыть, так что... не забывай. Вот, собственно, и все.

С долгим-предолгим вздохом облегчения Вилли Би огляделся.

— Шикарное место! Вы все отлично поработали. Там, наверху, Томми наверняка радуется за своих сыновей и Жюстину. Ладно, я пойду.

Оставшись один, Оуэн присел на краешек кровати. Что-то много событий за последние несколько минут.

Даже слишком много. Он подумал о матери и Вилли Би, представил их в этом номере... И тут же вскочил на ноги, бросив смущенный взгляд на кровать.

Нет, лучше ничего подобного не представлять.

Дверь на террасу бесшумно открылась.

— Раз уж ты советуешь, пойду подышу воздухом.

Оуэн вышел на мороз, громко выдохнул и пожалел, что у него нет с собой пива. Он любовался Центральной и думал, что знает эту улицу всю свою жизнь. Конечно, она сильно изменилась — новые магазины и офисы, новая краска, новые соседи, повзрослевшие друзья детства. Но для него эта улица осталась прежней.

И Эйвери тоже. Верной и надежной Эйвери.

Конечно, она изменилась. Вернее, они оба изменились. Выросли, стали умнее, чего-то добились.

Оуэн бросил взгляд на ярко освещенную «Весту», снующих за окнами людей. Детище Эйвери. Монтгомери предоставили ей оболочку из камня и железа, а она вдохнула в нее жизнь. И теперь собирается это повторить.

Да, Эйвери — очень сильная, смышленая и не боится тяжелой работы. Ей пришлось несладко, когда мать их бросила, но она выдержала. Всегда высоко держала голову, хотя Оуэн отлично знал, как дразнили ее другие дети. Он вспомнил, что сказал пару ласковых кое-кому из тех придурков. Она наверняка не знает об этом и о том, что однажды, вскоре после бегства Трейси Мактавиш, он заглянул на кухню и увидел, как Эйвери плачет на груди его матери. Он тогда сразу же вышел и в следующий раз увидел Эйвери спокойной и с сухими глазами. Она редко бывает другой.

И все-таки Вилли Би прав. У Эйвери ранимая душа, и нужно относиться к ней бережно.

Другие парни. Похоже, по меркам Вилли Би, он, Оуэн, ее новый парень. Или нынешний. Или...

Оуэн вдруг понял, что никогда об этом не задумывался. Конечно, они шутили, что Оуэн был первой любовью Эйвери, но только и всего. А сейчас, после разговора с Фрэнни, а потом с Вилли Би, Оуэн вдруг увидел картину целиком.

Он никогда не приглашал Эйвери на свидание. Не водил ее в кино, на концерты, поужинать. Никогда не дарил ей цветы.

Ну да, он купил ей подарок, заработал несколько очков. Если Эйвери ведет счет, что вряд ли. Не тот она человек.

Почему-то каждый раз получается так, что она готовит ему еду. Конечно, Эйвери любит готовить, но это не совсем правильно. В общем, нужно прилагать больше усилий, если он хочет, чтобы их отношения стали серьезными. А Оуэну этого очень хотелось.

— Я ничего для нее не сделал, — признал он. — Огромное упущение.

Оуэн решил, что начнет все заново, повернулся к выходу и увидел на столике между дверями бутылку «Хайнекена».

— Как, черт возьми, ты это сделала?

Неприятный холодок пробежал по спине Оуэна, но он взял бутылку и сделал глоток.

— Даже не знаю, пугаться или радоваться... Спасибо.

Он отпил еще пива.

— Стою здесь, мерзну, пью пиво, которым меня угостило привидение, и разговариваю сам с собой.

Покачав головой, Оуэн закрыл дверь на террасу и, прихватив пиво, направился вниз, на поиски Эйвери.

Девушка разливала в гостиной шампанское.

— Где твое? — требовательно спросил Оуэн.

— А, вот и ты. Что мое?

— Шампанское.

— О, я уже выпила. Наверное, оставила бокал на кухне, когда меняла подносы.

— Ты здесь не для того, чтобы работать. — Он забрал бутылку, взял Эйвери за руку и повел к пустым бокалам. — Получай удовольствие.

Оуэн налил ей бокал шампанского.

— А я и получаю. У тебя ледяные руки.

— Выходил на воздух. Давай найдем место, чтобы присесть. Ты, наверное, валишься с ног.

— Тебе нужно общаться с людьми.

— Я уже пообщался. Теперь хочу немного побыть с тобой.

Оуэн наклонился и поцеловал Эйвери в губы.

Растерянно моргая, она уставилась на него. Конечно, их отношения не были тайной, но он впервые открыто поцеловал ее на людях. Еще они целовались на Новый год, однако в полночь все целуются, так что это не в счет.

Она чувствовала любопытные взгляды окружающих.

— У тебя все в порядке?

— Все замечательно. — Оуэн обнял ее за плечи, повернул к лестнице. — А как у тебя?

— Прекрасно. Я хотела проверить...

— Эйвери, не надо ничего проверять. Всего хватает, люди веселятся. Отдыхай.

— Я отдыхаю только тогда, когда что-нибудь делаю. Иначе у меня начинают чесаться руки.

— Почеши их, — предложил Оуэн.

— Эй, Оуэн!

К ним подошел Чарли Ридер, старый приятель и городской полицейский.

— Можешь помочь?

— В чем дело?

— Да твой двоюродный брат, Спенс. Уже готов. Весь вечер опрокидывал стакан за стаканом, а сейчас не отдает ключи от машины. Я пытался его уговорить, но что-то он разошелся. Не хочу его арестовывать, может, тебе удастся его успокоить.

— Да, конечно. Сейчас вернусь.

Потребовалось двадцать минут, чтобы угомонить Спенса, — тот с пьяной сентиментальностью обнимал родственника и глупо хихикал над своими попытками пройтись прямо и доказать собственную дееспособность. Плюхнувшись задом в третий раз, Спенс наконец отдал ключи.

— Я его отвезу, Оуэн, — сказал Чарли. — Нам все равно пора уходить — дети остались с няней. Прислоним Спенса к входной двери его дома.

— Спасибо.

Чарли немного помолчал, уперев руки в тощие бедра, окинул взглядом внутренний двор и террасы.

— Красотища! Я забронировал номер на нашу годовщину свадьбы в мае. Сюрприз для Чарлин.

— Какой номер?

— Ей, похоже, понравился с пологом над кроватью и огромной ванной.

— А, «Оберон и Титания». Хороший выбор.

— Хоуп уговорила меня на специальное предложение: бутылка шампанского, ужин на двоих и много чего еще. Все-таки десять лет, нужно отпраздновать по-особому.

— Хоуп все устроит.

— Ладно, давай помогу запихать Спенса в машину.

— Сам справлюсь. Иди за Чарлин, и спасибо за помощь.

— Не за что.

К тому времени, как Оуэн вернулся к гостям, толпа значительно поредела. Он снова отправился на поиски Эйвери, но его то и дело останавливали, чтобы попрощаться, поблагодарить за приятный вечер, похвалить гостиницу или пожелать удачи. Оуэн был признателен за все добрые слова, однако ему вдруг пришло в голову, что, хотя они с Эйвери стали парой, вот уже второй праздник подряд он ее почти не видит. А она все время работает, а не веселится с другими гостями.

Эйвери собирала со столов посуду в обеденном зале.

— Ты можешь побыть просто гостьей?

— Наверное, нет. Я обещала Хоуп и Кароли, что помогу убрать после приема. Классно получилось! Все отлично провели время, и гостиница понравилась. Уже бронируют номера.

— Да, я слышал. — Оуэн взял у нее тарелки. — Где твое шампанское?

— Куда-то поставила. Я только что отправила твою маму в библиотеку. Хотим отнести туда сыр, фрукты и крекеры. Никто из вас толком не поел. — Эйвери отобрала у Оуэна посуду. — Поднимайся, я скоро приду. Мне еще нужно забрать сумку из квартиры Хоуп, когда закончим уборку.

— Я сам заберу. Где она?

— За дверью, но квартира заперта.

— Возьму ключ.

Оуэн принес сумку, взял бутылку шампанского в ведерко со льдом, два высоких бокала и положил в карман ключ от номера «Ник и Нора». Оставив в номере шампанское, он отправился в библиотеку, где и нашел всю семью, включая родителей Клэр. Родственники опустошали подносы с едой.

— Я и не знала, что так проголодалась, — сказала Жюстина, взяв несколько крекеров. — А вот и мой пропавший сын.

— Спенс, — коротко ответил Оуэн. — Забирал у него ключи от машины. Пришлось уговаривать.

— Нужно было позвать меня, — заметила Жюстина. — Спенс меня слушается.

Оуэн взял горстку оливок и уселся на пол.

— Они пришли, увидели, мы победили.

— Еще как победили! — кивнул Бекетт, устроившийся с Клэр на диване в компании Жюстины и Вилли Би.

— Все закончилось, — вздохнула Жюстина. — Как подумаешь о последних двух годах...

— Ты бы взялась за это еще раз? — спросила Рози, мать Клэр.

— Не подавайте ненужных мыслей, — предупредил Райдер, закатив глаза к потолку.

— Нет, вряд ли. Такое случается раз в жизни.

— Слава богу!

Жюстина рассмеялась и толкнула Райдера ногой.

— Ладно, завтрашний день покажет. А сегодня... — Она подняла бокал. — За моих мальчиков, Райдера, Оуэна и Бекетта. Благодаря вам моя мечта стала явью.

Райдер положил ладонь на руку матери.

— Прекрасная мечта, — немного помолчав, произнес он. — А теперь сделай мне одолжение и поживи в реальности.

Жюстина только блеснула глазами, потягивая шампанское, и Оуэн заподозрил, что новая мечта у нее уже есть.

14

Разошлись поздно и неохотно. Эйвери предположила, что ее отец и Жюстина договорились об условном знаке, чтобы отправиться спать, не смущая своих детей. Вернее, детей мужского пола, так как сама она нисколько не смутилась. Ее отец неуклюже попрощался и вышел, Жюстина задержалась на несколько минут, затем тоже пожелала всем доброй ночи и удалилась. По негласному соглашению никто не заикнулся о том, что Жюстина и Вилли Би вместе проведут ночь в гостинице.

Войдя в номер «Ник и Нора», Эйвери широко раскинула руки, наслаждаясь неповторимой атмосферой арт-деко. Все отлично, решила она. Именно так, как должно быть.

Продлевая удовольствие, Эйвери отправилась осматривать номер и наткнулась на шампанское в ведерке со льдом.

— Ты стащил бутылку!

— Я предпочитаю слово «прихватил».

Эйвери улыбнулась, когда Оуэн хлопнул пробкой.

— Все как в сказке, вернее, в прекрасно поставленной пьесе, где у меня главная роль. Роскошный номер после великолепного приема, сексуальный парень предлагает шампанское... Думаю, у меня есть все, о чем только можно мечтать.

Оуэн подал ей бокал.

— Вот теперь действительно все.

— Тогда за то, чтобы все было! — Эйвери чокнулась и отпила шампанское. — Открытие прошло замечательно, правда? Столько довольных лиц и веселой болтовни!

— Да уж, и, похоже, ты была везде одновременно.

— Не могу сидеть на одном месте. — Она сняла туфли и поставила рядом с комодом. — Я должна все время двигаться, вдруг пропущу самое интересное?.. Ты куда-то уходил.

Оуэн снял галстук, который уже давно ослабил.

— Показывал гостиницу, потом пришлось закрыть дверь в номер «Элизабет и Дарси».

— Элизабет сегодня тоже развлекалась. Я несколько раз чувствовала ее запах.

— Наверху я случайно наткнулся на твоего отца. Он хотел мне сказать, что останется здесь на ночь, с моей матерью. Вдвоем. В номере «Элизабет и Дарси».

Эйвери хмыкнула, прислонилась к комоду и уставилась на Оуэна, потягивая шампанское.

— Я догадывалась.

— Он, как обычно, долго мялся. А я отчаянно пытался обуздать воображение и отогнать нежелательные образы. В общем, мы с твоим отцом справились.

— Хорошо. Я думала...

— Затем он стал допытываться насчет тебя.

— Он... что?

С лица Эйвери исчезла самодовольная улыбка.

— Здесь он уже не мялся. Когда дело касается его дочурки, он гораздо решительнее.

— Ради бога, Оуэн, — начала было Эйвери, затем склонила голову набок. — Впрочем, это даже мило. И забавно. Как прошло?

Оуэн разулся, поставил туфли рядом с туфлями Эйвери.

— Немного странно и слегка поучительно.

— Правда?

Эйвери явно наслаждалась разговором.

— И что он сказал?

— Пусть это останется между нами, мужчинами.

Эйвери закатила глаза.

— Ты — его Эйвери, — произнес Оуэн. — Я бы сказал, смысл его жизни. И мне ты тоже очень дорога.

Она улыбнулась.

— Приятно слышать.

— Очень дорога. — Оуэн поставил бокал, положил на плечи Эйвери ладони, провел вниз, до локтей, и обратно. — Наверное, я никогда не говорил тебе об этом и никак не показывал.

От серьезного вида Оуэна и пронзительного взгляда его голубых глаз Эйвери почувствовала, что теряет равновесие.

— Возвращаемся туда, откуда начали. Мы давно знали, что важны друг для друга.

— Возвращаемся, — согласился Оуэн и нежно, очень нежно коснулся губами ее губ. — Но сейчас — это сейчас, и все по-другому.

Эйвери откинула голову назад.

— Так лучше.

Намного лучше, подумал Оуэн, целуя Эйвери. Он почувствовал, как Эйвери отвечает на поцелуй, словно медленно скользит по склону, и понял, что хочет именно этого — долгого медленного скольжения.

Его всегда удивляло, какая нежная она на ощупь, какие мягкие у нее губы, кожа. Такая яркая, пылкая — и такая нежная... Ее душа тоже нежная и ранимая. Оуэн всегда знал об этом, но...

— Я люблю прикасаться к тебе, — прошептал он. — К твоей коже, губам. В твоих глазах отражается все, что ты чувствуешь.

Эйвери уперлась ладонями в комод сзади.

— Сейчас я чувствую, что у меня кружится голова.

Оуэн обхватил ладонями ее лицо и поцеловал. Его поцелуй был мягким, как кожа Эйвери, нежным, как ее сердце. А потом Оуэн подхватил ее на руки. У Эйвери перехватило дыхание. Она думала, что они будут весело дурачиться, но эта неожиданная нежность словно выбила почву из-под ног, заставила почувствовать себя слабой и робкой.

— Оуэн.

— У тебя такие маленькие руки. — Он положил Эйвери на кровать, взял ее ладонь, прижал к своей. — На вид они хрупкие и слабые, но не знают устали. И это удивительно. А теперь о твоих плечах.

Оуэн опустил одну бретельку.

— Такая белая и гладкая кожа, но они очень сильные. Им столько приходится выдерживать!

Опустив голову, он скользнул губами по ее плечу до впадины между ключицами.

Роскошь комнаты, аромат цветов, легкие, словно пух, прикосновения Оуэна. Эйвери почувствовала, как все тело уступает ему, поддается мгновению и этому новому дару, такому же неожиданному, как сверкающий ключик на ее шее. Оуэн ласкал ее с медленной, мучительной нежностью. Раньше никто к ней так не прикасался, ни с кем она не чувствовала себя такой... прекрасной и желанной.

Оуэн опустил вниз ее платье, провел дорожку поцелуев по обнаженной плоти, заставив Эйвери затрепетать под его губами и вздохнуть. Он смотрел, как свет играет в ее глазах, пока она их не закрыла, ощущал, как движется ее тело под его руками и губами. Чувствовал, как стучит ее сердце. Оно забилось чаще, когда Оуэн повел ее дальше, на грань наслаждения. Эйвери крепко вцепилась в Оуэна, когда оно достигло пика, а потом уронила руки на постель и замерла.

Раздеваясь, Оуэн смотрел на обнаженную, обессилевшую от удовольствия Эйвери и думал, что теперь все правильно.

Он вновь овладел ее губами, целовал до тех пор, пока у нее не перехватило дыхание, затем его рука скользнула вниз, и от дразнящего прикосновения Эйвери застонала.

Он скользнул внутрь, в жаркий влажный шелк. Оуэна трясло от мучительного, отчаянного желания, но он сдержался и начал медленно, размеренно двигаться, проникая все глубже и глубже. Восхитительно и мучительно. Он прижал ее руки к кровати и держал, пока один толчок следовал за другим. Воздух, казалось, сгустился и стал пульсировать в унисон ударам сердца. Оуэн видел только лицо Эйвери, когда произнес ее имя вслух. Или в мыслях, он так и не понял. Она открыла глаза, встретилась с ним взглядом. Чувствуя, что их руки и тела как будто стали единым целым, Оуэн прижался губами ко рту Эйвери, и они вместе заскользили по длинному, пологому склону.

* * *

Тихим утром Оуэн смотрел, как спит Эйвери. Редкое зрелище — она никуда не торопится.

Оуэн мысленно вернулся к самому началу строительства гостиницы, вспомнил споры, планы, бесчисленные встречи и собрания, воскресил в памяти долгие месяцы работы над проектом. Тогда он даже представить не мог, что проведет здесь первую ночь в постели с Эйвери.

А теперь все завершено, и гостиница, и первая ночь. Новый проект, новая стройка. И Эйвери, которая крепко спит рядом, разметав яркие волосы по белоснежной подушке. Что будет дальше?

И в жизни, и работе Оуэн всегда все планировал, предвосхищал, подсчитывал, но теперь, когда дело касалось Эйвери, он не мог ничего предугадать или рассчитать. Странно, ведь они хорошо знают друг друга. Разве это не значит, что все пойдет легко и просто? Впрочем, может, так оно и будет, решил Оуэн. К чему заранее тревожиться?

Он выскользнул из постели, немного удивившись, что Эйвери даже не шевельнулась. Осторожно открыл дверь в ванную, вошел, бросил довольный взгляд на стеклянную душевую кабину.

— Ну, детка, давай-ка тебя опробуем, — пробормотал он.

Оуэн протестировал насадку, имитирующую ливневый дождь, и, понюхав гель для душа с ароматом имбиря и зеленого чая, с огромным облегчением убедился, что аромат не слишком девчачий. Потом, свежий и бодрый, потянулся за пушистым банным полотенцем и понял, что ему срочно нужен кофе. С бритьем может подождать.

Он натянул джинсы, надел фланелевую рубашку поверх термобелья. Решив, что тяжелые ботинки будут стучать по ступеням лестницы, ограничился носками.

Эйвери по-прежнему спала.

Выскользнув из комнаты, Оуэн спустился вниз и не слышал ни звука, пока не свернул к кухне. Оттуда доносились вкусные запахи и приглушенные женские голоса.

— Доброе утро, милый! — Тетя Кароли, бодрая и деловитая, одарила его лучезарной улыбкой, удаляя излишки жира с жареного бекона. — Кофе?

— За любую цену!

Кароли вытянула губы, дождалась быстрого поцелуя племянника и взяла кофейник.

— Что это? — спросил Оуэн, показав на белые поварские кители на ней и Хоуп.

— Мы решили, что так выглядит лучше, — пояснила Хоуп. — Чуть аккуратнее и выше классом, чем фартуки.

— Мне нравится.

С ловкостью, достигнутой опытом, Оуэн стянул ломтик бекона, прежде чем Кароли успела хлопнуть его по руке. Тетушка погрозила пальцем.

— Не таскай! Завтрак через полчаса.

— Бекон-то уже готов!.. Как тебе «Пентхаус»?

— Почувствовала себя королевой. Хотя я чертовски устала, у меня хватило сил обойти весь номер и посидеть на всех стульях. — Покачав головой, она усмехнулась. — Словно во сне. Вспомнила, как мы с Жюстиной выбирали ткани для обивки, а теперь я на них сижу.

— А как ваш номер, Оуэн? — спросила Хоуп.

— Великолепно! Я даже пожалел, что у меня нет мягкой фетровой шляпы в гангстерском стиле. По-моему, все улеглись спать сразу после того, как мы разошлись. И наверняка спят до сих пор — я никого не слышал, пока спускался на кухню.

— Гостям разрешается встать попозже. Впрочем, если ты голоден, мы можем накормить тебя прямо сейчас.

— Не надо, я подожду, — отказался Оуэн, однако стащил еще один ломтик бекона, когда Кароли отвернулась. — Пожалуй, отнесу-ка я Эйвери кофе.

— Правда, он милашка? — умилилась Кароли, но тут же прищурила глаза, заметив, что Оуэн жует бекон. — И ворюга!

Хоуп налила кофе, добавила молока и сахара.

— Передай ей, пусть не торопится. Именно для таких случаев придумали мармиты.

Оуэн поднялся наверх, вошел в номер, заметил, что Эйвери повернулась во сне и теперь лежита на кровати по диагонали, и с улыбкой подумал, что, пусть и миниатюрная, она не упустит возможности занять почти всю постель.

Сев на краешек, он легонько поцеловал Эйвери в щеку. Безрезультатно. Погладил по руке — никакого ответа. Поняв, что нежность здесь не поможет, Оуэн ущипнул девушку.

— Ой! Что такое?

— Хотел проверить, что ты еще жива.

— Я... — Поворочавшись в постели, Эйвери потерла заспанные глаза. — Мне снился сон Гарри.

— Что?

— Гарри, сыну Клэр, иногда снятся странные, яркие сны. Мне приснился такой сон с зелеными жирафами в красных пятнах. Я верхом на жирафе участвовала в родео, одетая как Леди Гага. Это кофе?

— Да, то, что тебе сейчас нужно.

— Спасибо! А еще за мной гналась обезьяна из печенья, тоже верхом на жирафе. У нее были зубы!

— И часто у тебя такие сны?

— Слава богу, нет. Но мы же вчера выпили все шампанское. После, — добавила она с сонной улыбкой. — Вот и результат... О, ты уже одет. Который час? — Бросив взгляд на часы, она в ужасе распахнула глаза. — Черт! Уже почти восемь!

— Кошмар.

— Я должна была встать в семь, чтобы помочь Хоуп и Кароли с завтраком!

— Они сами управились. Успокойся. — Оуэн сел удобнее, чуть подвинув Эйвери, взял телевизионный пульт. — Вот, смотри.

Он включил телевизор.

— Мы можем валяться в постели, пить кофе и следить за тем, что творится в мире.

— Я слышала о подобной концепции. — Эйвери откинулась на подушки рядом с Оуэном, отпила кофе. — Мне нравится. Хорошо!

— Да, очень.

Оуэн обнял Эйвери, прижался к ее бедру своим.

— Все уже встали?

— Никто еще не встал.

Она немного успокоилась.

— Тогда я не буду чувствовать себя виноватой. Как будто у меня маленькие каникулы.

— Длиной в утро?

— Мне достаточно.

Мысль о каникулах вдохновила Оуэна, и он спросил:

— Почему бы нам их не продлить? Пойдем сегодня в кино?

— Сегодня моя очередь закрывать пиццерию.

— Тогда завтра.

— Что ты хочешь посмотреть?

— Что-нибудь выберем.

— Только не ужастик... и без обезьян.

— Договорились. Заеду за тобой примерно в шесть, хорошо? Сперва где-нибудь перекусим.

— Похоже на план.

Оуэн мысленно согласился. Весьма недурной.

* * *

Морозным днем в самом начале февраля Эйвери в весеннем настроении сидела сзади в машине Клэр и при помощи мобильного телефона искала свадебные платья.

— Ну почему я так тянула, — беспокойно твердила Клэр с переднего сиденья. — Следовало заняться поисками еще до праздников!

— У нас полно времени, — успокаивала ее Хоуп. — Это замечательный бутик. А если не найдешь там ничего подходящего, на примете есть еще парочка.

— Только не белое. Мое платье не должно быть белым.

— Все невесты имеют право на белое, — возразила Хоуп. — Более того, все невесты имеют право на любой цвет, стиль и наряд, какой им только понравится. Никаких ограничений!

— Нужно было остановиться на скромном семейном торжестве...

— Бекетт женится в первый раз. — Продолжая поиски в Интернете, Эйвери перечислила все доводы, которые уже приводила Клэр. — Мальчики в восторге от предстоящего события. Ты хочешь что-нибудь особенное и запоминающееся. Гостиница прекрасно подходит для подобных мероприятий. Продолжать?

— Нет. — Клэр оглянулась через плечо. — Нашла что-нибудь?

— Прости, я все время отвлекаюсь на роскошные белые платья. Вот, посмотри. Это же произведение искусства!

Она показала Клэр экран телефона.

— Великолепно подходит для первого замужества и для людей с неограниченным бюджетом. Ты только взгляни на этот шлейф и бисерную вышивку! А какая длиннющая юбка!

— Мне нравится, только я бы с таким не справилась. — Эйвери покачала головой. — Я же в нем утону!

Хоуп бросила на нее взгляд через зеркало заднего вида.

— Мы с Клэр чего-то не знаем?

— Что я маленького роста?

— О вас с Оуэном и о свадебных платьях.

— О ком?.. Нет! — Эйвери забрала телефон, последний раз посмотрела на платье и перешла на другую страницу. — Любая женщина непроизвольно представляет себя в свадебном платье, когда ей приходится их искать.

— Но у вас все хорошо, — сказала Клэр, поворачиваясь к ней.

— Просто замечательно! Несмотря на занятость, смогли пару раз выбраться в свет. Ну, вы знаете, в такие места, где тебе приносят еду, которую приготовил кто-то другой. А еще я опробую на Оуэне блюда из меню будущего ресторана. Он — прекрасный испытуемый.

— А как насчет трепета в груди? — спросила Хоуп.

— Все еще чувствую. Только теперь и сердце замирает. Приятно, хотя я немного волнуюсь.

— Понимаю, — улыбнулась Клэр.

— Это не как у вас с Бекеттом.

— Почему?

— Потому что это я и Оуэн, а мы... Не знаю, как объяснить. Как бы то ни было, сегодня ты главная.

— У нас еще целый день, — напомнила Клэр.

— И он начинается прямо сейчас! — Хоуп ловко припарковалась на крошечном пятачке. — С местом повезло, значит, все сложится удачно. Бутик вон там.

— О, взгляните-ка! — Сквозь стекло витрины Клэр уставилась на роскошное сверкающее платье из белоснежного шелка. — Жаль только, слишком торжественное, больше подходит для первого бракосочетания. Вряд ли у них есть что-нибудь для меня. Я не хочу...

— Доверься мне.

Хоуп вытащила ключ зажигания. Эйвери толкнула дверь со своей стороны.

— Даже если ты не хочешь, я не упущу возможности здесь порезвиться.

Прежде чем Клэр успела возразить, Эйвери выскочила из машины, распахнула переднюю дверь и вытащила подругу.

— Будет весело!

Так оно и было.

Мерцание и блеск всех оттенков белого, цвета слоновой кости и кремового, ярды тюля, акры бисерной вышивки... Эйвери, в джинсах и высоких сапогах, нахлобучила фату, приняла позу. М-да, словно вулкан из тюля на голове.

— Ну-ка, отойди оттуда!

Услышав приказной тон, Клэр отдернула руку.

— Очень красивые и элегантные костюмы...

— Никаких костюмов! Они годятся только для матери невесты или жениха.

— Но...

— Слишком сдержанно, — поддержала Хоуп, скрестив руки на груди. — Ни за что.

— Я не надену ничего чересчур торжественного или вычурного. Хочу чего-нибудь попроще.

— Будет тебе простое платье, — понимающе кивнула Эйвери. — Желание невесты — закон.

— Тогда...

— Никаких костюмов.

— Мне понравился зеленый.

— Очень милый, — согласилась Хоуп. — Если хочешь пойти на дамское чаепитие или принять участие в политической кампании по сбору средств.

Вдвоем с Эйвери они отвели Клэр от стойки с костюмами.

— Давайте найдем платья для вас, — предложила Клэр. — А я уже буду отталкиваться от вашего выбора.

— Соберись, Клэр. Главное — твое платье, наши должны ему соответствовать.

Так и не сняв вуаль, Эйвери направилась к другой секции.

Начальные предложения были признаны чересчур вычурными, чересчур белыми или чересчур клубными.

— Нет, только не розовое.

— Оно не ярко-розовое, — убеждала Эйвери. — Скорее, розоватое. И посмотри на подол!

— Мне нравится. — Поджав губы, Хоуп внимательно изучила платье. — Асимметричный подол красиво ниспадает, не доходя до колена одной ноги и закрывая другую до середины лодыжки.

— Даже не знаю. Я...

— Ты должна что-нибудь примерить. Еще один закон, мой, — отрезала Эйвери. — Сейчас подберем еще несколько и займем примерочную.

— Ты права. Ты права, а я зануда. Вот это платье, это... — Клэр показала на то, что держала Хоуп. — Еще это — и зеленый костюм. Я должна примерить зеленый костюм.

— Справедливо. Держи. — Хоуп вручила платья Эйвери. — Я принесу костюм.

Явно заметив, что покупательницы пришли к какому-то решению, продавец отвел их в примерочную, развесил платья и предложил воду.

Клэр начала с зеленого костюма.

— Ну, ладно, разделайся с ним поскорее, — заметила Эйвери, пожав плечами, и сделала глоток содовой с лимоном.

— У него классический крой, и цвет мне идет, — упорствовала Клэр, надевая костюм. — К тому же погода в апреле переменчивая, так что жакет будет кстати.

Она повернулась, изучая свое отражение в тройном зеркале.

— Изумительный зеленый оттенок подчеркивает цвет моих глаз. А если подобрать туфли... Правда, не очень романтично.

— Совсем не романтично. Да, красивый костюм, — согласилась Хоуп. — Но тебе нужно другое, Клэр.

— Признаю поражение. Теперь голубое платье... Приятный, спокойный цвет, и фасон ничего.

Дождавшись, пока Клэр переоденется, Эйвери поставила бокал с водой, встала с плюшевого диванчика и обошла подругу со всех сторон.

— Намного лучше. Цвет потрясающе смотрится с твоими волосами.

— Мне нравится кокетливо развевающийся подол и воланы сзади. Можно взять это платье, — размышляла вслух Клэр. — Подобрать к нему туфли с блестками...

— Ты в нем не сияешь. — Хоуп покачала головой. — Когда надеваешь *то самое* платье, то словно светишься изнутри. Хотя тебе идет. Ты в нем такая тоненькая, и оно открывает ноги. Давай отложим его — как вариант.

— Отличная идея! Пусть будут варианты и те, что не подходят.

Клэр примерила еще одно платье, бледно-золотистого цвета, которое все трое сразу же отвергли.

— А теперь розовое. — Эйвери прищурила глаза, заметив выражение лица Клэр. — Мы договорились.

— Ну, хорошо, хорошо, но розовый цвет — это уже перебор. К тому же оно без бретелек, а я не хочу слишком открытое.

— Бла-бла-бла, — передразнила ее Эйвери, застегивая молнию.

— Я не вредничаю, просто оно... Ох.

Клэр уставилась на свое отражение. Она сияла.

— Клэр, — выдохнула Хоуп, глядя на будущую невесту. — Ты потрясающе выглядишь! Этот цвет изумительно смотрится на твоей коже. А линия подола... такая романтичная и классная!

— Ну-ка, повернись! — скомандовала Эйвери. — Ух, только посмотрите, как оно развевается! А какая спинка с перекрещивающимися ремешками — довольно сексуально. И оно слегка поблескивает. То, что нужно.

— Романтичное и красивое платье. Мое. Никаких «вариантов». Я выхожу за Бекетта Монтгомери в этом платье.

— Нужно проверить, как оно смотрится с туфлями, пусть даже не самыми подходящими, — сказала Хоуп и бросилась к двери. — Подожди.

— Повернись еще раз, — велела Эйвери.

Клэр рассмеялась и сделала пируэт.

— В нем я чудесно себя чувствую! Ты была права!

— Люблю, когда такое случается.

— Нужно поднять волосы. Как считаешь? — Экспериментируя, Клэр собрала волосы и подняла вверх. — Никакой фаты. Просто заколка с блестками.

— Ты выглядишь такой счастливой!

— А я счастлива! Хочу когда-нибудь сделать для тебя и Хоуп то, что вы делаете для меня. Хочу покупать с вами ваши свадебные платья и знать, что вы так же счастливы, как я сейчас.

— Я тоже этого хочу.

В подобные минуты Эйвери верила, что так оно и будет. Она узнает эту радость и веру, сделает этот шаг.

Она достала мобильник.

— Давай я тебя сфотографирую. Отправим фотографию твоей маме и Жюстине.

— Ты права, они должны это видеть.

— Спереди и сзади.

Эйвери сделала снимки. Когда она пересылала их адресатам, в примерочную вошли Хоуп с продавцом, нагруженные обувными коробками. И началось счастливое безумие.

* * *

По дороге домой после бесконечной череды платьев, туфель, аксессуаров — и кое-какой одежды для медового месяца — Эйвери вытянулась на заднем сиденье и отправила сообщение Оуэну:

«Заехали поужинать и обсудить дневную добычу. Твоя будущая сноха потрясающая невеста, Бек обалдеет. Ее спутницы тоже не подкачают. Еду домой. Извини, что позже, чем планировалось».

Клэр повернулась, услышав сигнал телефона Эйвери.

— Что пишет Оуэн?

— Что Бекетт балдеет с тех пор, как впервые тебя увидел. Это насчет обалдения. Еще он спрашивает, не заеду ли я к нему.

— А ты что? — спросила Хоуп. — Могу тебя подбросить.

— Завтра с утра мне нужно в Хейгерстаун за продуктами, а потом я встречаюсь с Бекеттом в помещении нового ресторана, — ответила Эйвери, одновременно набирая сообщение Оуэну. — К тому же я знаю, что Оуэн сейчас занят поисками Билли.

— Друга Элизабет?

— Да. Пока ничего не нашел, но и задача не из легких. Думаю, я поеду домой и лягу спать, все равно уже одиннадцать. Еще он пишет, что скучает.

— О!

— Знаю я, знаю! Трепет в груди. Завтра я работаю до четырех, однако могу взять все необходимые ингредиенты, когда поеду за покупками, а вечером приготовить Оуэну что-нибудь из будущего меню, если, конечно, он захочет. А он захочет, — объявила Эйвери. — У меня завтра свидание!

— Клянусь, ты выглядишь так, словно тебя по голове мешком ударили! — заметила Хоуп.

Эйвери только ухмыльнулась.

— Я и чувствую себя так. Какой чудесный день!.. Позвоню Оуэну, когда лягу в постель.

— Для секса по телефону?

Эйвери улыбнулась еще шире.

— Возможно. Что посоветуешь?

— Говори низким голосом и медленно.

— Просто кладезь мудрости! — Эйвери выпрямилась, заметив, что Хоуп остановила машину за «Вестой». — Господи, какой день!

Она наклонилась вперед, поцеловала обеих подруг.

— Мне очень понравилось! Обожаю вас! Открой багажник, я знаю, какая из сумок моя.

— Передай Оуэну... *привет.* — Последнее слово Хоуп произнесла с придыханием. — От нас.

— Не выйдет, я буду передавать приветы от себя самой. Все было прекрасно и замечательно. Увидимся завтра.

Достав сумку, Эйвери захлопнула багажник. Помахала на прощание подругам и поспешила к задней двери. Не получилось вернуться до закрытия, как она рассчитывала, ну и ладно. Она не станет заходить в пиццерию и проверять. Усилием воли Эйвери заставила себя пройти мимо запертой задней двери «Весты» и повернула к лестнице.

На ступеньках сидела женщина.

Эйвери застыла там, где стояла, инстинктивно зажав между пальцами один ключ из связки. Мысленно перебрала возможные варианты действий, пока женщина поднималась на ноги.

Эйвери была молодой, сильной и, если нужно, быстрой.

— Ресторан закрыт, — спокойно произнесла она.

— Знаю. Я ждала тебя.

— Если вы ищете работу, приходите завтра в рабочее время. А сейчас...

— Ты меня не узнала?

Незваная гостья шагнула вниз, Эйвери насторожилась.

— Я твоя мать.

В тусклом свете огоньков сигнализации Эйвери всмотрелась в лицо женщины. Теперь она ее узнала, конечно, это она, ее мать. Столько лет прошло с тех пор, когда Эйвери видела ее в последний раз! Все было так давно и так далеко.

Вопреки ожиданиям, в душе Эйвери ничего не всколыхнулось. Она словно утратила способность чувствовать.

— Что тебе нужно?

— Хотела тебя увидеть. Может, зайдем к тебе, поговорим?

Эйвери молча поднялась по ступенькам, открыла входную дверь. И вдруг поняла, что сейчас чувствует. Страх.

15

Эйвери поставила сумку с покупками, сняла пальто и шарф, аккуратно повесила на спинку стула. Не говоря ни слова, встала рядом.

— Как мило! — воскликнула мать с нервным воодушевлением. — У тебя хорошая квартира. Я заходила в твой ресторан. Потрясающе, просто потрясающе! Все очень профессионально.

«Ей нужно покрасить корни волос», — злорадно подумала Эйвери, нисколько не смущаясь мелочной и жестокой мысли. На Трейси Мактавиш — или как там ее сейчас звали — были джинсы в обтяжку, ярко-красное пальто и черный свитер. Эйвери показалось, что фигура у матери скорее костлявая, чем стройная, узкое лицо слишком тщательно накрашено, а коротко стриженные белокурые волосы не скрывают отросших темных корней.

— Что тебе нужно? — повторила она.

— Хотела тебя увидеть. Господи, детка, ты такая красивая! Мне нравятся твои волосы. Я так боялась, что ты останешься рыжей, как Хауди-Дуди, и с брекетами на зубах[1]. А теперь посмотри на себя! Я просто...

— Не нужно. — Эйвери отшатнулась, когда Трейси шагнула к ней. — Ты не на ток-шоу с Опрой Уинфри.

Трейси опустила руки, потупила взгляд.

— Знаю, я не заслуживаю твоего внимания, милая. Я рада тебя увидеть, такую взрослую и красивую. Я поняла, что потеряла. Может, присядем? Посидим вместе пару минут?

— Не хочу я сидеть.

— Ты на меня сердишься. — Трейси расправила плечи как доблестный патриот перед расстрельной командой. — Я тебя не виню. Я поступила глупо, эгоистично и дурно. Мне очень жаль, Эйвери.

— Ах, тебе жаль! — Не сдержав гнева, Эйвери щелкнула пальцами. — Щелк. Теперь все в порядке.

— Нет. К сожалению, ничего не исправишь. Я совершила ужасную ошибку. Я просто... просто хотела тебя увидеть, — выдавила Трейси, в уголках ее глаз блеснули слезы. — Подумала, что теперь ты взрослая и сможешь меня понять.

— Что понять?

— Почему я ушла. Я была так несчастлива! — Мать вытащила из сумочки салфетку, села на стул и разрыдалась. — Никто не понимает, через что я прошла! Никто не может понять, каково мне пришлось! Со стороны трудно разглядеть, что происходит в семье.

---

[1] Хауди-Дуди (Howdy Doody) — кукла-марионетка, изображающая рыжего веснушчатого мальчика, персонаж телевизионной программы для детей 1947—1960 годов.

— О, полагаю, ребенок в этой семье видит довольно много. Ты не просто ушла, ты бросила свою дочь.

— Знаю, *знаю*, но я не могла остаться. Ты всегда была больше папиной дочкой, а не моей, так что...

— Осторожнее в выражениях, когда говоришь о моем отце!

— Я не скажу ничего плохого.

Трейси вытащила еще одну салфетку, похоже, подготовилась к разговору заранее.

— Он хороший человек. Наверное, слишком хороший. Я не должна была выходить за него замуж. Моя ошибка.

— Видимо, ошибки для тебя — привычное дело.

— Я была такой юной, детка. Мне едва исполнилось девятнадцать. И я думала, что люблю его. Правда, думала. А потом забеременела, и замужество показалось лучшим выходом. Мои родители очень рассердились, когда я им сказала. Ты не представляешь, как я испугалась.

Возможно, Эйвери и пожалела бы молодую женщину, оказавшуюся в подобных обстоятельствах, но сейчас все сочувствие исчезло, не успев оформиться. Она вспомнила деда, такого доброго и терпеливого, снова увидела в его глазах появившуюся под конец жизни печаль по утраченной дочери. А бабушка, сильная и любящая, всегда была незыблемой опорой семьи.

— Они тебя выгнали? Угрожали?

— Они...

— Осторожнее, — предупредила Эйвери.

— Они *осуждали* меня. И сказали, что если я заведу ребенка, то должна буду заботиться о нем, и...

— Подумать только! Ждали, что ты возьмешь на себя ответственность.

— Они были строги ко мне. Всегда. Останься я дома, они бы день и ночь меня пилили.

— И замужество стало выходом.

— Вовсе нет. Мне было девятнадцать. Я думала, что хочу замуж, семью и свой дом. А Вилли Би был высоким, красивым и очень заботливым. Нашел для нас жилье и все такое. Буквально носил меня на руках, когда я была в положении. Я пыталась, я изо всех сил пыталась следить за домом, готовить и заботиться о тебе, когда ты появилась на свет. Ты была очень капризным ребенком, Эйвери.

— Мне стыдно.

— Я не это имела в виду. Мне и двадцати не исполнилось, когда ты родилась, и столько всего нужно было делать!

— Как я понимаю, отец бездельничал.

Трейси фыркнула и поджала губы.

— Конечно, нет! Я не собираюсь тебе врать. Он много чего делал по дому и по ночам носил тебя на руках, чтобы убаюкать. Он был очень хорошим отцом.

— Знаю. Он и сейчас хороший отец.

— Я старалась изо всех сил, клянусь! — Промокнув глаза, Трейси прижала руки к сердцу. — Но видит бог, дел все прибавлялось и прибавлялось! А еще ты рано начала ходить и везде совалась. Я ничего не успевала. Даже потом, когда я нашла работу и отдала тебя в детский сад, нужно было столько всего делать, и всегда одно и то же. А он захотел еще ребенка. Господи, он хотел много детей, и я не выдержала. Когда я сделала аборт...

Эйвери показалось, что ее ударили по лицу.

— Ты делала аборт?

Распухшее от слез лицо Трейси побледнело.

— Я думала, он тебе рассказал.

— Нет.

— Тебе было три года, Эйвери, и ты доставляла столько хлопот! Я снова забеременела, хотя предохранялась. Я просто не могла пройти через все это еще раз. Не могла! Вот и избавилась от ребенка. Я не хотела говорить твоему отцу, но как-то мы поругались, и все вышло наружу.

— Ты прервала беременность, ничего ему не сказав?

— Он бы стал меня отговаривать, а я уже все решила. Это мое тело и мой выбор. Ты женщина и должна его уважать.

— Я уважаю право на выбор. Но какой выбор был у моего отца? Где было твое уважение? Твой муж, отец ребенка... а ты приняла решение, ничего ему не сказав. Или ты забеременела не от него?

— Конечно, от него! Я ему не изменяла.

— Тогда.

Трейси уставилась на мокрую, измятую салфетку.

— Не изменяла. И мне хватило одной беременности. Меня здорово разнесло и почти все время тошнило, когда я была беременна тобой. Я не хотела больше детей. Мне сделали аборт, перевязали трубы, и на этом все закончилось.

— Для тебя, — пробормотала Эйвери.

— Твой отец страшно рассердился, когда узнал. Наши отношения становились все хуже и хуже. Он тоже был несчастлив, и это не моя вина. Мы просто были несчастливы. Я ходила к консультанту по брачным отношениям, твой отец настоял. Никто не скажет, что я не пыталась сохранить семью. Чувствовала себя загнанной и несчастной и все равно пыталась.

— Неужели?

— Двенадцать лет. Довольно долго, и все это время меня заставляли стать другим человеком.

— Женой и матерью.

— Я не хотела день за днем работать в торговом центре. Я ненавидела наш городок и все, имеющее к нему отношение. Жизнь проходила мимо, и я не могла за ней угнаться.

— Поэтому начала заводить любовников.

— Так получилось.

— Думаю, секс с посторонними мужчинами происходит вполне осознанно.

— Всего два раза, пока я не встретила Стива. Я была несчастлива. Мне хотелось большего, хотелось чего-нибудь для себя.

— Значит, ты изменяла мужу, чтобы скрасить скучную жизнь жены и матери. А когда тебе и этого стало мало, просто ушла.

— Можно воды? Пожалуйста.

Эйвери зашла на кухню, прямо из-под крана наполнила стакан. Постояла, глубоко дыша, с закрытыми глазами, пока не почувствовала, что успокоилась.

Трейси сняла красное пальто, положила на колени и теперь сидела со слезами на глазах, комкая в руке салфетку.

— Спасибо. Понимаю, ты меня ненавидишь.

— Я тебя знать не знаю.

— Я была с тобой почти до двенадцати лет, Эйвери. Заботилась о тебе, делала все, что в моих силах.

— Не так уж много ты делала. Печально для нас обеих. Так или иначе, с тех пор прошло много лет. Ты ни разу не написала, не позвонила, не приехала. Ни разу.

— Я не знала, позволит ли твой отец...

— Осторожнее! Я тебя уже предупреждала, больше повторять не буду.

— Хорошо, хорошо. — Мать опустила взгляд, разгладила пальто. — Наверное, мне казалось, что я не должна, не имею права. Вилли Би хотел, чтобы мы и дальше ходили к семейному психологу, но это только бы все затянуло. Пойми, Эйвери, я его не любила. Нельзя прожить без любви. Я знаю, что он думал: мы должны попытаться, ради ребенка. Однако ты бы выросла, и все, а что было бы со мной? Постаревшая, осталась бы в этой дыре. Не прожив свою собственную жизнь. Ни я, ни твой отец не были бы счастливы. Так стоило ли продолжать?

— Ты хотела свободы. Прекрасно. Хотела жить своей жизнью. Замечательно. Но есть такое понятие, как развод. Конечно, это тяжело; я слышала, что разводы бывают весьма болезненными и неприятными для всех участников. Тем не менее так делается в цивилизованном мире, где женщины не бросают дом, мужа и детей, не сказав ни единого слова.

— Я просто... — Трейси шмыгнула носом, отставила пустой стакан. — Я была влюблена! Я никогда не испытывала таких чувств. Признаю, я поступила плохо. Следовало все честно рассказать Вилли, а не изменять ему. Он не заслужил такого отношения... но, милая, он не хотел того, чего хотела я. Я не могла стать такой, какой он меня видел. А тут еще Стиву подвернулось прибыльное дело в Майами, и ему пришлось уехать. Я должна была поехать с ним.

— Ты жила в Майами.

— Сначала. Я чувствовала себя загнанной, и бегство с любимым человеком показалось таким романтичным и восхитительным! Я знала, что твой папа позаботится о тебе.

— Хватит. Ты забыла обо мне, как только вышла за порог.

— Неправда! Я дурно поступила, но я думала о тебе! И очень гордилась тобой, когда узнала, что у тебя свой ресторан.

В мозгу Эйвери зазвенел тревожный звоночек.

— Откуда ты узнала?

— Время от времени искала информацию о тебе в Интернете. Столько раз я начинала писать тебе письма! Я очень расстроилась, услышав о смерти Томми Монтгомери. Они с твоим отцом были словно братья. Жюстина меня недолюбливала, но была ко мне добра. Я ей сочувствовала.

— Это и есть твой уровень материнской любви? Периодический поиск в Интернете?

— Я была не права. Знаю, ты меня не простишь, но хочу, чтобы ты меня поняла.

— Какая разница, пойму я сейчас или нет?

— Может, ты дашь мне шанс и мы лучше узнаем друг друга...

— А что случилось со Стивом? Любовью всей твоей жизни?

Лицо Трейси исказилось, она вновь всхлипнула и полезла за салфетками.

— Он... он умер. В ноябре. Взял и умер. Все это время мы были вместе. Часто переезжали из-за его работы. Конечно, у него были свои недостатки, но я любила его, и мы были счастливы. А теперь его нет, и у меня никого не осталось.

— Мне жаль, честно. Но я не смогу его заменить и не собираюсь. Ты сделала свой выбор, вот и живи с ним.

— Я не могу жить одна. Можно мне остаться у тебя? Ненадолго, всего лишь на пару недель.

— Здесь? — Эйвери от изумления открыла рот. — Ни в коем случае! Семнадцать лет от тебя не было ни слуху ни духу, и ты хочешь, чтобы тебя встретили с распростертыми объятиями? Давай, продолжай жить своей жизнью. В моей жизни для тебя места нет.

— Не будь такой жестокой.

— Почему? Может, это у меня наследственное.

— Всего лишь пару недель. Я не знаю, что делать, куда податься.

— Что хочешь, куда хочешь.

— Мы с тобой родные люди, Эйвери.

— Ты — женщина, которая меня бросила и даже не вспоминала о моем существовании. А теперь осталась одна и внезапно объявилась. Объявилась потому, что осталась одна, а не потому, что хочешь меня узнать, или что ты там еще придумала.

От очевидности своих слов Эйвери почувствовала, что очень устала.

— В общем, как всегда: ты думаешь только о себе. Все, я тебя выслушала, с меня хватит. Уходи.

— Мне некуда идти.

— Мир большой, выбирай.

— Можно я у тебя переночую? Одну ночь...

— Ты на мели, — осенило вдруг Эйвери.

— У нас были... финансовые потери. Все пошло не так... Да, мне нужна помощь, чтобы встать на ноги.

Все, все свелось к одной-единственной неприглядной сути.

— Господи, да что ты за человек?.. Деньги? Ты хочешь, чтобы я дала тебе денег?

— Я тебе верну. Мне бы только несколько тысяч долларов, продержаться.

— Даже если бы у меня были лишние несколько тысяч, тебе бы я ничего не дала.

— У тебя свое дело. — Трейси махнула в сторону сумки с покупками. — Ты ходишь по дорогим магазинам. Значит, можешь найти немного денег и взаймы. Не заставляй меня унижаться и умолять, Эйвери, пожалуйста. Потому что я буду. У меня серьезные неприятности.

Эйвери схватила свою сумочку, открыла бумажник, вытащила, не считая, купюры.

— Вот, держи. Больше ты ничего не получишь, никогда. А теперь убирайся прочь и держись от меня подальше! Не желаю тебя больше видеть.

— Ты не знаешь, что такое остаться одной, когда у тебя никого нет...

— Ты права. Мой отец об этом позаботился. — Эйвери подошла к двери, открыла настежь. — Я сказала, убирайся.

Трейси пошла к выходу, на миг остановилась.

— Прости.

Заперев дверь, Эйвери прислонилась к ней, затем сползла на пол — тело сотрясала дрожь. Прислушалась к шагам, удаляющимся вниз по лестнице, и только после этого позволила себе разрыдаться.

* * *

Под выдуманным предлогом Эйвери отложила свидание с Оуэном. Изменения в графике, много работы — Эйвери даже не стала разговаривать с ним лично, отправила сообщение. Не хотелось делать счастливое лицо, прятать душевную боль, сомнения и тяжелую злобу. Не хотелось ни с кем разговаривать. И она избегала друзей, с головой погрузившись в работу. Однако в маленьких городках друзья имеют обыкновение докапываться до сути.

Эйвери нанизывала на вертел мясо для шаурмы, когда вошел Оуэн и уселся на табурет за стойкой. Эйвери торопливо кивнула, надеясь, что этот жест сойдет за вымученную улыбку.

— Как жизнь?

— Бьет ключом. Последние пару дней нет ни минуты, чтобы передохнуть.

— Да, ты говорила. Может, сейчас передохнешь?

— У меня дел невпроворот.

— Неужели?

Оуэн крутанулся на табурете, оглядел ранних посетителей, насчитал два занятых столика.

— Мне нужно провести инвентаризацию, — тут же нашлась Эйвери. — Посуда побилась.

Лучше поменять тему разговора, решила она.

— А как дела в здании через дорогу?

— Полным ходом. Я думал, ты сама зайдешь, посмотришь.

— Обязательно, как только найду свободное время.

Эйвери установила вертел с мясом, вытащила из печи пиццу, нарезала.

— Что ты будешь? — спросила она, орудуя ножом.

— Мясо выглядит неплохо.

— Гарантирую.

Оуэн поднялся за прохладительным напитком, затем вновь сел.

— У тебя все в порядке?

— Ну, погода могла бы быть и получше, и пара лишних часов в сутках тоже бы не помешала. А в остальном все великолепно.

— Эйвери.

Оуэн произнес это таким тоном, что Эйвери подняла голову и встретилась с ним взглядом.

— Что? У меня сейчас много работы. Ты же знаешь, как это бывает.

— Знаю. Потому и спрашиваю.

— А я говорю тебе, что все нормально. Мне нужно следить за пиццерией. Еще надо найти нового курьера — тот, которого недавно приняли на работу, курил марихуану в подвале, и я его застукала. Пересматриваю бизнес-план для нового ресторана, необходимо разобраться с освещением и мебелью, расширить меню, помочь Хоуп устроить девичник для Клэр. Нужно сменить шины, а мой поставщик сказал, что сыр подорожает.

Выпалив все одним духом, Эйвери решила, что у нее есть масса причин не сдерживаться и нервничать.

— В общем, совершенно некогда готовить для тебя и развлекаться.

— Я понял и говорю не об этом.

— А о чем тут говорить? У меня много дел, только и всего.

Эйвери хотела достать сковороду и случайно задела рукой раскаленную духовку.

— Черт!

Пока она закрывала дверцу духовки и поворачивалась, Оуэн оказался с другой стороны стойки. Эйвери отпрянула, но он схватил ее за запястье.

— Покажи.

— Ничего страшного, бывает.

— Где аптечка?

— Мне нужно алоэ. Вот поэтому я и выращиваю его на кухне. Дай-ка...

Оуэн просто затащил ее на кухню, где работала Фрэнни. Прежде чем та успела что-либо сказать, Оуэн кивком головы велел ей выйти.

— Отпусти! — возмутилась Эйвери. — Я знаю, как лечить ожоги. Меня ждут клиенты!

— Немедленно прекрати.

Резкий, как удар кнута, тон, столь не типичный для Оуэна, остановил протесты Эйвери. Она ничего не сказала, когда Оуэн повернул кран и сунул под холодную струю ее руку.

— Ты была невнимательна. Не похоже на тебя.

— Может, помолчишь? — буркнула Эйвери и упрямо выдвинула подбородок, когда Оуэн посмотрел на нее сверху вниз. — Я сама справлюсь. Подумаешь, ожог.

— Волдыря не будет. Почему ты такая рассеянная?

— О, господи! У меня мозги забиты, дел невпроворот, вот и не рассчитала. В конце концов, не палец же я себе отрезала!

Оуэн держал руку Эйвери под холодной водой и вглядывался в ее лицо.

— Видел я тебя и с забитыми мозгами, и когда у тебя дел невпроворот. Зря ты считаешь, что я не замечаю происходящего. У нас с тобой какие-то проблемы?

— Сейчас будут.

— Не убирай руку, — велел Оуэн и оторвал листок алоэ. — Как я понимаю, когда ты возвращалась домой с Клэр и Хоуп, все было в порядке.

Он разрезал толстый листок, выскреб мякоть.

— А на следующий день ты отменяешь встречу и не находишь времени, чтобы перекинуться парой слов.

Оуэн взял с подноса ложку, размял алоэ.

Кто бы сомневался, что он знает толк в домашних лечебных средствах! Глядя на снисходительно-уверенные действия Оуэна, Эйвери захотелось ткнуть его в бок вилкой.

— Давай-ка посмотрим. — Он выключил воду, аккуратно вытер руку Эйвери, внимательно осмотрел ожог. — Неплохо.

— Я же говорила тебе, что ничего серьезного.

— Еще ты говорила, что все в порядке, а это не так. Стой спокойно.

Тщательно и осторожно он смазал ожог размятым алоэ. На глаза Эйвери навернулись слезы.

— Значит, что-то произошло между возвращением домой и следующим днем. Что именно?

— Наверное, я поняла, что слишком много на себя взяла и нужно определить приоритеты. Организоваться. Мы словно разогнались от нуля до ста километров... Ну ладно, от тридцати до ста, — уточнила она под взглядом Оуэна. — Мне необходимо время, чтобы во всем разобраться и навести порядок. И новый ресторан требует внимания, если, конечно, я хочу, чтобы он заработал. А я чересчур увлеклась личной жизнью и запустила работу.

— Возможно, однако дело не только в этом. Эйвери, нам нужно поговорить.

— Не самое подходящее время. Я работаю. И...

— Согласен. — Оуэн достал из аптечки бинт, наложил на ожог сухую повязку. — Мы еще найдем время. Не забудь попросить кого-нибудь сменить тебе повязку.

Какой-то миг Оуэн изучал лицо Эйвери, потом наклонился и поцеловал ее в губы.

— Ладно, — кивнул он, не отводя от нее взгляд. — Ладно, я возьму шаурму и уйду, мне тоже надо работать. Увидимся.

— Конечно.

Эйвери прислонилась к раковине и после неудачной попытки убедить себя непонятно в чем погрузилась в пучину жалости к самой себе.

— Что случилось?

Искренне желая, чтобы от нее все отстали, Эйвери тяжело вздохнула и посмотрела на Фрэнни, которая маячила в дверном проеме.

— Все нормально, просто слегка обожглась. Как там?

— Сегодня довольно тихо.

— Слушай, я поднимусь наверх, нужно кое-что сделать. Позвони, если посетителей станет больше, я приду.

— Не вопрос.

* * *

Эйвери готовила. В минуты грусти кулинария заменяла ей плюшевого мишку, и сейчас Эйвери утешала себя, экспериментируя с ветчинно-картофельным супом и супом-пюре из подкопченных помидоров. Она взяла на кухню ноутбук, чтобы записать свои дополнения к рецептам. Как обычно, процесс готовки успокоил и помог собраться с мыслями, и Эйвери, поставив супы на медленный огонь, занялась схемой расположения кабинок, столиков, стульев и диванов в новом ресторане.

— Тук-тук! — раздался голос Клэр.

— Я на кухне, — ответила Эйвери; видимо, ее никогда не оставят в покое.

— Забежала перекусить салатом, а Фрэнни сказала, что ты обожгла руку и поссорилась с Оуэном.

— Ни с кем я не ссорилась. Да, я обожгла руку, но ничего страшного.

При виде булькающих кастрюль Клэр нахмурилась.

— Тогда почему ты готовишь здесь наверху? Что случилось?

— Ничего! Следующий человек, который спросит, что случилось, получит в челюсть, и вряд ли ему это понравится. Я пробую новые рецепты. Сегодня у нас мало посетителей, вот и пользуюсь свободной минуткой, чтобы улучшить меню нового ресторана.

— Я думала, ты улучшаешь меню на Оуэне.

— Где ты видишь Оуэна? — поинтересовалась Эйвери. — Есть у меня время, вот и готовлю.

— Ты злишься. Несколько дней тебе было некогда, а теперь ты расстроена и ссоришься с Оуэном.

— Да не ссорюсь я с Оуэном, а если и расстроена, то только потому, что все пристают с дурацкими вопросами, включая Оуэна, от которого вообще невозможно отвязаться!

— А-а, значит ты все-таки поссорилась с Оуэном.

— Нет! — Эйвери до скрипа стиснула зубы, но голос не повысила. — Мне было некогда. Бекетт закончил проект, сейчас ждем разрешение на реконструкцию здания и работаем над техническими чертежами. Столько всего надо успеть, запланировать, решить, а ведь я еще занимаюсь «Вестой»!

— Ты просто волнуешься. На твоем месте я бы тоже волновалась. Думаю, все утрясется.

— Думать и делать — не одно и то же.

От уклончивых ответов у Эйвери всегда болел живот. Не умеет она врать, изворачиваться и недоговаривать!

— В общем, у меня сейчас все мысли только об этом, и совершенно нет времени на личную жизнь. Нам с Оуэном нужно сбавить обороты.

— Что он натворил?

— Ничего, честное слово! — Эйвери слишком устала, чтобы расплакаться, и потому только усмехнулась предположению подруги. — Я просто немного растеряна.

Наконец-то хоть слово правды, подумала она.

— Ладно, все само утрясется. Лучше попробуй.

Эйвери взяла тарелку, плеснула туда картофельного супа, посыпала петрушкой и тертым пармезаном.

— Еще нужно разобраться со столовой посудой. Думаю, остановлюсь на белой, сделаю акцент на столовом белье. Или что-нибудь ярче?

— Не имеет значения. — Клэр зачерпнула еще ложку. — Главное, чтобы в тарелках был этот суп. Изумительно! Почему так мало?

— Потому что еще будет суп-пюре из подкопченных помидоров.

Другая тарелка, половник супа, горстка сухариков, листик базилика.

— Господи, как вкусно! Такой нежный, кремовый и чуточку острый.

— Превосходно.

Эйвери тоже попробовала суп — лично убедиться, что он хорош.

— Да, ничего менять не буду. Дам тебе с собой и того, и другого, накормишь своих.

— То есть я должна буду делиться? — Клэр обняла подругу за талию. — Расскажешь, когда сможешь?

«Все-таки никудышная из меня врунья», — подумала Эйвери и, сдавшись, положила голову на плечо Клэр.

— Ладно, только не сейчас.

* * *

Готовка ее успокоила. Почти. Страдания ни к чему не приведут, только вызовут внимание, а этого ей совсем не нужно.

Она перелила картофельный суп в термос, принесла снизу итальянского хлеба. К обеду посетителей стало больше, и Эйвери с удовольствием включилась в работу, хотя была не ее смена.

И это тоже помогло развеяться.

Она хотела поговорить с отцом и надеялась, что окончательно успокоится после разговора. Отцу стоит узнать правду, напомнила себе Эйвери, выезжая из города. К тому же отец был единственным человеком, от которого она ничего не скрывала.

Она накормит его супом, они все обсудят и придут к какому-нибудь решению. Они всегда до чего-нибудь договариваются.

Подъезжая к дому отца, Эйвери заметила на дорожке ярко-голубой «Лексус» с невадскими номерами, и ее настроение резко упало. Отец никого не знает в Неваде.

Трейси сказала, что они часто переезжали.

Мактавишское чутье подсказывало, что Трейси недавно перебралась в Неваду, а сейчас хочет здесь поживиться.

Эйвери ворвалась в дом.

Вилли Би вскочил со стула, когда Эйвери влетела в комнату. Трейси сидела с заплаканными глазами и теребила промокшую салфетку.

— Ну ты и наглая сука!

— Успокойся!

— Не успокаивай меня! — Эйвери повернулась к отцу. — Она уже попросила денег взаймы или все еще рассказывает, как ей жаль?

— Сядь и... Что?

— Разве она не говорила, что заезжала ко мне пару дней назад?

— Нет. — Он положил руку на плечо дочери, чтобы успокоить и показать, что они вместе. — Ничего она не говорила.

— Я как раз собиралась. Сперва я хотела увидеть Эйвери, сказать, как мне жаль, что так вышло.

— И выклянчить денег.

— Я на мели. У меня все ужасно, но это не значит, что я не сожалею о том, что случилось. — Она бросила салфетку и вытерла слезы дрожащими пальцами. — Мне жаль, что я так поступила. Жаль, что я такая, какая есть. Я не в силах ничего изменить. Мы потеряли дом перед самой смертью Стива. Все пошло наперекосяк. Он работал над кое-какими сделками, но они сорвались.

— У тебя есть новенький «Лексус», — заметила Эйвери. — Продай.

— Он арендованный, его я тоже скоро лишусь. Мне нужна поддержка, пока я не найду жилье и работу.

— Ты взяла деньги у Эйвери? — требовательно спросил Вилли Би.

Трейси побледнела.

— Взаймы.

— Сколько?

Трейси молча покачала головой и всхлипнула, тогда он обратился к Эйвери:

— Сколько?

— Точно не знаю. Все, что было в бумажнике. Больше, чем обычно я беру с собой, — я собиралась с утра ехать по делам, и мне нужны были наличные, на всякий случай.

В голосе почти всегда добродушного отца Эйвери зазвучал гнев:

— Ты бросила дочь, Трейси, а теперь вернулась и берешь у нее деньги?

— У нее свое дело и хорошая квартира. Я все делала для Эйвери, пока могла.

— Нет. — Отец ласково поцеловал Эйвери в макушку. — Трейси, ты говорила со своей матерью?

— Я... Она выручила меня сразу после смерти Стива. Дела шли совсем плохо. Я не знала, что он сильно задолжал. Мама заняла мне денег, но сказала, что больше не даст. Перед тем как приехать сюда, я была у нее, однако она не стала мне помогать.

— Сколько тебе нужно?

— Папа, не надо...

— Помолчи, Эйвери.

— Ты не можешь...

— Это мое дело.

Отец никогда не повышал голос — не было нужды. Вот и сейчас он просто посмотрел Эйвери в глаза.

— Тише. Так сколько, Трейси?

— Тысяч пять, чтобы встать на ноги. Я тебе отдам, клянусь. Напишу расписку. Знаю, я не вправе просить, но у меня больше никого нет.

— Эйвери, сходи наверх, принеси мою чековую книжку.

— Нет.

— Делай то, что тебе велено, сию же минуту. Если хочешь со мной поспорить, то поговорим позже. — Он обнял дочь за плечи. — Скажешь все, что считаешь нужным, но не сейчас. Это наше дело, а не ее.

Вилли Би не был суровым человеком, но, если уж выбирал жесткую линию, ему предпочитали не перечить.

— Ладно, я тебе все скажу!

Эйвери сердито поднялась наверх, сердито спустилась.

Отец сел, открыл чековую книжку.

— Я дам тебе пять тысяч. Без возврата.

— Я все верну.

— Не нужно. Если Эйвери не передумает, после того как ты покинешь мой дом, я не желаю тебя ни видеть, ни слышать. Бери деньги и уезжай. Дорогу, надеюсь, найдешь.

— Я знаю, ты меня ненавидишь, но...

— Нет, я тебя не ненавижу. Ты подарила мне свет моей жизни, и я никогда этого не забуду. Я дам тебе, что ты просишь, и на этом между нами все кончено.

Эйвери вновь подумала, что отец может быть очень жестким, если нужно, вот как сейчас с матерью.

— Когда устроишься, сообщи мне свой адрес или номер телефона, — продолжил Вилли Би. — Именно мне, не Эйвери. И не смей к ней обращаться. Если она захочет с тобой встретиться или поговорить, она придет ко мне, и я дам ей твои координаты.

— Хорошо.

Он сложил чек, вручил Трейси.

— Спасибо. Я... У тебя здесь очень уютно. Ты хороший человек, правда.

— Надеюсь.

— Она очень красивая! — Трейси прижала руку к губам. — Простите меня за все. Мне так жаль!

— Надеюсь. А теперь уезжай. Уже темно, позже обещают непогоду.

Собравшись с силами, Трейси встала.

— Ты — лучшее из того, что я сделала, — обратилась она к Эйвери. — А я так дурно с тобой поступила. Больно это осознавать.

Когда Трейси ушла, Эйвери остановилась у окна посмотреть, как она уезжает.

— Почему ты дал ей денег?

— Потому что она горюет. Она потеряла любимого человека, вдобавок осознала, что выбросила из своей жизни что-то очень ценное. А еще потому, что теперь мы закрыли дверь в прошлое. Почему ты не сказала мне, что она была у тебя?

— Я как раз приехала, чтобы сказать. Просто... Какое-то время я не могла об этом говорить. Знаю, нужно было тебя предупредить, позвонить бабушке, а я замкнулась в себе. Было очень больно, вот я и молчала.

— Я знаю.

Отец подошел к Эйвери, обнял своими сильными руками.

— А когда я ее сегодня увидела, то просто взбесилась от злости. Так лучше, правда?

— Для тебя? Конечно. — Он прижал ее к себе, слегка покачивая, словно младенца. — У нас все будет хорошо, детка. Не переживай, все утрясется.

Родной голос, запах, само присутствие отца успокоили Эйвери, она уткнулась лицом в его грудь.

— Ты так говорил, когда она ушла, и потом не раз повторял. И всегда все сбывалось. Я так тебя люблю!

— А я больше тебя. И люблю сильнее.

Эйвери рассмеялась, крепко обняла отца.

— Я сварила суп — разгоняла тоску. Ветчинно-картофельный.

— Звучит заманчиво.

— Пойду принесу из машины.

16

Оуэн решил поработать в мастерской. Хотелось поразмышлять о наболевшем.

Едва он предпринял следующий шаг, как Эйвери дала задний ход. Где здесь логика? Он старается не пускать отношения на самотек, дает понять, что не воспринимает их как должное, пытается убедить Эйвери в серьезности своих чувств, а у нее вдруг не находится для него пары свободных минут.

— Что за фигня? — спросил Оуэн у Куса.

Пес сочувственно вильнул хвостом.

Оуэн измерил доску, сделал отметки, автоматически измерил еще раз и начал пилить.

— Ей нравится, когда у нее много дел, — ворчал он под жужжание пилы. — Она балдеет от беспорядка и безумного графика работы. И вдруг ни с того ни с чего у нее нет времени сходить куда-нибудь, остаться на ночь или хотя бы поговорить!

Оуэн выключил пилу, уложил доску в штабель, опустил защитные очки.

— От этих женщин один геморрой!

Хотя с Эйвери никогда проблем не было. И потому происходящее совершенно нелогично.

С ней что-то не так. Неужели Эйвери не понимает, что он все видит? Видит, что она избегает его под надуманными предлогами, замыкается и недоговаривает, хотя всегда была прямой и открытой. Ведет себя словно...

— Ох, ничего себе!

Он начал приглашать ее на свидания, строить планы. Черт, даже подарил украшение. Он нарушил баланс... Может, в этом все дело? Эйвери не хотела следующего шага. Все шло хорошо и гладко, пока он, Оуэн, не стал воспринимать их роман *серьезно*.

Легкие отношения без обязательств — замечательно. Стоит добавить чуточку серьезности, и Эйвери сдает назад. Просто секс — никаких проблем. Первая попытка привнести в отношения романтику — Эйвери закрывает дверь перед его носом.

И теперь он чувствует себя идиотом.

Неужели трудно было сказать, что она не хочет ничего усложнять? Неужели за долгие годы он не заслужил честности?

И, черт возьми, разве у него, Оуэна, нет права голоса? Конечно, есть!

— Я ей не игрушка для секса!

— Именно эти слова мать хочет услышать от любимого сына.

Оуэн вздрогнул от неожиданности и сунул руки в карманы.

— Привет, мам.

— Здравствуй, Оуэн. — Жюстина закрыла дверь в мастерскую, потерла озябшие руки. — Чем занимаешься?

— Работаю над встроенным шкафом для Бекетта.

— Какой примерный брат!

— Э-э... ну да. Я не видел твою машину, когда пришел.

— Я только что вернулась.

Обе собаки подошли к ней, виляя хвостом, прижались к ногам.

— Была у Вилли Би, — продолжила Жюстина, — отвезла ему поесть, заодно и поговорили. Я удивлена, что ты занимаешься делами брата, вместо того чтобы поддержать Эйвери.

— Что? Почему?

— Хм. Эйвери тебе ничего не говорила?

— Вот именно! — Оуэн сердито снял защитные очки. — Ничего не говорила. Она вообще ничего мне не рассказывает. Ссылается на нехватку времени. Что, черт возьми, происходит?

— Это вопрос к ней. Иди и спроси.

— Да ладно тебе, мам.

— Детка, Эйвери сама должна тебе все рассказать. Если она не скажет, тогда это сделаю я. Но она должна с тобой поговорить. На самом деле я думала, что вы уже поговорили.

— Ты меня пугаешь. Она что, больна?

— Нет-нет. Я бы сказала, заблуждается и не хочет этого признавать. — Жюстина подошла к сыну, вздохнула. — Ты прагматик, Оуэн. Один бог знает, как так получилось. Не знаю, пригодится ли тебе это качество при разговоре с Эйвери... терпение не помешает точно.

— У нее неприятности?

— Нет, но ей сейчас тяжело. Иди, побеседуй с ней. А потом мы с тобой тоже поговорим. Ступай, — сказала Жюстина, когда Оуэн взял пальто. — Я погашу свет.

Она смотрела ему вслед, поглаживая собак, которые прильнули к ней с обеих сторон.

— Сразу видно, он ее любит. Только еще не понял, да и она наверняка тоже ничего не знает.

Вдыхая запах опилок и масла для древесины, Жюстина почти почувствовала, как щека Томми прикасается к ее щеке, и закрыла глаза, чтобы остановить мгновение.

— У нас все было намного проще, правда, Томми? Мы много не думали... Ладно, мальчики, пойдемте закроем мастерскую.

* * *

Вначале Оуэн зашел в пиццерию. За стойкой работал Дейв, месил тесто.

— Эйвери на кухне? — спросил Оуэн.

— Нет, на доставках. Мы еще не наняли разносчика.

— Сегодня ты закрываешь пиццерию?

— Нет, Эйвери.

— Сам закроешь?

Дейв поднял брови и половник соуса.

— Конечно, если...

— Отлично. — Оуэн вытащил мобильник, отошел от стойки и набрал номер Бекетта. — Окажешь мне услугу?

Когда через двадцать минут вошла Эйвери, раскрасневшаяся от мороза, Оуэн сидел у стойки, потягивая пиво.

— Пошел снег, — начала было Эйвери. — Дороги еще не завалило, так что с доставками пока все...

Она заметила Оуэна и резко замолчала.

— Привет.

— Нам нужно поговорить.

— Я разношу заказы. Лучше...

Оуэн поставил пиво, встал.

— Пошли, — скомандовал он и, схватив Эйвери за руку, потащил к двери на лестницу.

— Мне нужно заниматься доставками!

— Бекетт все сделает.

— Что? Нет, он не сможет, я...

— Поговоришь со мной, прямо сейчас.

— Поговорим позже. На мне все доставки, а вечером я должна закрыть пиццерию, так что...

— Бекетт развезет заказы, Дейв закроет ресторан.

Он с радостью заметил, что в глазах Эйвери загорелся знакомый воинственный огонек.

— Здесь я командую, а не ты.

— Пока обойдутся без тебя, вернешься после разговора.

— Что за чушь!

Эйвери попыталась протиснуться мимо него.

— Ага, точно.

Чтобы упростить задачу, Оуэн схватил ее, взвалил на плечо и понес вверх по лестнице.

— Ты рехнулся? — Она брыкалась и вырывалась. — Я надеру тебе задницу!

— Продолжай в том же духе, если хочешь, чтобы я уронил тебя башкой на ступеньки. Может, тогда успокоишься.

Придерживая ее за ноги, Оуэн достал свободной рукой связку ключей, нашел ключ от квартиры.

— Оуэн, я тебя предупреждаю!

Он толкнул плечом дверь, вошел, закрыл ногой.

Что-что, а норов Эйвери ему хорошо знаком. Она будет отбиваться руками и ногами и не постесняется пустить в ход зубы.

— Даже не думай...

Остаток фразы потонул в невнятном шипении, когда Оуэн бросил Эйвери на кровать, упал сверху и прижал обе руки девушки.

— Просто успокойся, — посоветовал он.

— Черта с два!

Эйвери могла быть стремительной, как змея, и коварной, как акула, поэтому Оуэн держался подальше от ее зубов.

— Успокойся, и мы поговорим. Я тебя не отпущу, пока не пообещаешь, что не будешь драться, кусаться или швыряться чем ни попадя.

Воинственные огоньки в глазах Эйвери превратились в яростные молнии открытой враждебности.

— Да кто тебе дал право?! Думаешь, можно просто так зайти в мой ресторан, командовать, указывать мне, что делать? На глазах у моего персонала!

— Нельзя, прости. Но у меня не было другого выхода.

— Я покажу тебе выход! Уматывай на фиг, сию же секунду!

— Не ты одна психуешь. Выбирай: или я продержу тебя так всю ночь, или ты придешь в себя, и мы, как нормальные люди, все обсудим.

— Мне больно!

— Неправда.

У Эйвери задрожал подбородок.

— Мой ожог...

— Черт!

Оуэн инстинктивно ослабил хватку, и Эйвери тут же этим воспользовалась. Со стремительностью змеи и коварством акулы она вонзила зубы в тыльную сторону ладони Оуэна. Он чертыхнулся и, шипя от боли, вновь прижал Эйвери к кровати.

— У меня кровь!

— Сейчас еще будет! — пообещала Эйвери.

— Отлично!

Рука ныла, словно больной зуб, и Оуэн окончательно рассердился.

— Я не отпущу тебя до тех пор, пока ты меня не выслушаешь. Мне нужно знать, что с тобой происходит.

— Со *мной*? Ты вытащил меня из моей пиццерии, распускаешь руки, дерешься...

— Я не дрался. Пока. И я имел в виду, что случилось до этого.

Эйвери отвернулась, метнула яростный взгляд в стену.

— Я с тобой не разговариваю.

— Вот именно, и не разговаривала почти всю неделю. Если я облажался, то так и скажи. Если ты не хочешь быть со мной или развивать отношения дальше, я имею право об этом знать.

— Ты здесь ни при чем, и наши отношения тоже.

«Так ли это?» — вдруг подумала она. Наверное, нет, и она сама виновата. Эйвери закрыла глаза. Как же ей все опротивело!

Она обидела Оуэна. Она поняла это только сейчас, когда отвлеклась от собственных переживаний. А Оуэн не заслужил подобного отношения.

— Что-то случилось. Скажи что.

— Отпусти меня. Я не могу так разговаривать.

Оуэн осторожно отодвинулся, опасаясь новой атаки, но Эйвери только села и уткнулась лицом в колени.

— В чем дело? Это из-за пиццерии? — Ничего другого ему не пришло в голову. — Если у тебя проблемы с финансами...

— Нет-нет, все в порядке. — Она встала, чтобы снять пальто. — Ты же знаешь, когда мать сбежала, бабушка открыла счет на мое имя. Наверное, из чувства вины, хотя она ни в чем не виновата. Тем не менее я ее наследница, и... — Эйвери пожала плечами. — У меня хватило денег на «Весту», хватит и на новый ресторан.

— Твоя бабушка заболела?

— Нет. С чего ты...

Эйвери вдруг поняла, что Оуэн спрашивает потому, что она тянет с объяснением.

— Никто не заболел, и ты не облажался.

— Тогда в чем дело?

— Приезжала моя мать.

— Неужели? Когда?

— Она ждала меня на лестнице в тот вечер, когда мы с Клэр и Хоуп ездили по магазинам. Это было ужасно.

Эйвери подошла к кровати, села рядом с Оуэном, сцепила руки на коленях, чтобы унять дрожь.

— Я даже ее не узнала. Не поняла, кто это, пока она не заговорила.

— Немудрено. Столько лет прошло.

— Не знаю, возможно, я просто выбросила из головы ее образ. Когда я пригляделась, то поняла, что она мало изменилась. Сказала, что хотела меня увидеть и очень сожалеет, что все так вышло. Я не повелась. Она расплакалась, но мне было наплевать.

— И кто тебя осудит?

— Она была беременной, когда они с отцом поженились. Я это знала — учила математику. Мы с отцом давно это обсудили. Он сказал, что они любили друг друга, и в его чувстве я не сомневаюсь. Возможно, мать думала, что тоже его любит. Она все твердила, какой была юной, девятнадцатилетней. Отцу не исполнилось и двадцати одного, и ничего, справился.

Оуэн успокаивающе погладил ее по ноге.

— Вилли Би потрясающий человек.

— Да-да. — Эйвери смахнула слезу, ненавидя себя за то, что плачет. — Я много капризничала, на ней была куча забот, она чувствовала себя несчастной... Бла-бла-бла. А потом она меня совсем огорошила: сказала, что сделала аборт, когда мне было года три.

Оуэн накрыл ее руки своей.

— Такое тяжело услышать.

— Держу пари, моему отцу пришлось еще хуже — он узнал о свершившемся факте. Она пошла, сделала аборт, перевязала трубы и даже не обсуждала с ним свое решение. Не сказала, что забеременела. Кто так поступает? — спросила Эйвери, взглянув на Оуэна мокрыми от слез глазами. — Разве так можно? Она знала, что отец хочет еще детей, но лишила его этой возможности, ничего не сказав! Это такая же измена, только еще хуже!

Оуэн молча встал, нашел в ванной коробку салфеток и принес Эйвери.

— Спасибо. Знаю, что слезами горю не поможешь, но никак не могу сдержаться.

— Может, тебе нужно выплакаться?

— По ее словам, во время ссоры она в сердцах сказала ему о том, что сделала, и — ха-ха! — он расстроился и разозлился. Она согласилась пойти к семейному психологу, но надо же, чувствовала себя загнанной и несчастной. И завела любовника. А потом еще одного. Призналась, что их было двое... На самом деле их было гораздо больше, Оуэн. Даже я догадалась.

Она посмотрела ему в глаза.

— Ты знал. Почти все знали, что она гуляет.

Под пристальным взглядом опустошенных глаз Оуэн не сразу нашелся, что ответить. Впрочем, Эйвери не нуждалась в успокаивающих отговорках.

— Да, пожалуй.

— Моя мать городская шлюха... Мне стало легче, когда она ушла.

Оуэн взял ее руку, поднес к губам.

— Это всегда тяжело.

— По крайней мере, она больше не таскалась на наших с отцом глазах. Говорит, что с тех пор жила с тем типом, ради которого нас бросила, Стивом. Похоже на правду. Мне пришлось выслушать, какой она была несчастной, как хотела большего. Как любила Стива.

— Скорее всего, оправдывалась перед собой за то, что натворила. Ты не обязана принимать ее объяснения.

— Я позлорадствовала. Я не в восторге от этого чувства, но мне ее не жаль. Она все твердила, как она сожалеет, и что я стала красавицей, и как она мной гордится. Как будто она имеет к этому отношение!.. А потом выяснилось, что Стив несколько месяцев назад умер.

— Значит, она осталась одна, — пробормотал Оуэн.

— Да, и без гроша в кармане. Поэтому она попросила у меня взаймы несколько тысяч.

Оуэн вскочил, подошел к окну, поглядел на усиливающийся снегопад. Невозможно представить, что мать может использовать своего ребенка для наживы. Зато он ясно представлял, насколько глубоко ранена душа Эйвери.

— Что ты сделала?

— Наговорила ей грубостей. Она плакала и просила денег. Хотела остаться у меня. Всего на пару недель или хотя бы на ночь. Мне стало так тошно! Я отдала все, что было в бумажнике, и выставила ее за дверь.

— Ты поступила правильно, многие на твоем месте ничего бы не дали. — Оуэн повернулся. — Почему ты мне ничего не сказала? Почему оттолкнула, вместо того чтобы позволить помочь?

— Вначале я никому не сказала. Просто не могла.

Он подошел к кровати, встал перед Эйвери.

— Я не кто-то.

— Ты не понимаешь, Оуэн. Ты бы посочувствовал, а я не искала сочувствия. Я бы его не выдержала. Тебе не понять, ты никогда не чувствовал себя ненужным, ни разу в жизни. Ты всегда знал, что родители тебя любят и сделают все, чтобы тебя защитить. Ты даже не представляешь, как я завидовала вашей семье еще до того, как мать ушла. Как вы все были мне нужны, и вы всегда были рядом. Мой отец и Монтгомери.

— Ничего не изменилось.

— Знаю. Но я должна была сделать что-то для себя, стать кем-то. Понимаешь, как бы плохо ни шли дела, а порой всякое случается, нужно, чтобы рядом была мать и любила тебя. А иначе чувствуешь себя... ничтожеством.

В безуспешной попытке подобрать другое слово Эйвери подняла руки и снова опустила.

— Настоящим ничтожеством. И неважно, что говорил отец и твои родители, — видит бог, они говорили и поступали правильно! — я чувствовала, что она ушла из-за меня. Что я плохая и недостойна любви или просто недостаточно хороша.

— Эйвери, это не про тебя.

— Знаю. Но иногда ты знаешь одно, а чувствуешь другое. Может, потому, что она ушла, я так вкалывала и сама добилась всего, что у меня есть. Так что все к лучшему.

Чуть замявшись, она продолжила:

— А еще я порой сама себя спрашиваю: почему у меня не получается поддерживать долгие отношения или почему я быстро увлекаюсь, а потом так же быстро остываю? Боюсь, это у меня от матери.

— Неправда.

— Я оттолкнула тебя. — Немного успокоившись, она посмотрела ему в глаза. — Ты прав. Стоило начаться неприятностям, как я тебя оттолкнула, вместо того чтобы быть ближе.

— Я здесь.

— Потому что ты — это ты. Никогда не сдаешься. Будешь биться над задачей, пока не найдешь ответ.

Он присел на кровать.

— И каков ответ?

— Предполагается, что ты его нашел. — Эйвери положила голову ему на плечо. — Прости. Я сделала тебе больно и заставила думать, что ты напортачил. Наверное, у меня полно комплексов, а когда я ее увидела, то совсем съехала с катушек. И не только по поводу отношений с тобой. Я даже отцу ничего не сказала. Правда, потом все же решилась. Заставила себя.

Оуэн положил ей руки на плечи.

— Что ты готовила?

— Господи, так предсказуемо!.. — Эйвери попыталась сдержать слезы. — Суп. Я отвезла большой термос супа отцу домой, а там была она.

Повернувшись, Оуэн прижал губы к ее макушке.

— Еще тяжелее.

— Даже не знаю. У меня внутри словно что-то щелкнуло. Я была в бешенстве из-за того, что она заявилась к нему, и он почувствовал то же, что и я. Отец выглядел таким печальным, когда она сидела там и рыдала. Это было невыносимо! Мать выдала ему ту же песню, что и мне, и теперь, когда прошло какое-то время, я понимаю, что она не лгала. Ну, или не совсем. Думаю, ей и вправду жаль, хотя, может, она жалеет, что осталась одна. Но так уж сложилось — она одинока, горюет, жалеет о прошлом и знает, что его не вернуть. Отец дал ей пять тысяч и сказал, что может не возвращать, если оставит меня в покое. Сказал, чтобы она прислала свой телефонный номер, когда устроится, и если я захочу с ней связаться, он мне его даст.

— В этом весь Вилли Би, — тихо произнес Оуэн.

— Я не могла понять, зачем отец дал ей денег, а когда мать ушла, он объяснил — потому что она горюет. Вот такой он добрый. А еще потому, что теперь мы закрыли дверь в прошлое. Он всегда думает обо мне, любит меня.

— Твой отец самый лучший, однако не только он думает о тебе.

— Знаю. Мне по-настоящему повезло. Но я не могла ничего сказать ни тебе, ни Клэр с Хоуп, ни комунибудь еще, кто мне дорог. Не могла признать, что после долгих лет разлуки моя мать вернулась лишь потому, что осталась одна и без денег. Неважно, жалеет она о прошлом или нет, сюда она приехала не просто так, а ради своей выгоды. И от этого я почувствовала себя ничтожеством. Я хотела от всех отгородиться, пока снова не стану собой.

Оуэн улучил момент.

— Мне нужно тебе что-то сказать.

— Давай.

— Это она ничтожество и всегда будет ничтожеством — потому что бросила тебя, ушла не только от своего долга, но и от твоего потенциала. У нее никогда не будет дочери, которая любила бы ее беззаветно, преданно и радостно, как ты любишь отца. Она — ничтожество, Эйвери, а не ты.

— Да, но...

— Я еще не закончил. Твой отец — ничтожество?

— Конечно, нет! Он лучше, чем большинство людей.

— Его она тоже бросила. Ушла, не сказав ни слова. Предпочла другого мужчину. Унизила, утаив правду, и даже не развелась с ним, дав возможность начать новую жизнь. Разве он стал хуже как человек, отец или друг? Она вернулась потому, что нуждалась, и взяла у него деньги.

— Она ничтожество, а не он.

— Правильно. Она, а не он. И не ты.

Эйвери почувствовала, что в груди словно разжался твердый и болезненный комок.

— От твоих слов стало легче.

— Я еще не закончил. Неважно, грустная ты или радостная, злая или довольная жизнью, — ты это ты. Если ты думаешь, что я буду с тобой — или хочешь, чтобы я был рядом, — только когда у тебя все хорошо, ты ошибаешься или глупишь. Мне это не подходит. Между нами никогда не было недоговоренностей и не будет, что бы ни случилось. Вот теперь все.

Эйвери стало стыдно.

— Я напортачила.

— Да, но на этот раз я тебя прощаю.

На сердце у Эйвери полегчало, и она выдавила улыбку.

— Если ты облажаешься, я тебя тоже прощу.

— Хорошо, напомню при случае. И еще: лично я не вижу смысла обсуждать предыдущие отношения — сложились они или нет и почему. Если ты решишь, что ничего не получается, ты, черт возьми, не будешь вилять. Скажешь мне в лицо. Я не какой-нибудь неудачник, от которого нужно отделываться.

— Я никогда не считала...

— Ты пыталась от меня отделаться.

Слова извинений и оправданий едва не сорвались с языка Эйвери. Неубедительные, вдруг поняла она. Неубедительные и неправильные.

— Не знаю, пыталась я или нет. Может, думала, что получится, или понимала, что ничего не выйдет. Честно, не знаю. Как бы то ни было, я поступила неправильно — ведь это ты и я.

Она погладила Оуэна по щеке.

— Торжественно обещаю, что скажу тебе в лицо, когда решу закончить наши отношения.

Оуэн улыбнулся.

— И я обещаю.

Эйвери пододвинулась ближе, и он посадил ее к себе на колени. Она свернулась клубочком, прижалась к нему.

— Я так рада, что ты поступил по-хамски и затащил меня сюда. Я скучала по тебе, по нашим разговорам.

— Пришлось, ты вела себя как идиотка.

— Обещал простить, а сам обзываешься. — Эйвери устроилась поудобнее. — И еще послал Бекетта разносить заказы.

— У него теперь трое детей. Чаевые ему не помешают.

Эйвери рассмеялась, схватила Оуэна за руку и сразу же отпустила, когда он ойкнул.

— Ох, ничего себе! — Она осторожно взяла его ладонь. — Вот это укус!

— Это ты мне говоришь?

— Сам виноват, нечего было вестись на «Ой, мне больно»!

— Больше не буду.

— Давай полечу.

— Позже.

Оуэн притянул ее к себе, и они просто сидели, пока мир вокруг входил в привычную колею.

— У тебя случайно не осталось того супа?

— В холодильнике стоит суп-пюре из подкопченных помидоров. Могу разогреть.

— С удовольствием. Только позже. — Он отклонил голову Эйвери назад, нашел губами ее губы. — Определенно позже.

Расчувствовавшись, Эйвери покрыла лицо Оуэна беспорядочными поцелуями, расстегнула его рубашку. Все его тело пахло опилками, даже шея.

— И без этого я тоже скучала, — прошептала Эйвери. — Без прикосновений к тебе.

Всего лишь несколько дней, подумала она, а пропасть между ними чуть не стала такой глубокой и широкой, как будто прошли недели разлуки. И вот Оуэн снова рядом, пахнет опилками, его грудь под шершавой тканью рубашки теплая и сильная, а мозолистые руки уверенные и ласковые, когда он снимает с нее, Эйвери, свитер.

Оуэн и есть ее истинный север, подумала она. Надежный и постоянный.

Он безумно ее хотел, и не только физически. Хотел всем сердцем — за те страдания, что она вынесла. За то, что решила пережить их в одиночку. Эйвери сказала, что он не понимает, но тут она заблуждалась. Чтобы понимать чужую боль, не обязательно испытать ее самому.

Он считал, что знает Эйвери, и тоже ошибался. Оказывается, в глубине души она сомневается в собственной ценности. Вся ее храбрость и благородство открылись впервые, дав Оуэну понять, что Эйвери гораздо ранимее, чем он думал.

Оуэн постарался утешить Эйвери ласковыми и нежными прикосновениями, наслаждаясь изгибами ее соблазнительного тела, биением сердца, ее теплым дыханием на своей коже.

Он взял ее лицо в ладони, увидел ее улыбку перед тем, как их губы снова встретились, и подумал: «Вот она, Эйвери».

Эйвери провела руками вниз по его спине, бедрам, потом снова вверх, словно измеряла его рост. Ей хотелось отдать себя, отдать всю, она обвилась вокруг него и услышала, как он чертыхнулся, когда ее плечо прижалось к укушенной руке.

Эйвери ойкнула, рассмеялась, и все плохое — чувство вины, страдания, извинения и тревоги — сразу исчезло.

«Только ты и я, — подумала Эйвери. — Я и ты». Она обвилась вокруг Оуэна и вцепилась зубами в его плечо.

— Мне нравится твой вкус. — Она свалила Оуэна на постель и укусила еще раз.

— Хочешь грубой игры?

— Ты ее начал. Затащил меня наверх, бросил на кровать. Посмотрим, понравится ли тебе самому.

Стараясь не задеть рану на руке Оуэна, она прижала его запястья к постели и села на него верхом.

— Мне нравится.

— Это потому, что мы без одежды.

— Не только.

Она опустила голову, замерла у его губ, отпрянула назад, вновь наклонилась. Отпрянула.

— Напрашиваешься на неприятности.

— О, я с тобой справлюсь.

Она вновь наклонилась, скользнула вниз, проведя языком по его груди.

Ладно, подумал Оуэн, чувствуя, как закипает кровь. Пусть справляется.

Она завладела всем его телом, каждым его дюймом, дразня, возбуждая, соблазняя и волнуя. Эйвери была то стремительной и грубой, то медленной и нежной; она вывела его из равновесия, сбила с ритма, дала понять, что он целиком и полностью принадлежит ей.

— Оуэн, Оуэн, Оуэн, — шептала Эйвери, когда приподнялась над его телом, опьянев от власти и желания.

Почувствовав, как он входит в нее все глубже и глубже, она вцепилась в его плечи, одновременно торжествуя победу и покоряясь. Оуэн положил руки на ее грудь, прижал ладонь к бешено стучащему сердцу.

Их губы встретились в долгом трепетном поцелуе.

Она поднялась и откинула голову назад, отдаваясь тому чувству, что переполняло их с Оуэном.

И двигалась до тех пор, пока они оба не обессилели.

* * *

Позже Эйвери обработала руку Оуэна, поцеловала ранку. Накинув голубой клетчатый халат, подогрела на кухне суп, повинуясь порыву, зажгла свечи.

— Метель... Может, останешься?

— Да, пожалуй, останусь.

Довольная, она налила суп в белые толстостенные миски, пока снег окутывал весь остальной мир.

17

Насколько Оуэн себя помнил, ему всегда нравилось рассчитывать, искать ответы, выяснять детали. Благодаря врожденному пристрастию к расписаниям, графикам, планам, конечным итогам и решениям, он стал координатором всех проектов компании «Семейный подряд Монтгомери» и не представлял, что может заниматься чем-то другим, испытывая ту же гордость и удовлетворение.

Совместная работа с братьями его вполне устраивала. Они могли не соглашаться друг с другом, злиться и ссориться, но всегда приходили к общему мнению. Оуэн понимал братьев, как себя самого. Знал все их слабые места, что было на руку, когда он сердился и хотел кого-нибудь из них уязвить.

Задачи он решал методично, рассматривал все факты, перебирал компромиссные варианты и принимал окончательное решение.

Ситуацию с Элизабет Оуэн тоже воспринял как задачу.

В их гостинице обитает привидение. Странно, но факт. До сих пор оно вело себя довольно покладисто, хотя порой вредничало. И еще — Монтгомери в долгу перед Элизабет: она предупредила Бекетта, что этот придурок Сэм Фримонт напал на Клэр.

Она просила только об одном. О Билли.

Только вот кто этот Билли? Когда он жил? Что связывало его с женщиной, которую они прозвали Элизабет? Кольцо на ее руке означало какие-то отношения, возможно, помолвку. Но в мире Оуэна между возможностью и фактом была существенная разница.

От привидения они ничего не добились.

Оуэн решил, что для начала нужно установить личность Элизабет и узнать, когда она умерла. Насчет того, где это случилось, у него было предположение, хотя и чисто гипотетическое, — в гостинице.

— Вполне разумно, правда?

Оуэн устроился с ноутбуком в обеденном зале, полагая, что получит подсказку от Элизабет, если займется поисками там, где она обитает.

— Мне тоже так кажется, — согласилась Хоуп, ставя у его локтя кофе. — Иначе как она сюда попала?

— Я полазил по сайтам о паранормальных явлениях. Узнал много всего необычного, и хотя большая часть, скорее всего, выдумки, считается, что многие из тех, кто не ушел навсегда, появляются чаще всего там, где они умерли, или в важных и значимых для себя местах. Если Лиззи умерла здесь, то она либо останавливалась в гостинице, либо здесь работала или была как-то связана с владельцами.

— Можно посмотреть записи о смерти, только вот откуда начать?

— В этом-то и загвоздка.

— Ну, судя по тому, как ты описал ее наряд, это период между началом Гражданской войны и тысяча восемьсот семидесятым годом[1]. Юбка не на обручах, довольно объемная.

— Да. Вот такая. — Оуэн развел руки, чтобы показать. — Хотя я видел ее только мельком.

— Если бы Лиззи показалась мне, я бы разглядела получше, — заметила Хоуп. — А какие рукава?

— Рукава?

— Рукава платья, Оуэн. Длинные, короткие, облегающие, объемные?

— Хм... Длинные. Думаю, довольно большие.

— Перчатки? На ней были перчатки?

— Не могу сказать, что я... Знаешь, похоже, были, но без пальцев. Вроде как из кружева или узорной вязки. Моя бабушка так вязала, крючком. И вроде бы на ней была какая-то накидка.

---

[1] Гражданская война в США (*American Civil War*) — гражданская война 1861—1865 годов между соединением 20 нерабовладельческих штатов и 4 рабовладельческих штатов Севера с 11 рабовладельческими штатами Юга.

— Наверное, шаль. И еще ты говорил, сетка для волос.

Оуэн удивленно уставился на Хоуп.

— Я говорил?

— Ты говорил, что волосы у нее были собраны под сетку на затылке. Это и есть сетка для волос.

— Ну, тебе виднее.

— Вот именно. Можно? — Она показала на клавиатуру.

— Пожалуйста.

Он повернул ноутбук к Хоуп и стал ждать, попивая кофе, пока она стучала по клавишам.

— Если исходить из деталей наряда, то речь идет о середине шестидесятых годов девятнадцатого века.

Несколько минут Хоуп работала в тишине. Оуэн размышлял о том, как спокойно в гостинице в середине дня. Но задерживаться здесь нельзя — нужно вернуться в здание по соседству, помочь Райдеру. А позже следует забежать в «Весту» и уговорить Эйвери пойти куда-нибудь вечером. Или, наоборот, остаться дома.

— Как тебе? — Хоуп повернула к нему монитор. — Что думаешь?

Оуэн с любопытством уставился на иллюстрацию, изображающую небольшую группу женщин в какой-то гостиной.

— Интересно, почему женщины носят такую неудобную на вид одежду?

— Мода требует жертв, Оуэн. Мы привыкли.

— Верю. Довольно похоже, я имею в виду, в целом. Юбка была, как у этого платья, и рукава такие же, а воротник походил на этот. Только, по-моему, с кружевами.

— Мода второй половины XIX века, начинай с этого периода. Сомневаюсь, что нужно искать горничную или служанку, — задумчиво добавила Хоуп, разглядывая иллюстрацию. — Слишком модно для простой девушки. Конечно, платье могла подарить хозяйка или родственники, но высока вероятность того, что Лиззи — женщина со средствами.

— Ясно, учту. Спасибо.

— Не за что, мне самой интересно. Я буду у себя в кабинете, если вдруг понадоблюсь.

Оуэн хотел провести за поисками полчаса, а потом пойти работать, но увлекся, просматривая старые записи, газетные статьи и генеалогические сайты. В какой-то момент вошла Хоуп, принесла свежего кофе и тарелку теплого печенья.

Наконец Оуэн выпрямился, хмуро глядя на монитор.

— Что за фигня? — требовательно спросил Райдер. — Сидишь здесь, лопаешь печенье, а я, как дурак, вкалываю?

— Чего?

— Уже половина третьего!

— Ой, прости. Думаю, я ее нашел.

— Кого?

Райдер схватил последнюю печеньку, откусил, и с его лица исчезло хмурое выражение.

— Ну... — Оуэн показал на потолок. — Ее.

— Господи, у нас работы по горло! Играй в охотника за привидениями в свободное время.

— Элиза Форд, из нью-йоркских Фордов.

— Выяснили, отлично.

— Нет, серьезно, Рай, все сходится. Она умерла здесь от какой-то лихорадки в середине сентября тысяча восемьсот шестьдесят второго года. Похоронена в Нью-Йорке. Ей было восемнадцать. Элиза, Элизабет, Лиззи. Круто, правда?

— Я в восторге. Она здесь уже примерно сто пятьдесят лет, могла бы и подождать, пока мы не закончим соседнее здание. — Райдер взял стаканчик, отхлебнул. — Кофе холодный.

— Поднимусь наверх, попробую с ней поговорить. А потом наверстаю упущенное время. Все равно Эйвери работает до шести.

— Искренне рад, что такая мелочь, как работа, не мешает твоей личной жизни.

Услышав в голосе брата недовольство, Оуэн тоже повысил тон:

— Я же сказал, что наверстаю! И, черт возьми, мы перед ней в долгу. Она предупредила нас о Сэме Фримонте. Кто знает, что бы он сделал с Клэр, если бы Бек не успел вовремя!

— Черт! — Райдер стянул с головы бейсболку, взъерошил волосы. — Ладно, поговори со своей покойной подружкой, а потом приходи в соседнее здание. Еще есть печенье?

— Не знаю. Спроси у Хоуп.

Что-то проворчав, Райдер направился к выходу.

Закрыв ноутбук, Оуэн оставил его на столе и поднялся по лестнице. Он нашел несколько женщин в возрасте от восемнадцати до тридцати лет, которые умерли в городе в искомое время. Их было бы больше, если бы он исходил из теории, что привидение само выбирает себе возраст.

Но он *чувствовал*, что это Элиза Форд.

Оуэн почти дошел до номера, как вдруг вспомнил, что Хоуп и Кароли имеют обыкновение закрывать на замок номера, где никто не живет. По крайней мере, люди. Он хотел было повернуть назад, но тут дверь номера «Элизабет и Дарси» открылась.

— Отлично. Приглашение войти?..

Было странно входить в комнату, где к фирменному аромату английской лаванды примешивался запах жимолости — запах Элизабет.

— Ну и вот.

Дверь со щелчком захлопнулась, и Оуэн почувствовал, как по спине пробежал холодок.

— Ну и вот, — повторил Оуэн. — Уже месяц, как мы открылись. Дела идут хорошо. В прошлые выходные здесь устраивали небольшой свадебный прием. Думаю, ты об этом знаешь. По словам Хоуп, все было замечательно. Мне нужно работать в соседнем здании, но я внизу искал кое-какую информацию. Нам было бы легче тебе помочь, если бы мы узнали, кто ты. Элиза?

Свет погас и снова зажегся. У Оуэна закололо в пальцах.

— Ты Элиза Форд?

Вначале появился расплывчатый силуэт, который через несколько мгновений принял очертания женщины. Она улыбнулась и сделала книксен.

— Я так и знал! Элиза.

Она положила руку на сердце, и Оуэн мог бы поклясться, что в голове прошелестел голос: «Лиззи».

— Тебя так звали, Лиззи.

«Билли».

— Билли называл тебя Лиззи. Кто такой Билли?

Привидение прижало к груди вторую руку, закрыло глаза.

— Ты его любила, я понял. Он жил здесь, в Бунсборо? Ты приехала к нему в гости? Он был с тобой, когда ты умерла? Или он умер первым?

Лиззи широко распахнула глаза. Оуэн понял, что она ошарашена, и мысленно выругался. Возможно, она не знает, что мертва, или что Билли тоже давно умер. Наверное, об этом где-то написано.

— Я имел в виду, вы с ним встретились в гостинице?

Она исчезла. Мгновение спустя дверь на террасу распахнулась, потом захлопнулась.

— Ладно. Наверное, тебе нужно подумать. Поговорим позже. Молодец, Оуэн, — пробормотал он, спускаясь по лестнице, — очень тактично. Ну что, Лиззи, как там у вас, мертвецов? Черт!

Оуэн отнес ноутбук в машину, достал инструменты. И пошел через ворота в соседнее здание, чтобы понести епитимью, заколачивая гвозди.

* * *

— Как грустно! — Эйвери полила тунцовые стейки маринадом, который приготовила еще утром. — Всего восемнадцать! Я знаю, в те времена люди жили мало, а женщины рано выходили замуж и рожали детей, но все равно. Восемнадцать лет! Лихорадка?

— Я нашел всего несколько строчек. Теперь, когда мы знаем имя, я найду больше.

— Элиза. Очень похоже на имя, которое ей дал Бекетт, и на прозвище Лиззи тоже.

— Такое ощущение, что все предопределено. Мама выбрала название и местоположение номера, Бекетт стал называть ее Элизабет. Потом Лиззи.

— Не знаю, предопределено или нет, но история жутковатая — в хорошем смысле. И я считаю, ты умница — нет, даже не умница, а молодчина! — что нашел ее. Только как мы отыщем Билли?

— Мне требовалась точная информация. Теперь я знаю ее имя, где она жила, когда и как умерла — даже если она этого не знает! — и попытаюсь отследить Билли. Встречалась ли она с ним здесь, в Бунсборо? Может, он из местных? Или тоже приезжий?

Эйвери, которая мыла зелень, оглянулась на Оуэна.

— Сентябрь тысяча восемьсот шестьдесят второго года. Вот и ответ.

— С чего ты взяла?

— Оуэн. — Она положила зелень, чтобы стекла вода, шагнула к нему. — Сколько лет ты живешь на юге округа Вашингтон?[1]

— Всю свою... Ох ты ж черт! А я и не подумал. Так сосредоточился на поисках Лиззи, что когда нашел ее имя... Сражение при Энтитеме.

— Или при Шарпсбурге, в зависимости от того, на чьей ты стороне. Семнадцатое сентября тысяча восемьсот шестьдесят второго года. Самый кровавый день Гражданской войны.

— Кто знает, может, он воевал, — размышлял вслух Оуэн. — А она приехала, чтобы с ним повидаться. Тогда люди даже приезжали, чтобы посмотреть на бои. Как на пикник.

— Люди всегда были со странностями. Так или иначе, она умерла в день сражения. По твоим словам, Лиззи родом из Нью-Йорка, значит, логично предположить, что она остановилась в гостинице. Будь у нее здесь друзья или родственники, она бы предпочла поселиться у них. Возможно, Билли тоже ньюйоркец, и она по какой-то причине последовала за ним в Бунсборо.

— Или он из местных, и она приехала к нему. Или он, как большинство мужчин его возраста — если считать, что ему примерно столько лет, сколько ей, — сражался на войне.

— Скорее всего, так и было. Попробуй.

Оуэн взял кусок тонкой хрустящей лепешки.

— Очень вкусно. Изумительно! Что это?

— Эксперимент. Раскатанное почти до толщины бумаги тесто для пиццы, посыпанное травами и запеченное в печи. Хочу подавать такие лепешки в новом ресторане. Мне кажется, что если Элиза приехала по-

---

[1] Округ Вашингтон (*Washington County*) — округ в западной части штата Мэриленд. Административный центр округа — город Хейгерстаун.

видаться с Билли и они встретились, то сейчас бы она его не искала. Она умерла, но если бы он обретался здесь, то наверняка был бы рядом с ней. В общем, если следовать этой логике, когда она заболела, его здесь не было.

— Или он ее бросил. Не приехал. Может, был женат, или она его не интересовала.

Эйвери выхватила тарелку с лепешками, прежде чем Оуэн успел взять еще кусок.

— Это неромантично. Придерживайся романтичной версии, или больше ничего не получишь.

— Я просто прикидываю разные варианты.

Эйвери по-прежнему держала тарелку вне пределов досягаемости, и Оуэн закатил глаза.

— Ну ладно, ладно. Они были как Ромео и Джульетта времен Гражданской войны. Несчастные влюбленные.

— Мне не нравятся подростковые самоубийства. Придумай что-нибудь еще.

— Я слишком голоден, чтобы думать.

Смилостивившись, Эйвери вернула тарелку на место.

— Так или иначе, не похоже, что это поможет найти Билли.

— Попытаюсь узнать что-нибудь еще о Лиззи. Первый этап.

Оуэн разломил лепешку, дал половину Эйвери.

— Назови их крэк-хлебцами. Из-за звука, с которым они ломаются, и из-за того, что вызывают привыкание.

— Ха-ха. Может, назову просто «хрустики». Думаю поставить на все столы по стеклянной вазочке с хлебными палочками и такими лепешками.

— Скорее всего, на следующей неделе мы сможем начать демонтажные работы.

— На следующей неделе? Правда?

Оуэн любил наблюдать, как Эйвери загорается от радости.

— Пока только макет. Я проверил, готово ли разрешение. Завтра после обеда я смогу его забрать.

— Ура! — Эйвери выскочила из-за стойки, прыгнула в объятия Оуэна. — Ура! Ура!

Когда Оуэн снова смог говорить, он только ухмыльнулся.

— Мечтаю увидеть, что ты сделаешь, когда я получу разрешение на строительство.

— Возможно, будут костюмы. Как же классно!

— Какие костюмы?

— Оуэн. — Вздохнув, она уткнулась в него носом. — Наверное, начнется полный дурдом. Планирование, подготовка, исполнение. Наверное, я тоже буду немного не в себе.

— И в чем отличие от тебя обычной?

Эйвери выскользнула из его объятий, но он успел ее ущипнуть.

— Просто предупреждаю, что это не потому, что я тебя избегаю или хочу бросить.

— Понятно.

Так как она сама приоткрыла дверь, Оуэн переступил порог.

— Твоя мать прислала номер телефона или адрес?

— Нет.

Эйвери подняла плечи, потом сгорбилась. Оуэн взял ее за руки и ждал, не отводя глаз от ее лица.

— Ладно, я ни на что не надеюсь, хотя, возможно, она еще не устроилась. Или, если посмотреть правде в глаза, она и не собирается ничего присылать. Не знаю, что я чувствую по этому поводу или, точнее, по отношению к ней, — продолжила Эйвери. — То же самое, если думать, что Билли намеренно оставил Лиззи. Это жестоко, а в мире и так хватает жестокости. Лучше пусть я буду оптимисткой.

— Тогда давай предполагать, что он был бы с ней, если бы мог.

— Так мне нравится больше. Если Трейси ничего не пришлет, я переживу. Честно говоря, даже не знаю, стала бы я ей звонить или писать. Она уже не часть моей жизни.

— Мне тяжело, что ты страдаешь.

— Мне тоже. Ужасно знать, что кто-то имеет власть над твоими чувствами. Так что придется преодолеть это ощущение. Хватит о ней.

Эйвери взмахнула руками, словно вычеркивая неприятные мысли.

— Добро пожаловать на испытательную кухню ресторана «МакТ»! Сегодня вечером буду вашим официантом, поваром и сомелье.

— Всеми сразу?

— И даже больше, если тебе повезет.

— Мне уже повезло.

— Сегодня в нашем меню обжаренный тунец в перечной корочке на подушке из овощей и зелени, заправленных соусом винегрет с шампанским.

— Везет все больше и больше.

— А для начала наша знаменитая в будущем закуска из артишоков с крабами. Все подается с терпким вином совиньон-блан.

— Согласен на все.

— Мне нужно честное мнение.

— Положись на меня.

Эйвери достала сковороду для тунца и улыбнулась.

— Не премину.

* * *

Чтобы наверстать время, потраченное на поиски Билли, Оуэн отдал себя в полное распоряжение Райдеру. Он подсчитал, что, если они и дальше продолжат работать в том же темпе, булочная будет готова к июню, а в квартиры над ней смогут въехать жильцы. Оуэн нашел еще кое-что об Элизабет Форд, но хотел, чтобы информация улеглась в мозгах.

Как и было обещано, со стороны бара в новом ресторане Эйвери начались демонтажные работы, и оба проекта двигались вперед, пока февраль стремился навстречу марту.

Чем меньше времени оставалось до апрельской свадьбы, тем чаще братья — а иногда и рабочие — работали в доме Бекетта по выходным.

Однажды воскресным днем потеплело, и снег растаял, превратив землю в полужидкую кашу. Однако внутри дома с обеих сторон от импровизированных дорожек из грязного картона сверкали начищенные полы, а все три брата задумчиво рассматривали почти законченную кухню.

— Выглядит неплохо, — объявил Бекетт. — Даже очень хорошо. Сборщики мебели придут только завтра, будут устанавливать шкафы здесь и в ванных комнатах. Но мы можем заняться сборкой прямо сейчас.

— Вот ты и займись.

У Оуэна был график работ, который он не собирался нарушать.

— Если бы ты не оставил мебель в полуразобранном виде, — заметил Райдер, — нам бы не пришлось надрываться.

— Век живи, век учись. Как бы то ни было, у Клэр есть возможность устроить все по своему вкусу. Теперь это не мое, а наше.

— Слова будущего подкаблучника.

— Слова человека, который женится на любви всей своей жизни. — Бекетт повернулся. — Хорошо получилось. Светло, просторно. Наконец-то мы развернемся! У Клэр нет ни дюйма свободного места. Я все время натыкаюсь на детей или собак.

— Полагаешь, здесь будет иначе? — осведомился Оуэн.

— Нет. — Немного подумав, Бекетт рассмеялся. — Я-то не против и даже жду, когда буду натыкаться на детей и собак в этом доме. До свадьбы осталось меньше месяца.

— Классно, что девичник пройдет в гостинице, — заметил Оуэн. — Впоследствии это может стать еще одним источником дохода.

— Мальчишник важнее. — Райдер заложил пальцы за пояс с инструментами. — Мы должны как следует проводить тебя навстречу великому неизведанному.

— Я занимаюсь мальчишником, — напомнил Оуэн.

— Да-да. К чему вся эта суета? Почему нельзя просто пойти в стриптиз-клуб? Классический вариант.

— Покер, сигары и виски — выбор жениха.

— Никаких стриптизерш, — подтвердил Бекетт. — Исключено.

— Чувак, ты разбиваешь мне сердце.

— Будут тебе стриптизерши, когда подойдет твоя очередь жениться.

— Тогда я буду слишком стар, чтобы оценить их прелести. Лично я не собираюсь навстречу великому неизведанному, пока не уйду на пенсию. Хотя, если подумать, мужчина может любоваться на обнаженных женщин в любом возрасте. Примите к сведению.

Жюстина, у которой были заняты обе руки, постучала в стеклянную дверь локтем. Оуэн открыл, взял у матери большую сумку и огромный термос.

— Вы только посмотрите, какая красота! Молодец, Бекетт!

— Не он один работал, — напомнил Райдер.

— Все за одного, — кивнула Жюстина. — У тебя будет великолепный дом! Вы столько всего успели с тех пор, как я была здесь в последний раз.

— Я тебе все покажу.

— С удовольствием посмотрю, но вначале обед. Я привезла суп-минестроне, сэндвичи с ветчиной на гриле и сыром, яблочный пирог.

— Лучшая в мире мама!

Райдер открыл сумку.

— Я буду только суп. — Оуэн погладил себя по животу. — С тех пор как Эйвери проверяет на мне новые рецепты, я ем больше, а пока мы не закончили дом Бекетта, тренируюсь меньше.

— Интересно, что ты упомянул тренировки. — Жюстина вытащила бумажные тарелки, миски и ложки из своей объемистой сумочки. — Я как раз хотела с вами об этом поговорить.

Она разложила посуду на фанере, которой были закрыты столы и тумбочки.

— Схожу к машине за напитками.

— У нас есть.

Бекетт открыл холодильник.

— А что-нибудь диетическое?

— С чего бы? — спросил Райдер.

— Ладно, давайте, что есть, — решила Жюстина. — Все равно скоро сгоню. Вернее, месяцев через девять или год, когда смогу потренироваться часок-другой в фитнес-центре Бунсборо.

Райдер замер, не донеся до рта сэндвич с ветчиной и сыром.

— Мама!

Жюстина безмятежно налила суп в миску, подала Оуэну.

— Я тут узнала, что здание за нашей гостиницей — то, с которым у нас общая парковка, — выставлено на продажу.

Бекетт вздохнул.

— Мама.

— И мне вдруг подумалось, у нас в городе нет фитнес-центра, да и рядом с городом тоже нет. Люди вынуждены садиться в машину и ехать черт знает куда. Хоуп сказала, что уже несколько постояльцев спрашивали, нет ли поблизости спортзала.

Оуэн уставился на суп.

— Мама!

Жюстина весело продолжила:

— Здание не особенно привлекательное и смотрится ужасно из внутреннего дворика гостиницы или с террас сзади, но мы сможем довести его до ума. И получим всю парковку.

— Мы еще не закончили булочную, — заметил Оуэн, — и только-только начали работу над новым рестораном.

— Из всех моих сыновей ты единственный, кто понимает преимущества перспективного планирования. Я еще не купила это здание и не куплю без вашего согласия. Пока только веду переговоры. На заключение сделки тоже потребуется время. Если все пойдет гладко, Бекетт может начать работу над чертежами после медового месяца.

— Мама, ты видела это место? — спросил Райдер.

— Вообще-то, да. Там нужно поработать. — Она налила ему суп. — И хорошо поработать. К счастью, работать мы умеем. Тем более оно не такое запущенное, как здание гостиницы.

— Купить, чтобы сровнять с землей, — пробормотал Райдер.

— Ну, тебе виднее. Скорее, полностью перестроить.

— Ты уже решила, что тебе нужно.

Жюстина улыбнулась Оуэну.

— Есть кое-какие задумки. Хотя нам, конечно, не угнаться за крупными сетевыми фитнес-центрами, мы предложим фитнес-центр двадцать первого века с обаянием небольшого городка и широким выбором разнообразных программ.

— Даже если мы переделаем здание, как ты хочешь, нужно будет его укомплектовать, подобрать тренеров, инструкторов.

— Я сама этим займусь, — сказала Жюстина Райдеру. — На втором этаже сделаем большой зал для групповых занятий, детскую игровую зону и массажный кабинет. Тренажерный зал с кардиозоной, оборудованием для круговой тренировки и зоной свободных весов будет на первом этаже. Там же устроим маленький зал для групповых занятий и раздевалки. В каждой раздевалке будет парилка и сауна. Как в спа-центре. Мы все продумаем.

Она потрепала Бекетта по щеке.

— Правда, сынок?

— Конечно. Если ты его купишь.

Жюстина улыбнулась еще шире.

— Предоставьте это мне. Так как насчет экскурсии по дому?

— Само собой. Начнем сверху и спустимся вниз.

Нахмурив лоб, Райдер смотрел, как они уходят.

— Черт! Черт возьми, отличная идея!

— Даже если все пойдет быстро, раньше середины весны мама это здание не получит. Проект и разрешения будут готовы к началу лета. Этим займется Бек.

— Слава богу. Я не прочь снести там все лишнее, — задумчиво сказал Райдер. — Люблю ломать. Но сперва нужно разделаться с булочной. Пора бы найти туда кого-нибудь, иначе мама решит, что мы сами будем печь кексы.

— Похоже, я уже нашел. Знакомая Эйвери. Переехала сюда из округа Колумбия, где работала пекарем-кондитером. Она подыскивает место для собственной булочной.

— Еще одна городская девица? — Райдер пожал плечами. — Как она выглядит?

— Замужем.

— Тем лучше. Ты разберешься с булочной, Бек решит, что делать со спортзалом, а я займусь рабочими.

— Договорились, — согласился Оуэн.

— Со временем старые здания закончатся, и ей больше нечего будет покупать.

Оуэн рассмеялся и все-таки взял сэндвич.

— Даже не надейся!

* * *

— Спортзал? — переспросила Хоуп.

— Таков план, если они купят здание.

Эйвери с Хоуп сидели в обеденном зале и планировали девичник Клэр.

— Оуэн говорит, что его мать загорелась новым проектом.

— Они ведь перекрасят здание? Вряд ли захотят оставить этот жуткий зеленый цвет.

— Наверняка. По словам Оуэна, Бекетт предлагает поднять крышу — разломать плоскую и сделать двускатную.

— Очень удобно для гостей. И для меня. Пересечь парковку и оказаться в новехоньком спортзале, что может быть проще? Красота! С тех пор, как я сюда переехала, ограничиваюсь занятиями по DVD. Хочу полноценный курс йоги.

— Я тоже мечтала заняться йогой. Может, если бы уделяла внимание растяжке, то стала бы чуточку выше. Ладно, если мы закончили со списком, я найду все, что нужно, в конце недели, когда буду закупаться.

— Превосходно. Должен получиться замечательный девичник — цветы, изысканная еда, шампанское, шикарный торт и разные конкурсы с классными призами. Все для Клэр.

— И не успеем мы оглянуться, как они с Бекеттом поженятся.

— Кстати, вы с Оуэном не думаете о свадьбе?

— Нет, что ты! — с деланым смехом возмутилась Эйвери. — Сейчас нас все устраивает. Спокойные, ровные отношения. Ты же знаешь, я не из тех, кто стремится замуж. Возможно, когда-нибудь мы решим съехаться и жить в грехе.

— Слушаю тебя и не верю. Ты же его любишь.

— Люблю, и, возможно, по-настоящему.

Сказать это оказалось проще, чем она думала. Эйвери продолжила:

— Я хочу свыкнуться с этим чувством, проверить, насколько оно прочное. Как я уже сказала, сейчас у нас все хорошо. К тому же мы оба безумно заняты, и не похоже, что скоро освободимся. Дел невпроворот.

— Эйвери, сколько я тебя помню, ты всегда обожала работать. И, насколько я знаю Оуэна, он тоже любит работу. Вы похожи.

— И это плюс.

— Я тебя не понуждаю, но каждый раз, когда вижу вас вдвоем, мне хочется сказать: «Замечательно! Эйвери нашла свою идеальную пару».

Эйвери смущенно поерзала, не зная, куда деть руки.

— Ты меня пугаешь.

— Привыкай. Конечно, лучше не спешить, но если вы оба не влюблены по уши, то я ничего не понимаю в своем деле.

— Перестань, или я начну сватать тебе Райдера.

— А вот это уже страшно. Все, молчу-молчу.

18

Эйвери позволила себе поваляться часок в постели Оуэна. Сам он встал, оделся и ушел в шесть сорок пять, чтобы успеть на семичасовую планерку на строительной площадке.

«Моей строительной площадке», — подумала Эйвери, сворачиваясь калачиком и погружаясь в полудрему. Можно было бы пойти с Оуэном, посмотреть, что там творится, но пока она будет только мешать. Лучше заглянуть туда позже, после того, как она съездит за покупками и закончит остальные дела. Наверняка к тому времени демонтажные работы будут в полном разгаре.

Эйвери лениво подумала, что куда приятнее удивиться достигнутому прогрессу.

Вообще, прогресс наблюдается во многих областях ее жизни. Меньше чем через месяц ее лучшая подруга выйдет замуж, и она, Эйвери, будет при этом присутствовать. Станет свидетелем того, как двое ее друзей обменяются клятвами, создадут семью, отпразднуют это событие.

Любовь всегда казалась Эйвери каким-то неведомым чудом. Но она своими глазами видела, как Клэр и Бекетт вместе нашли это чудо и не боятся в него верить.

Утром предстояло докупить все необходимое к девичнику Клэр. Хоуп составила и распечатала подробный список.

Эйвери была в восторге, узнав, что после свадьбы Клэр с Бекеттом выкроят недельку только для себя и проведут медовый месяц на острове Сент-Китс в Карибском море.

Когда-нибудь она тоже поедет отдыхать в тропический рай. В один прекрасный день она возьмет отпуск, думала Эйвери, открыв один глаз и глядя на хмурое небо за окном спальни. Обязательно. Вот откроет новый ресторан, наладит там работу и побалует себя несколькими днями солнца, белых пляжей и голубой воды. Уедет туда, где никогда не была и где ее никто не знает. Хорошо бы Оуэн согласился составить ей компанию. Интересно, как они вдвоем переживут безделье?

Еще Эйвери радовала мысль, что летом, когда закончатся занятия в школе, молодожены намерены отдохнуть неделю вместе с детьми. Семейный месяц, как сказал малыш Мерфи.

Что может быть лучшего семейного месяца?

И Оуэн с Хоуп все усерднее ищут разгадку тайны Элизы Форд, конечно, когда могут выкроить время. Интересно, было ли чудо между Лиззи и Билли? Свела ли их любовь до того, как вмешалась трагедия? Или ответ, как предположил Оуэн, совсем не романтичный, а скорее, реалистичный?

Юная девушка, мечтающая о любви, и молодой человек, который пошел своей дорогой.

Когда-то Эйвери тоже мечтала о любви. Дети верят в чудеса и волшебство и считают, что нет ничего сложного в том, чтобы жить долго и счастливо. Со временем она поняла, что лучше верить в те чудеса, которых можно добиться самостоятельно, благодаря тяжелому труду и упорству.

И получать от этого удовлетворение. А сейчас пора начинать работу над сегодняшним чудом и вылезать к чертям из кровати.

Эйвери села, обняла коленки и улыбнулась тлеющему огню, который оставил Оуэн. Как мило! Как мило, что он поворошил угли и положил в камин полено, чтобы хмурым мартовским утром она проснулась в тепле. Ей повезло, что в ее жизни есть Оуэн, Эйвери всегда это знала. Повезло и в том, что у них теперь новые, восхитительные отношения, а у Оуэна хватает выдержки не торопить события. Никакого давления и пугающих разговоров о будущем.

Едва Эйвери вылезла из-под одеяла, как сигнал телефона сообщил, что пришло новое сообщение. Наверное, Оуэн приглашает ее посмотреть начало демонтажных работ... Нет, сообщение было от Клэр. Она хотела, чтобы Эйвери заехала к ней в книжный магазин перед тем, как отправиться в Хейгерстаун. Слегка озадаченная Эйвери ответила на сообщение и изменила планы: включила в них остановку у магазина Клэр. А раз уж она все равно едет в те края, можно взглянуть и на демонтажные работы.

Эйвери наскоро приняла душ, натянула джинсы, надела поверху рубашки с короткими рукавами теплый свитер — подготовилась к изменчивой мартовской погоде. Поджав губы, изучила в зеркале свои волосы. Они слегка поблекли, и Эйвери про себя отметила, что нужно присмотреться к цветовой гамме красок для волос и выбрать цвет под настроение.

Обнаружилось, что Оуэн приготовил кофе и оставил рядом с кофейником дорожную кружку. На Оуэна всегда можно положиться. По надежности ему не уступает разве что ее отец.

Повинуясь порыву, она подошла к кухонной доске и нарисовала сердечко с их инициалами посредине.

Эйвери позавтракала кофе и йогуртом, натянула ботинки, замоталась шарфом, влезла в пальто и только потом заметила у двери записку. «Возьми меня», — гласила она. Эйвери закатила глаза и взяла сложенный зонтик.

Первые капли дождя упали на ветровое стекло еще на полпути к Бунсборо. Обратив взор к небу, Эйвери отметила, что, как ни обидно, Оуэн всегда прав. Через несколько минут она, забыв про зонтик, уже бежала под дождем к закрытому крыльцу книжного магазина.

Эйвери постучала в стекло, затем открыла дверь — после прошлогодних неприятностей с Сэмом Фримонтом Клэр дала ей ключ. Вошла, отряхнула с волос капли дождя и увидела подругу, которая спускалась по ступенькам.

— Кофе готов, — объявила Клэр.

— Я уже пила... но разве можно устоять перед латте?

— Сейчас сделаю. Спасибо, что заехала.

— Не за что. Я как раз искала предлог, чтобы сунуться на стройплощадку. Сегодня утром начнут демонтажные работы.

— Знаю. Восхитительно.

Пока она подогревала молоко, Эйвери разглядывала стенд с бестселлерами.

— Мне нужен выходной, какой-нибудь дождливый денек вроде этого, чтобы спокойно почитать. В этот раз я не смогла продраться через книгу, которую предложили для обсуждения в книжном клубе. С какой стати я должна читать о чужих несчастьях? Чтобы думать, что моя жизнь куда лучше? Позлорадствовать? Огорчиться? Лично у меня от этой книги только испортилось настроение.

— Да, я тоже не в восторге. Буквально давилась, как когда-то брюссельской капустой, которая, по словам моей мамы, полезна для здоровья. Не книга, а брюссельская капуста, и не уверена, что она пошла мне на пользу.

— Вот именно. — Эйвери лениво взяла триллер, пролистала. — К тому же, едва я сяду почитать, как сразу хочу крем-брюле или хороший кусок мяса, а может, пиццу с пепперони или мороженое с орехами и горячим карамелью. Ну вот, теперь я проголодалась.

Она повернулась, с улыбкой взяла кофе.

— Спасибо. Эй, что-то ты неважно выглядишь.

— Мне с утра нездоровится.

— Тебе нельзя болеть! — Эйвери погрозила подруге пальцем. — Меньше чем через месяц ты выходишь замуж. Не смей ничего цеплять! Вот, возьми кофе. Похоже, тебе сейчас нужнее.

Клэр покачала головой.

— Ничего я не подцепила, во всяком случае, из того, о чем ты думаешь. И кофе я сейчас не пью.

Она сделала глубокий вдох и призналась:

— Я в положении.

— Что? Прямо сейчас? В смысле, у тебя будет ребенок?

— Да. Я беременна.

Клэр рассмеялась, прижала руки к животу, и Эйвери удивилась, как быстро бледность может смениться румянцем.

— Ох, Клэр! Ты беременна и счастлива. — Отставив кофе, она забежала за прилавок и обняла подругу. — Я так за тебя рада! Когда ты узнала? Какой срок? Что сказал Бекетт?

— Я ужасно счастлива. Сегодня утром, хотя подозревала еще вчера. Недели две. И я пока ничего не сказала Бекетту.

— Почему?

— Вначале я попрошу тебя об услуге. Ты же сейчас поедешь в Хейгерстаун?

— Да.

— Можешь купить мне домашний тест на беременность?

— Так ты еще не проверяла? Ты же сказала, что узнала сегодня утром?

— У меня второй день подряд утреннее недомогание. Я знаю признаки, ведь четвертый раз уже. Чувствую себя разбитой и издерганной, по утрам тошнит, а мое тело... Трудно объяснить. — Клэр вновь потрогала живот, потом грудь. — Я чувствую, что беременна, но хочу убедиться, прежде чем сказать Бекетту. Вдруг я ошиблась? Но мне не хотелось бы покупать тест на беременность ни здесь, ни в Шарпсбурге.

— Понимаю. Земля слухами полнится.

— Вот именно. А раз уж ты едешь в Хейгерстаун, то можешь купить мне тест, и никто не узнает.

— С удовольствием. Ух ты! Свадьба, медовый месяц, семейный месяц, малыш! Бекетт обрадуется, правда?

— Более чем. — Клэр наклонилась, чтобы достать из холодильника под прилавком имбирный эль. — Мы думали завести ребенка, однако хотели несколько месяцев подождать. Мы не особенно пытались, но, судя по всему, нельзя сказать, что не пытались. Если я правильно подсчитала, в следующем январе нас будет шестеро, как раз к первой годовщине отеля.

— Можно мне сказать Хоуп? Мы с ней договорились встретиться. Если ты против, я дам обет молчания.

— Я тебе сообщу, как только сделаю тест. Можешь рассказать Хоуп сразу же после того, как скажу Бекетту.

— До тех пор буду молчать как рыба. Какая приятная новость! Чудесная, замечательная новость! — добавила Эйвери, еще раз обнимая Клэр. — Нет, не поеду я смотреть на демонтажные работы, вдруг проболтаюсь? Не буду ни с кем разговаривать, чтобы не рисковать. Вернусь через пару часов. Думаешь, мальчик?

— Лучше бы девочка. — Клэр рассмеялась. — Знаю, что глупо, но видит бог, мне бы очень хотелось девочку.

— Все, думаем о девочке. — Эйвери в последний раз обняла Клэр. — Постараюсь вернуться как можно скорее.

— Спасибо. Погоди, там льет как из ведра. Возьми зонтик.

— Не нужно, у меня есть в машине.

Эйвери выскочила из магазина и насквозь промокла, пока бежала к машине, но всю дорогу улыбалась.

* * *

Оставив рабочих заниматься демонтажными работами, Оуэн заехал посмотреть, как продвигается строительство булочной. Пока все шло по плану. Раз уж одним проектом руководит Рай, а другим — Бекетт, можно съездить в Хейгерстаун за стройматериалами, быстро уладить кое-какие дела и выполнить все поручения, что надавали братцы.

Оуэн был не против многочисленных остановок — чем больше материалов, тем быстрее движется стройка. И поездка по дождю его не раздражала. Куда хуже, если бы шел снег, который заметал сейчас северную часть округа и добрался до Пенсильвании.

Оуэну надоел снег, надоела зима, так что лучше уж дождь, решил он.

Хорошо бы Эйвери не забыла зонт, ведь она занималась тем же самым — покупала. Многочисленные остановки, разные парковки, пробежки по магазинам, вычеркнутые из списка пункты...

Жаль, конечно, что они не поехали вместе, но это было бы непрактично — места остановок не совпадают. Если синоптики не врут, то дождь зарядил до завтрашнего утра. Оуэн вспомнил, что сегодня Эйвери работает допоздна, а потом закрывает пиццерию. Можно будет поужинать в «Весте», а потом поработать с бумагами в квартире Эйвери, пока она не закончит смену. И остаться у нее.

Пришлось напомнить себе, что не стоит ничего планировать, но, черт возьми, он уже достиг той стадии, когда *хочется* строить планы.

Почему бы им и не подумать о будущем? Что мешает? Однако Оуэн не мог избавиться от мысли, что Эйвери вполне устраивают их нынешние отношения и она не хочет двигаться дальше. Хотя, нужно признать, сейчас все хорошо и удобно для них обоих.

Оуэн заехал за металлоизделиями, заказал пиломатериалы, купил краску, забрал образцы коврового покрытия для квартир над булочной... Он методично сверялся со списком, объезжал магазины и напоследок остановился у аптеки. Взял все, что нужно для себя, добавил к покупкам Райдеров крем для бритья,

«Мотрин» для Бекетта и кинул в корзинку пару колод игральных карт — в дополнение к картам с изображениями голых женщин, которые уже купил для мальчишника с покером.

Он повернул было в следующий отдел, как вдруг заметил Эйвери. Сперва его сердце екнуло от неожиданности, а потом он перевел взгляд на ее мокрые волосы и покачал головой. Все-таки забыла зонт!

Оуэн решил, что незаметно подойдет сзади и схватит ее в охапку. Представил, как Эйвери дернется, взвизгнет, удивится, а потом рассмеется. Надо же, как сосредоточенно она выбирает... тест на беременность.

Господь всемогущий!

Такова была последняя ясная мысль в голове Оуэна, когда он смотрел, как Эйвери берет с полки коробочку, рассматривает со всех сторон и кладет в корзину. Он стоял, словно прикованный к полу, а Эйвери прошла по проходу и повернула за угол.

Домашний тест на беременность? Но ведь она принимала... Он пользовался... Как... Эйвери беременна? Как это могло случиться? И, главное, почему молчит? Ни слова не сказала о том, что, возможно, в положении. Просто купила тест и кинула к гелю для душа, шампуню и зубному эликсиру.

Еще один пункт из списка?

Оуэн хотел догнать ее, расспросить... однако лишь застыл на месте, будто парализованный, не понимая, что чувствует, что думает...

Ошарашенный, с трясущимися коленями, он отставил корзину и вышел из аптеки, так ничего и не купив.

* * *

Оуэн вернулся на новую стройку и включился в демонтажные работы. Хотел развеяться, круша старые стены, — не получалось. Он таскал куски гипсокартона, треснутые рамы и лично разломал старый прилавок. И все равно растерянность и злость не отпускали, а нервы натянулись как струны, готовые вот-вот лопнуть.

Эйвери. Беременна.

Сколько нужно времени, чтобы сделать тест? Насколько он точен?

Жаль, некогда поискать ответы, обрести хоть какую-то почву под ногами.

Если Эйвери купила тест на беременность, значит, у нее есть основания полагать, что она в положении. Женщины не покупают такие вещи ни с того ни с сего. Или покупают?

Люди запасаются лейкопластырем до того, как порежутся, но тесты на беременность заранее не покупают. А если Эйвери думает, что залетела, почему она даже не упомянула об этом? Могла бы сказать: Оуэн, возможно, я беременна, хочу купить тест и проверить.

Она, должно быть, страшно перепугалась. Хотя не похоже, судя по ее виду.

Она выглядела очень спокойной и даже слегка улыбалась, когда положила тест в корзинку.

Значит, она *хотела* забеременеть?

Подумала, что в положении, обрадовалась. Решила ничего не говорить, пока не удостоверится. А если тест будет отрицательным, промолчит, и все. Эта мысль Оуэну не понравилась, показалась неправильной.

Уж кто-кто, а Эйвери — учитывая поступок ее матери! — должна понимать, что отец (Господи, возможно, он станет отцом!) имеет право знать. Дело касается двоих. Они ведь не просто партнеры по сексу, у них не разовая случайная связь. Они...

Оуэн так и не решил, кто именно, но одно знал точно — они не просто время от времени спят вместе. Как бы ни назывались эти отношения, в основе их должны быть честность и доверие.

Он вдруг вспомнил, что Эйвери не сказала ему о встрече с матерью, пока он не припер ее к стенке. Она увиливала и скрывалась. Если сейчас она намерена вести себя так же, то этот номер у нее не пройдет.

— Твою мать! — выругался Оуэн, сваливая обломки фанеры в мусорный ящик.

— Ладно, — заметил Бекетт, подходя к нему сзади, — работа тебя не успокоила, так что давай, рассказывай.

— Хочешь, чтобы я рассказал? — В несвойственной для себя манере Оуэн злобно пнул мусорный ящик. — Я тебе расскажу. Эйвери беременна.

— Ох, ни хрена себе! — Заметив, что к ним идет рабочий, Бекетт знаком велел ему отойти, потом схватил Оуэна за руку и затащил под навес, подальше от дождя. — Когда ты узнал?

— Сегодня утром. И знаешь как? Она ничего мне не сказала. Я узнал только потому, что зашел в чертову аптеку и там ее увидел. Покупала тест на беременность.

— Господи, Оуэн! Результат положительный?

— Понятия не имею. — Разозлившись еще сильнее, Оуэн начал мерить шагами бетонную дорожку. — Она молчит. Втихаря смывается, покупает эту штуковину, на которую нужно мочиться...

— Успокойся. — Бекетт шагнул на дорожку и поднял обе руки, останавливая рассерженного брата. — Ты же не знаешь, беременна она или нет.

— Судя по тому, как она себя ведет, я узнаю самым последним. — Теперь Оуэн чувствовал не только ярость, но и обиду. — На меня ей плевать.

— А когда ты спросил, что она ответила?

— Ничего. Я не спрашивал.

Какое-то мгновение Бекетт вглядывался в сердитое лицо брата, потом похлопал его по руке.

— Ты не спросил, зачем она покупает тест на беременность?

— Нет. Я растерялся! Господи, она кинула его в корзинку, словно пакетик леденцов — с легкой такой улыбкой! — вот я и растерялся. А что бы ты сделал?

— У нас с Клэр все по-другому. — Бекетт говорил спокойно и медленно, глядя на дождь из-под выступа крыши. — Мы говорили о том, чтобы завести ребенка. Мы хотим еще малыша. Как я понял, вы двое не обсуждали, что будете делать, если вдруг.

— Нет, я об этом не думал. Она должна была мне сказать, Бек, вот в чем дело. Должна была сказать, что ей нужен тест. Почему она решила, что сама со всем справится? Я не могу так жить.

— Да уж, ты не можешь.

Кто-кто, только не Оуэн, подумал Бекетт. Его брат — прирожденный командный игрок и свято верит в партнерство и разделенную ношу. Оуэн признавал секреты только на Рождество и дни рождения.

— Ты должен с ней поговорить, только, ради бога, не сейчас. У нее обеденный наплыв посетителей, да и тебе надо бы остыть.

— Вряд ли я легко остыну. Чем больше я об этом думаю, тем больше злюсь.

— Тогда думай вот о чем. Если она беременна, что ты хочешь сделать?

— Если она в положении, мы должны пожениться.

— Я не спрашиваю, что ты должен, а что ты хочешь.

— Я...

Какое-то мгновение Оуэн молчал, пока в его мозгу происходила маленькая, но важная перестройка.

— Если у нас будет ребенок, я хочу на ней жениться.

— Вот видишь. Так что подумай часок, разберись. Ты всегда приходишь к верному решению, Оуэн. А к тому времени и народу в пиццерии станет меньше. Подойдешь к Эйвери, скажешь, что хочешь поговорить с ней наедине. И, бога ради, прежде чем психовать, узнай, будет ли ребенок или нет. А потом уже действуй.

— Ты прав. Черт, меня...

— Мутит?

— Не совсем. Как-то не по себе. Ни с чем подобным я раньше не сталкивался. Это...

— Выходит за рамки Оуэнова порядка вещей? Приспосабливайся, — посоветовал Бекетт и легонько ткнул брата кулаком в плечо.

— Приспособиться, говоришь? Да, я приспособлюсь. — Лицо Оуэна потемнело, глаза сверкнули. — Но не я один.

Подождав час, Оуэн решил, что успокоился. Под проливным дождем он дошел до «Весты» и оказался в тепле, среди запахов соуса и специй. Эйвери звякнула кассой, пробивая чек, и игриво подмигнула Оуэну.

«Она еще и подмигивает!» — подумал он со злостью.

— Ты вовремя, — сказала Эйвери. — Стало поспокойнее, и я собиралась сбегать через дорогу, посмотреть, что вы там уже разломали.

— Нам нужно поговорить.

— Конечно, садись. Попрошу Фрэнни меня подменить. Хочешь кусок пиццы?

— Нет. Я хочу поговорить с тобой наверху. Наедине.

— Ой! Вот черт! Что-то случилось на стройке?

— Нет.

— Тогда в чем...

— Эйвери. У тебя в квартире, немедленно.

От преувеличенно спокойного голоса Оуэна Эйвери нахмурилась.

— Хорошо. Но ты портишь мне настроение. — Она подошла к двери между кухнями. — Фрэнни! Мне нужно отойти.

Она сняла фартук и повесила на крючок.

— Так хочу посмотреть новое место!

— Потом пойдешь, если захочешь.

— Почему ты злишься? — спросила Эйвери, когда они выходили через боковую дверь. — Я ничего не сделала.

— Возможно, в этом-то и проблема.

— Нет, ты на самом деле портишь мне настроение, — повторила она, распахнув дверь в квартиру. — В чем, черт возьми, дело?

Все благие намерения Оуэна поговорить спокойно и разумно пошли прахом.

— Какого черта ты не сказала мне, что беременна?

— *Что?*

— Только не делай вид, что ничего не понимаешь! Я видел тебя в аптеке, ты покупала тест не беременность.

— Ты... — Эйвери подбоченилась. — Ты *следил* за мной.

— Не говори глупости. Я ездил по делам и зашел в аптеку. А там увидел, как ты берешь с полки тест и кладешь в корзину. Проклятье, что ты за человек такой, ничего мне не сказала! Неужели ты настолько мне не доверяешь и не уважаешь наши отношения, что не сочла нужным признаться?

— Может, потому, что я не беременна?

— Нет?

— Я не беременна, идиот.

Странное чувство охватило Оуэна, но он никак не мог определить: какое именно?

— Результат был отрицательным.

— Наоборот, положительным.

Она достала мобильник.

Сердце Оуэна екнуло и поднялось к горлу.

— Если результат положительный, то ты беременна. Кто из нас идиот?

— Ты.

Эйвери повернула телефон, чтобы Оуэн увидел фотографию тест-полоски и одно слово: «БЕРЕМЕННА!»

— Это от Клэр. Утром она попросила меня купить ей тест на беременность, вот я и купила.

— Я разговаривал с Бекеттом десять минут назад. Он ничего мне не сказал.

— Она еще ему не говорила. Ждет, когда они останутся вдвоем, хочет, чтобы это стало особой минутой. И ты бы разделил ее с ними, если бы не был таким придурком. Она просила пока никому не говорить, а я нарушила обещание. И это меня бесит.

— Да не скажу я ему ничего! Не буду портить им радость.

У ошеломленного Оуэна закружилась голова, он запустил руки в волосы, которые слегка намокли под дождем и торчали непослушными вихрами.

— Что, по-твоему, я должен был подумать, когда увидел, как ты покупаешь... эту штуку?

— Не знаю. Может, надо было подойти ко мне и сказать: «Привет, Эйвери! Не ожидал тебя здесь встретить. Зачем тебе тест на беременность?»

— Мне нужно присесть. — Оуэн сел. — Хочу напомнить, что за тобой долг. Ты обещала меня простить.

Минуту он просто дышал, затем продолжил:

— Я не подумал. Ты ушла, вся такая спокойная и веселая, мне даже в голову не пришло тебя спросить.

Эйвери молча наблюдала за ним. Редкое зрелище — смущенный и растерянный Оуэн.

— Ты обалдел.

— В некотором смысле.

— И сделал поспешные выводы.

— Я... Ну да.

— Тебе это несвойственно.

— Я раньше не видел, чтобы ты покупала тест на беременность, а если учесть, что ты спишь только со мной...

Эйвери немного подумала.

— Что ж, тебя можно понять. — Легкая усмешка коснулась ее губ, и Эйвери не стала ее сдерживать. — Ты психанул.

— Не совсем, — поправил Оуэн. — Скорее, разозлился и...

Он замолчал, потом все же решился на откровенность.

— Мне было обидно, что ты ничего не сказала. Мы никогда не говорили о том, что будем делать, если это случится.

Эйвери шумно выдохнула.

— Разговор серьезный. Думаю, за десять минут мы не управимся. Сейчас все в порядке, я не беременна, а Клэр — да. Она так счастлива! Вот Бекетт обрадуется!

— Да уж, точно.

— Давай просто порадуемся за них, а еще мне приятно знать, что ты вел себя как идиот. Поговорим позже. Я хочу посмотреть на демонтажные работы. К тому же я обещала Клэр забрать мальчишек из школы, чтобы она спокойно поговорила с Бекеттом. Она считает, что детям пока рано знать, во всяком случае, до свадьбы. Сейчас эта новость только для них, ну, еще для родителей, нас с тобой, Хоуп и Райдера. Это уже много.

— Ладно. — Чувствуя себя лучше, Оуэн встал. — Но нам все равно надо поговорить, на всякий случай.

— Ты волнуешься больше, чем я, но мы обязательно поговорим. Сегодня хороший день, Оуэн.

— Согласен. Очень хороший!

Оуэн почти пришел в себя, когда Эйвери погладила его по волосам.

— Давай сейчас радоваться за Клэр с Бекеттом. Они женятся, создают семью и ждут прибавления. И это именно то, чего они хотят.

— Да, — сказал Оуэн, притягивая к себе Эйвери. — Будем радоваться. Прости, что я психанул.

— Ничего страшного, зато я смогла назвать тебя идиотом. — Рассмеявшись, Эйвери откинула голову назад и поцеловала Оуэна. — Пойдем на стройку. А можно я что-нибудь разломаю?

— Подыщу что-нибудь специально для тебя. Это самое малое, что я могу сделать.

19

Хоуп передвинула прозрачную вазу с белыми розами чуть влево.

— Вот так.

Эйвери одобрительно кивнула, хотя не заметила особой разницы.

Они преобразили до неузнаваемости стол из книжного магазина, задрапировав его белой тканью. Под чутким руководством Хоуп украсили импровизированную стойку для десертов и шампанского прозрачными квадратными вазами с полураспустившимися розами и крошечными свечками в серебристых держателях.

Пусть Клэр и отказалась от традиционной свадебной церемонии, но девичник ей решили устроить по полной программе.

— Тут будут подарки, вон там — еда, а десерты и шампанское здесь.

Уперев руки в бока, Хоуп оглядела обеденный зал отеля.

— Классно ты украсила стул, — сказала она Эйвери.

— Сама поражаюсь.

Они поставили стул с высокой спинкой отдельно, напротив остальных. Спинку стула венчал огромный бант из белого тюля, концы которого свисали до пола. Белые и светло-розовые гирлянды обвивали подлокотники, перекладины и ножки.

— Я и не вспоминаю, как люблю все эти девчачьи штучки, пока не представится возможность что-либо сделать.

Цокая высоченными красными каблуками по паркету, Хоуп прошлась по залу и поправила свечи.

— Отнесу вино и закуски в гостиную, чтобы люди могли устроиться там, где им больше по душе.

— Знаешь, многие вообще не видели отель. Будут требовать экскурсии.

— Надеюсь. Жаль, что еще прохладно и нельзя переместиться во внутренний дворик. Как бы то ни было, отель выглядит потрясающе, а мы с тобой... — Хоуп повернулась, взяла Эйвери под руку и взглянула в зеркало в золотой раме. — Мы с тобой великолепны.

— Согласна.

— Ну что, по шампанскому?

— Не откажусь.

Девушки пошли на кухню, где Хоуп налила два бокала и подняла тост:

— За подружек невесты и будущих крестных матерей!

— За нас! — подхватила Эйвери.

— А месяцев через восемь мы устроим вечеринку для будущей матери и младенца.

— Четверо детей. Вот это да! — Эйвери отпила шампанское и вновь подняла бокал. — Удачи их родителям!

— Они справятся. Ими движет любовь.

— Думаешь?

— Да. — Хоуп забралась на табурет. — Интересно, сколько они еще будут молчать про малыша? Они оба просто светятся от счастья.

— Многие решат, что они так радуются свадьбе, и отчасти будут правы. Если Клэр с Бекеттом ничего не скажут до конца медового месяца — как, собственно, Клэр и планирует, — то смогут перевести дух.

— И ты целый день скрывала эту новость!

— Я *безумно* хотела рассказать! — Эйвери в ярко-зеленом платье присела на табурет, одернула узкую юбку. — Обязательно забежала бы к тебе после работы, но история с Оуэном выбила меня из колеи.

— По идее, вы вообще не должны были встретиться!

Хоуп со смехом откинулась назад — происшествие все еще ее забавляло.

— Серьезно, заходит он в отдел аптеки, а ты там покупаешь тест на беременность!

— Да уж, судьба сыграла над ним злую шутку.

— Бедняга. Представь, о чем он только не передумал!

— В том-то и дело, что не могу, ну, или могу, но не совсем, — а я обычно знаю, о чем он думает. Разозлился он или испугался?

— Наверняка и то и другое.

— Даже после того, как я объяснила? Пока мы не касаемся этой темы, но, честно говоря, я так и не поняла, откуда такая реакция: то ли потому, что я забеременела, то ли потому, что ничего ему не сказала.

— Скорее всего, он подумал: «Ладно, хорошо, что это Клэр. А если бы это была Эйвери?»

— Ты же знаешь, Оуэн любит все планировать заранее. Всему свое время и место. Он из тех, кто пакета молока не купит, пока не проверит срок годности на упаковке.

— Я тоже.

— Потому-то вы так хорошо ладите. Незапланированная беременность? — Эйвери закатила глаза. — Да это бы подорвало основы всех его жизненных планов.

— А какие у него планы?

— Понятия не имею, но готова поспорить, что они есть.

— Думаю, ты ошибаешься. — Хоуп подлила в бокалы шампанского. — Наверняка у него есть некий общий план, включающий в себя цели, достижения, этапы и какие-то события, но Оуэн умеет приспосабливаться к обстоятельствам.

Она обвела вокруг себя рукой.

— Я же приспособилась.

— Да, он тоже может.

Эйвери напомнила себе, что организованность и рациональность не означают косность. Скорее, недостаточную гибкость, во всяком случае, по ее, Эйвери, меркам.

— Хорошо, раз уж мы заговорили о случайностях: если бы я покупала тест для себя и результат оказался бы положительным, Оуэн приспособился бы и поменял планы. Первым пунктом стала бы женитьба.

— Тебе это не нравится?

— Дело в другом. Он бы считал, что поступает правильно. А я не хочу выходить замуж только потому, что так надо.

— Лучше так, чем наломать дров, — заметила Хоуп.

— Ты знаешь, что я имею в виду. Мне хочется выйти замуж потому, что я *мечтаю* о замужестве, готова к нему и рада разделить свою жизнь с любимым человеком.

Хоуп рассеянно взяла из вазочки на столе мятную конфетку.

— Ты бы ему отказала.

— Не знаю.

— Зато я знаю. Чтобы доказать собственную правоту и не связывать Оуэна обязательствами. — Положив ногу на ногу, Хоуп отпила шампанское, не сводя глаз с подруги. — Сказала бы: «Я сама могу о себе позаботиться, и ты не обязан на мне жениться. Хочешь нести совместную ответственность за ребенка и быть важной и неотъемлемой частью его жизни — пожалуйста. Но я тебе ничего не должна».

— Что-то слишком бескомпромиссно.

— Ты бы так и сказала. Под влиянием гордости, настороженности и великодушия вперемешку с комплексами из-за родителей.

— По-твоему, они поженились бы, если бы мать не была беременна? — Помрачнев, Эйвери отпила шампанское. — Лично я сомневаюсь.

— Если бы они не поженились, ты бы сейчас здесь не сидела. Они сделали выбор; в результате появилась ты.

Эйвери дернула плечом.

— Школа практической логики Хоуп Бомонт.

— Логика есть логика. Послушай, я бы не сидела здесь с тобой, если бы не выбор Джонатана, после чего мне пришлось сделать свой. Последние месяцы я много об этом думала. Мне здесь очень хорошо, лучше, чем когда я была с Джонатаном и не сомневалась, что моя жизнь идет строго по намеченному плану.

Эйвери помолчала.

— Хоуп, Джонатан был полным придурком.

Хоуп со смехом подняла бокал.

— Да, но я-то считала, что он *мой* придурок. — Она бросила взгляд на часы. — Все, пора заняться делом.

Едва они начали расставлять посуду, как в дверь фойе постучала Клэр.

— Знаю, что я слишком рано, — сказала она, когда Эйвери ее впустила. — Я отвезла детишек к новому дому, который уже почти готов. Бекетт с братьями обещали подключить мальчишек к работе. Бог в помощь им всем. О, вот это да! Вы только посмотрите на эти цветы!

— Погоди, ты еще не видела обеденный зал. Давай сюда пальто. Вешалка для одежды в прачечной. Как ты себя чувствуешь? Говори спокойно, здесь только мы с Хоуп, больше никого.

— Хорошо.

Рассмеявшись, Клэр отбросила назад золотистые волосы.

— Утром меня рвало, а я думала только о том, что у меня будет ребенок. У нас с Бекеттом будет ребенок. Так что я чувствую себя прекрасно.

— Заметно. Я не про ребенка, — с улыбкой сказала Эйвери, когда Клэр положила руки на живот. — Идем, посмотришь.

Когда она втащила Клэр в обеденный зал, Хоуп вышла из-за буфетной стойки.

— Ну как?

— Изумительно! До чего же красиво! Цветы, свечи... О, вы украсили для меня стул! — Клэр моргнула, прогоняя набежавшие слезы. — Опять у меня глаза на мокром месте! Не знаю, то ли от счастья, то ли от избытка гормонов, наверное, все вместе. Утром я расплакалась, когда Бекетт помыл посуду после завтрака.

— Невесте можно всплакнуть на девичнике, — сказала Хоуп.

— Надеюсь, потому что... Спасибо, огромно спасибо за все! За то, что вы у меня есть!

— Хватит, — предупредила Эйвери, — не то мы сейчас все разрыдаемся. Пойду, повешу пальто.

Она вышла из зала и повесила пальто Клэр поверх своей куртки. Едва Эйвери пустилась в обратный путь, как почувствовала, как что-то тянет ее через фойе и вниз, к лестнице. Какой-то звук? Нет, подумала Эйвери, скорее, ощущение. Она осторожно поднялась по ступенькам, оставив за собой голоса Клэр и Хоуп.

Дверь номера «Элизабет и Дарси» была открыта. Эйвери вспомнила, что сегодня все номера открыты, — Хоуп хотела, чтобы гости ходили по отелю и любовались комнатами, пока она и Эйвери будут заняты.

Однако дверь на террасу в номере «Элизабет и Дарси» тоже была распахнута. В прохладном мартовском воздухе, проникавшем в комнату, витал легкий аромат жимолости.

Эйвери не увидела и не услышала Лиззи, только почувствовала. Почувствовала ее печаль.

— Пожалуйста, вернись, — прошептала Эйвери. — Зайди в комнату. Я знаю, что ты грустишь. Должно быть, тебе трудно смириться с разлукой. Оуэн ищет Билли. Если кто-то и может его отыскать, то только он. И все же ты здесь не одна. Я знаю, что такое одиночество, сама испытывала это чувство.

Она сделала еще шаг к террасе, подождала.

— Но я ошибалась — рядом со мной всегда были люди, которые меня любили, даже когда все вокруг казалось мне печальным и беспросветным. Тебя тоже любят. Ты нам дорога.

Эйвери помедлила, затем ее осенило. Почти все время Лиззи казалась довольной, даже шаловливой. И романтичной. Молодая женщина с веселым характером.

— Я знаю секрет. Думаю, с тобой можно поделиться, наверняка ты умеешь хранить секреты. Особенно радостные. Пожалуйста, зайди в комнату.

Дверь на террасу медленно закрылась. Эйвери ничего не увидела, но верила, что Лиззи где-то рядом, и присела на краешек кровати и начала:

— У нас сегодня вечеринка. Девичник Клэр.

Она не знала, проводили ли девичники во времена Элизы Форд.

— У нас такая традиция. Я имею в виду, у женщин. Мы устраиваем праздник в честь будущей свадьбы нашей подруги. С угощением, играми, подарками. Это очень радостное событие. Так вот, только несколько человек из всех присутствующих знают этот секрет, но Клэр не будет возражать, если я скажу тебе. Тебе же нравятся Бекетт, Клэр и мальчики? У них такая счастливая семья! А через несколько месяцев они ждут прибавления. Клэр беременна. Следующей зимой у них с Бекеттом будет ребенок.

Аромат жимолости, сладкий, словно летом, усилился, согревая воздух.

— Я знаю. Правда, здорово? Ты видела, как они полюбили друг друга. Думаю, все началось здесь, в гостинице. Через две недели они поженятся, и свадьба тоже будет здесь. У них настоящая, крепкая любовь. Большая редкость, да? Влюбиться по-настоящему, найти того единственного, который создан только для тебя. У меня не хватает слов.

Эйвери опустила взгляд, увидела, что сжимает маленький ключик — подарок Оуэна. На руке блестели слезы, ее слезы.

— Должно быть, гормоны Клэр заразны, — пробормотала она. — Мне не грустно, все хорошо.

Она почувствовала легкое прикосновение к волосам и закрыла глаза, удивляясь, что на душе стало спокойнее.

— Мне не грустно, — повторила Эйвери. — Просто я не так уверена в своих чувствах, как хотелось бы. Почему люди рискуют влюбляться? Ты, должно быть, многим рискнула ради Билли. Почему?

Стекло в двери на террасу затуманилось, на нем появился контур симпатичного сердечка.

— Казалось бы, очень просто, — прошептала Эйвери. — Почему в жизни иначе?

С нижнего этажа донеслись голоса и смех.

— Праздник начинается, мне пора идти.

Она встала, подошла к маленькому зеркальцу — проверить, не видно ли следов слез.

— Ты тоже спускайся, приглашаю официально. Ты не должна быть одна, — добавила Эйвери и пошла вниз к подругам, зная, что разговаривала не только с призраком, но и с собой.

Она с головой окунулась в праздничную суету, отметив мельком, как приятные девчачьи посиделки, когда есть время. Красивые наряды, изысканная еда, разговоры о свадьбах и мужчинах и восхитительная возможность немного посплетничать. Или даже лучше — возможность наслаждаться радостной новостью, о которой знают всего лишь несколько человек и привидение.

Эйвери пила шампанское и наполняла бокалы, ела крошечные бутерброды и относила посуду на кухню, а Хоуп деловито записывала подарки и дарителей и припрятала разорванную упаковку, памятуя, что Кароли искусно мастерит букеты из ненужных бантов, лент и оберточной бумаги.

Глупые, чисто женские штучки. Запахи и звуки на фоне свадебного белого цвета и мерцания свечей. Будущая невеста и мама, которая пьет имбирный эль из фужера для шампанского и смеется, когда под веселые возгласы и восторженный свист вытаскивает из коробки почти прозрачную черную ночную рубашку.

— Какие вы молодцы, девочки! — Жюстина обняла Эйвери, пока шел очередной шумный конкурс. — Отлично получилось!

— Для нас это было в радость.

— Сразу видно. Клэр повезло с подругами.

— Мне тоже.

— И это заметно. Думаю, нужно открыть еще одну бутылку шампанского. Поможешь?

— Конечно.

— Вообще-то я хотела поговорить с тобой наедине, — сказала Жюстина, когда они зашли на кухню.

— Ладно.

Жюстина взяла бутылку, которую Эйвери достала из холодильника, поставила на стойку.

— Я очень хорошая мама.

— Лучшая из всех, кого я знаю.

— Вот именно, — ответила Жюстина с озорной улыбкой, потом ее лицо смягчилось, и она погладила Эйвери по голове. — Я всегда считала тебя своей, даже когда Трейси еще была с вами.

— Ох, Жюстина.

— Я всегда думала, что ты знаешь, и ничего не говорила. Наверное, нужно было сказать.

Растроганная до глубины души, Эйвери только покачала головой.

— Я никогда не сомневалась в твоей поддержке.

— Пусть и дальше так будет. Эйвери, ты один из самых ярких огоньков в моей жизни, и мне жаль, что за последние несколько недель твой свет потускнел.

— Я стараюсь исправиться.

— Не нужно. Чувствуй, что чувствуешь.

Эйвери вспомнила, что Оуэн сказал то же самое. От этих слов ей стало легче, словно ее снова погладили по голове.

— Воспользуюсь случаем и скажу то, что собиралась сказать много лет. Трейси всю жизнь была ветреной, эгоистичной женщиной, которая хотела больше, чем у нее было, и винила других, если не получала желаемого. Ей всегда было мало, и виноват был кто угодно, только не она сама. Ты на нее непохожа. Я видела, как ты растешь, и знаю, что ты за человек.

— Думаешь, она любила меня?

— Конечно, — уверенно ответила Жюстина, сжимая руку Эйвери. — Она любила тебя, да и сейчас любит, только недостаточно сильно.

— Это еще хуже, чем вообще не любить, — прошептала Эйвери.

— Милая, ты здесь ни при чем, все дело в самой Трейси. Надеюсь, в глубине души ты это знаешь, хотя, может, еще не поняла. Зато тебе повезло с подругами. Но порой девушке нужна мать, и у тебя есть я.

Эйвери крепко обняла Жюстину.

— Пожалуйста, не волнуйся из-за меня.

— За тебя я спокойна. — Жюстина подняла лицо Эйвери, улыбнулась. — Яркий огонек. Ты всегда выбираешь верный путь.

* * *

Когда девичник закончился и за гостями убрали — двое остались на ночь, ими занялась Кароли, — Эйвери пригласила Хоуп к себе, перевести дух.

— Отдыхаем! — Эйвери плюхнулась на диван, положила ноги на журнальный столик. — Поздравляю, подруга!

— И тебе того же. Господи, ну и вымоталась же я!

— Это еще из-за выброса адреналина. Ты переволновалась.

— Да уж... Но девичник был обалденный!

— Свадьба будет не хуже. — Эйвери, довольная собой, вытянула руки, покрутила плечами. — Сейчас заварю чай и поговорим о Дженис. О чем, интересно, она думала, когда напялила эти брюки? В них у нее задница как огромный бифштекс.

Запрокинув голову, Хоуп закрыла глаза и хихикнула.

— И правда! Зато Лори отлично выглядела и ужасно радовалась своей свадьбе! Жаль, что они определились, где будут праздновать, еще до того, как мы закончили гостиницу.

— Тебя хлебом не корми, дай поработать.

— Наверное. Я побеседовала с Чарлин. Они с девочками из книжного магазина хотят устроить Лори девичник и спрашивают, можно ли провести его в гостинице. Нужно будет обсудить с Жюстиной плату за подобные мероприятия.

— А я всегда считала себя рабочей лошадкой.

Эйвери встала, направилась было на кухню, сбросив по дороге туфли, но повернула к входной двери: кто-то постучал.

— Только бы внизу все было в порядке, — пробормотала она. — Оуэн.

— Увидел свет и подумал, что мы... Привет, Хоуп.

— Привет. Я уже ухожу.

— Ничего подобного. Хоуп как раз собиралась выпить заслуженную чашку чая. Кароли последит за гостиницей пару часов. Хочешь чаю? — спросила Эйвери Оуэна. — У меня и пиво есть.

— Давай пиво. Мы тоже допоздна задержались. Я могу взять пиво и уйти, если...

— Господи, да садись ты наконец! — Она подтолкнула его к стулу. — От ваших реверансов у меня начинают ныть зубы. А ноги уже ноют.

— Она — само радушие.

Тем не менее Оуэн обошел стул, уселся на диван и обратился к Хоуп:

— Выкроил немного времени для поисков, вчера вечером и сегодня утром.

— Клянусь, как только проведем свадьбу, я тебе помогу.

— Ничего страшного. Я сегодня почти и не искал, мы сейчас много работаем над домом Бекетта.

— Как там у вас дела? — спросила Эйвери.

— Почти закончили. Осталось покрасить, доделать всякие мелочи.

— Это мне знакомо, — улыбнулась Хоуп.

— Я прикинул, сколько нам потребуется времени...

— И это тоже знакомо, — сказала из кухни Эйвери.

— Полагаю, закончим прямо перед свадьбой. А пока Клэр с Бекеттом будут в свадебном путешествии, можно обставить дом. Конечно, не полностью — откуда нам знать, куда вешать картины и прочую дребедень, — но мы могли бы завезти мебель, продукты и так далее.

Эйвери вышла из кухни с подносом, на котором стояли кружки с чаем и бутылка пива. Поставив поднос на столик, она наклонилась поцеловать Оуэна.

— Такая мысль могла прийти в голову только тебе.

— Будет классно, если они переедут в новый дом сразу же после возращения.

— Отличная идея! Помогу, чем смогу, — пообещала Хоуп. — Я знаю, что куда Клэр хочет поставить. Мы с ней об этом говорили.

— У Хоуп память как у слона.

— Хорошо, хоть не задница как огромный помидор.

Оуэн недоуменно поднял брови, когда Эйвери фыркнула в чай.

— Не обращай внимания, девчачьи шуточки, — сказала она.

— Ладно. Потом все обсудим. Как прошел девичник?

— Великолепно. — Хоуп поджала под себя ноги. — У нас была неожиданная гостья. Я то и дело чувствовала ее запах. Думаю, она угостилась шампанским, если это возможно. После того как все ушли, я нашла в номере «Элизабет и Дарси» пустой бокал.

— Это я ее пригласила. — Эйвери отпила чай. — Я заходила в тот номер, и мне показалось, что она грустит. Вот я и рассказала ей о малыше и о девичнике. Похоже, она повеселела.

— Такая мысль могла прийти в голову только тебе, — тихо сказал Оуэн. — По-моему, я кое-что нашел. Я пытался навести справки о семье Лиззи. У нее было два старших брата и младшая сестра. Один брат погиб на войне. Второй вернулся домой, женился, обзавелся четырьмя детьми. Я узнаю об их судьбе, если нужно. Сестра вышла замуж через два года после войны. Родила четырех детей, один в младенчестве умер. Сестра Лиззи прожила свыше девяноста лет. Они с мужем переехали в Филадельфию через пару лет после свадьбы.

Хоуп, ты же родом из Филадельфии, может, поищешь информацию?

— Поищу.

— Ты что-нибудь слышала о школе «Либерти-Хаус»?

Хоуп с удивленным лицом подняла голову от кружки.

— Вообще-то, да. А что?

— Я еще не уточнял все подробности. Дело в том, что в процессе поиска я немного отвлекся — знаете, как это бывает! — и наткнулся на школу для девочек «Либерти-Хаус», основанную в тысяча восемьсот семьдесят восьмом году. Сестра Лиззи была в числе основателей, а сама школа известна тем, что давала девочкам хорошее образование в те времена, когда это считалось необязательным. Сейчас там учатся и девочки и мальчики, но это по-прежнему уважаемая частная школа.

— Я там училась.

— Неужели? — Оуэн изумленно подался вперед, опершись локтями о колени. — Мир тесен.

— Да уж. — Нахмурив брови, Хоуп поставила кружку на стол. — Как звали сестру?

— Кэтрин.

— Фамилия по мужу?

— Дарби. Кэтрин Дарби. Я узнал, что в ее честь назвали школьную библиотеку.

— Да, мир действительно пугающе тесен. Кэтрин Дарби, которая в тысяча восемьсот семьдесят восьмом году помогла основать школу для девочек «Либерти-Хаус», была моей прапрапрабабушкой.

— Ох, ничего себе! — Эйвери открыла рот удивления. — Если так, то ты родственница Лиззи. Ее прапраправнучатая племянница.

— Хоуп, ты уверена?

Хоуп бросила взгляд на Оуэна.

— Я там училась с детского сада и до окончания школы. Мама и дядя тоже там учились, а еще моя бабушка по матери и брат с сестрой. Это семейная традиция. И прежде чем ты спросишь — я плохо знаю историю семьи, во всяком случае, такую давнюю. Когда я была ребенком, Кэтрин Дарби казалась мне просто очень старой женщиной с портрета в школьной библиотеке. Я никогда не слышала, что у нее была сестра. Я даже не знала ее девичьей фамилии.

— Как полагаешь, кому-нибудь из вашей семьи известно больше — что-то личное, чего нет в документах?

— Понятия не имею. Постараюсь выяснить. Все так странно...

Хоуп почувствовала, как к горлу подкатил комок.

— Мне нужно свыкнуться с этой мыслью. Даже не знаю, что и думать. Мне пора идти.

— Хочешь, я пойду с тобой и останусь у тебя на ночь?

— Нет-нет, я не боюсь. И не огорчена. Мне просто нужно подумать.

— Проводить?

— Не надо, — твердо сказала Хоуп, увидев, что Оуэн встает. — У меня хватит сил перейти через площадь. Хочу навести порядок в мозгах.

Эйвери вскочила, проводила Хоуп до двери.

— Обещай, что позвонишь, если не успокоишься, ладно?

— Хорошо. Обработать информацию, — сказала Хоуп, постучав по виску, — вот что мне сейчас нужно.

— Понимаю, иначе бы не отпустила тебя одну. Но знаешь что?

— Ну?

— Обалдеть!

— Не то слово!

Когда Хоуп ушла, Эйвери повернулась к Оуэну.

— Вот это да!

— Сестра, надо же! — пробормотал он. — Зачем я туда вообще полез, просто искал хоть что-нибудь. На всякий случай. А теперь... Конечно, бывают в жизни совпадения, но чтобы такие! Круг поисков расширяется.

— Думаешь, это судьба?

— А что еще? — Оуэн встал и начал ходить туда-сюда. — Ты родилась и выросла в Бунсборо, а Хоуп — в Филадельфии. Вы с ней поступили в один колледж, стали соседками по комнате и подругами. Такими хорошими подругами, что она приехала сюда и подружилась с Клэр. Той самой Клэр, на которой вот-вот женится мой брат. Моей матери приглянулась старая гостиница, и она ее купила, после чего мы потом и кровью восстановили здание и сделали там отель. Наняли управляющую, но она забеременела и была вынуждена отказаться от должности. Вы с Клэр предложили Хоуп.

— Которая мечтала уехать из города, потому что ее парень оказался полным козлом.

— Она идеально подходила, — продолжил Оуэн. — Опытный менеджер, знает все тонкости своего дела, в том числе те, о которых мы даже не подозревали. Правда, она не собиралась перебираться сюда, в Бунсборо. Но стоило маме с ней поговорить, и она сразу согласилась.

— Ну, ты так рассказываешь...

— Так все и выходит! — Оуэн перестал расхаживать по комнате и повернулся к Эйвери. — Один поворот, потом другой, один выбор, за ним следующий — и все приводит в одно место. К гостинице, Лиззи, Хоуп и — если так будет складываться дальше — к Билли.

— Думаешь, она знает? Я имею в виду Элизу.

— Не похоже. Наверное, если бы она знала, то попыталась бы связаться с Хоуп. Вообще-то, она больше общается с нами — со мной, Бекеттом, даже Райдером, хотя он особо не распространяется на эту тему. С мамой. С тобой.

— И с Мерфи. Насколько нам известно, он первым ее увидел.

— Дети. — Оуэн пожал плечами. — Они еще верят в невозможное. Это так...

— Как?

Он посмотрел на Эйвори, и его лицо озарила улыбка.

— Так клево. И... Погоди-ка. Я отвлекся и только что заметил.

— Что заметил?

— Твои волосы. Они снова такие, как были раньше.

Подойдя к Эйвери, Оуэн провел по золотисто-рыжим локонам.

— Я решила немного побыть собой, посмотреть, что из этого выйдет.

— Такой ты мне нравишься больше всего.

— Правда? — Она озадаченно уставилась на него. — Почему ты раньше ничего не говорил?

— Ну, твои волосы, тебе и решать. — Оуэн наклонился, глубоко втянул воздух. — А вот это *твои* волосы. Твои на запах, на ощупь, а теперь еще и на вид. Обожаю твои волосы.

— Да ладно!

— Я всегда был от них без ума. И кстати, никогда не занимался любовью с тобой и твоими настоящими волосами.

Эйвери рассмеялась, потом, когда Оуэн подхватил ее на руки, рассмеялась еще громче и послушно обхватила его ногами за талию.

— Полагаю, надо восполнить упущенное. Сравнить, как лучше.

— Любишь исследования?

— Особенно некоторые, — согласился Оуэн, неся Эйвери в спальню.

20

Украшенная цветами и сияющими огнями, гостиница сверкала как мечта. Из всего, что ей довелось увидеть и пережить за свою долгую жизнь, этот праздник любви, веры и постоянства блистал ярче всего.

В воздухе витал запах роз вперемешку с легким ароматом жимолости и сладким благоуханием лилий. Небо над гостиницей было голубым и ясным.

В самой гостинице, под волшебной сенью номера «Оберон и Титания», Клэр надела свадебное платье и улыбнулась матери и Хоуп, которые хлопотали вокруг нее.

— Только не плачь, мам.

— Моя дочь такая красивая! — Рози сморгнула слезы. — И такая счастливая!

— Великолепно.

Хоуп шагнула назад и встала рядом с Эйвери.

— Так все и есть. — Клэр вздохнула и повернулась к зеркалу. — Просто великолепно.

— Причем точно по расписанию. Выходи на террасу сфотографироваться, — скомандовала Хоуп. — А мы пока останемся здесь.

— Ты уверена, что поблизости нет Бекетта? Не хочу, чтобы он увидел меня до церемонии. Глупо, конечно...

— Вовсе нет, — вмешалась Эйвери. — Я схожу в номер «Джейн и Рочестер», предупрежу мужчин, чтобы не выходили на эту сторону.

— Ты нужна для фотографий, — напомнила Хоуп.

— Сейчас вернусь, только взгляну, как там парни с Жюстиной. Потом расскажу, что творится на стороне жениха. Все, побежала, пять минут! — Эйвери выскочила из комнаты.

Она заметила, что дверь в номер «Элизабет и Дарси» открыта.

— Не могу сейчас зайти, нет времени. Чуть позже.

Цокая высокими каблуками и радуясь тому, как платье цвета пенистого шампанского развевается вокруг ног, Эйвери поспешила к задней части здания, в дверь и через крыльцо.

Она услышала голоса еще до того, как постучала, — взволнованные возгласы мальчиков, приглушенный смех.

— Все в приличном виде? — спросила Эйвери и приоткрыла дверь.

— Что ты понимаешь под словом «приличный»? — спросил Райдер.

Хихикнув, Эйвери шагнула в комнату.

Жюстина с распущенными по спине волосами прильнула щекой к щеке Бекетта. Райдер и мальчики — все в темных костюмах — сидели на кровати и, судя по разложенным на покрывале картам, играли в «Войну»[1].

— Пора?

Лиам скатился в кровати, остальные тоже засуетились.

— Еще нет. Вначале мы сфотографируемся, потом фотограф спустится к вам, сделает несколько снимков. Где Оуэн?

— Занимается прохладительными напитками, — ответил Райдер.

— Классно выглядишь! — сказала Эйвери. — Вы все классно выглядите. Я заберу Жюстину с мальчиками, а когда сфотографируемся, приведу обратно. А вы все ждите здесь, в задней части гостиницы. И чтоб никто не болтался у главного фасада!

— А как насчет доставки пиццы? — поинтересовался Райдер к бурному восторгу юного поколения.

---

[1] Война — разновидность карточной игры, напоминающая «Пьяницу». Играется колодой из пятидесяти двух карт.

— Потом.

Жюстина повернулась и окинула мальчишек взглядом, который, по мнению Эйвери, мог бы подавить любые беспорядки дней на десять, не меньше.

— Пойдемте, ребята! Скоро увидимся, — сказала Жюстина, целуя Бекетта в щеку.

— А я пить хочу.

Мерфи умильно посмотрел на Жюстину, сопроводив взгляд просительной улыбкой.

— Сейчас принесу. Я вас догоню, — пообещала Эйвери.

— Уходите, не закончив игру, значит, я выиграл!

— Не-а!

Гарри повернулся к самодовольно ухмыляющемуся Райдеру.

— Да-а! Для тебя война закончена, неудачник!

— Объявляю мораторий! — вмешалась Жюстина.

Наградив Райдера грозным взглядом, она вывела мальчишек из номера, попутно объясняя Гарри, что мораторий — это перерыв в сражениях.

— Ты и вправду отлично выглядишь, — сказала Эйвери, взявшись за ручку двери. — Но подожди, ты еще Клэр не видел.

— Скажи, что ждать осталось недолго.

— Всего ничего, — пообещала она Бекетту и убежала.

Спускаясь по лестнице, Эйвери бросила взгляд на внутренний дворик. Свадебные шатры, белоснежные под голубым небом, еще больше цветов и огней.

«Великолепно!» — сказала бы Хоуп.

Подошел Оуэн с подносом напитков в руках. Взгляды Эйвери и Оуэна встретились; она — на ступеньках, он — внизу. Волшебное, романтичное мгновение словно застыло, и Эйвери почувствовала, как затрепетало сердце.

Оуэн не мог отвести от нее глаз.

— Ты потрясающе выглядишь.

— Погоди, ты еще невесту не видел.

Оуэн только покачал головой, глядя, как солнце играет в ее огненных волосах шотландской королевы.

— Потрясающе!

— Все так красиво! — Эйвери спустилась вниз. — Кто бы мог подумать год назад, что возможны такие перемены, вернее, что они произойдут!

Оуэн по-прежнему смотрел ей в глаза.

— Ты читаешь мои мысли, — сказал он.

— Жюстина отвела мальчиков на сторону невесты, чтобы сфотографировать. Я должна принести им прохладительные напитки.

Оуэн посмотрел на поднос, который держал в руках. Странно, на какой-то миг он забыл и о напитках, и о свадьбе, и обо всем на свете.

— Да. Вот спрайт — почти шампанское, как считает Лиам. Настоящее шампанское для мамы.

— И пиво для тебя и братьев. Мы будем фотографироваться минут пятнадцать, судя по пугающему расписанию Хоуп. Потом фотограф займется вами, парни.

— Мы будем готовы. У меня тоже есть расписание.

— Кто бы сомневался.

Оуэн подошел к лестнице, вручил Эйвери напитки.

— Потрясающе, — заметил он.

Эйвери рассмеялась и поспешила прочь.

Оуэн открыл дверь, вошел в номер.

— Помнишь, я сказал, что если Эйвери беременна, то я хочу на ней жениться?

— Боже правый, Эйвери что, беременна?

Райдер схватил с подноса пиво.

— Нет.

Только теперь Оуэн понял, что чувствовал, когда выяснилось, кому на самом деле предназначался тест на беременность. Легкое разочарование.

— Дело в том, что минуту назад я понял... Раньше не понимал, а вот сейчас понял.

— Не тяни, говори скорее, — посоветовал Райдер, — не то нарушишь собственное расписание.

— Я хочу на ней жениться. — Оуэн ошеломленно переводил взгляд с Бекетта на Райдера. — Я хочу жениться на Эйвери Мактавиш.

— За это нужно выпить. — Бекетт взял пиво себе, потом Оуэну, отодвинул поднос в сторону. — Давай!

Оуэн хмуро уставился на пиво.

— Тебя это не удивляет?

— Нисколько.

— Погодите-ка! — Сузив глаза, Райдер попятился. — Ты сказал *«жениться»*? Вначале Бек, а теперь и ты? — Он подозрительно покосился на свое пиво. — Сюда что-то подсыпали? Какое-нибудь зелье типа «Женись немедленно»? Мне это не нравится.

— Дело не в пиве, придурок. — Бекетт ухмыльнулся Оуэну. — Сегодня же попроси ее выйти за тебя замуж. Предложение руки и сердца на свадьбе — добрый знак.

— Нужно все продумать. — Оуэн громко выдохнул. — Решить, где и как, и тому подобное.

— Он собирается все продумать. — Райдер глотнул пива. — Чувствую, будет весело.

* * *

Когда с предсвадебными фотографиями было покончено, Рози еще раз обняла Клэр.

— Пойду помогу с детьми, а потом приведу отца.

— Примерно двадцать минут. — Хоуп держала мобильник. — Мы с Оуэном посылаем друг другу эсэмэски, так что я узнаю, когда парни закончат фотографироваться. И когда Бекетт со товарищи выйдут во внутренний дворик.

— Ты пишешь эсэмэски? — спросила Эйвери, когда Рози ушла. — Мы же договорились, что обойдемся без формальностей.

— Без формальностей не значит как попало. Кстати, гости уже собираются.

— Обратный отсчет. — Эйвери взяла бутылку шампанского. — Кому налить?

— Мне не надо, — начала было Клэр, потом нахмурилась. — Пожалуй, выпью глоточек. На счастье.

— Глоток невесте и полные бокалы подружкам.

Хоуп подняла бокал.

— За невесту!

Клэр покачала головой.

— Нет, за супружество. За обеты, компромиссы и надежность. Вот за это я хочу выпить.

— Тогда за супружество, — согласилась Хоуп.

Они чокнулись бокалами.

— И за семью, — через минуту добавила Клэр. — Это не только супружество, дети, когда они появляются, родители, которые дали нам жизнь. Люди вокруг нас — тоже семья. Люди, которые делают нашу жизнь цельной, богатой и прочной.

— Ты так и хочешь, чтобы мы расплакались, — с трудом промолвила Эйвери.

— Я предполагала, что буду плакать. — Пригубив шампанское, Клэр поставила бокал. — Но сейчас чувствую, что мой взор ясен. Прошлой ночью я думала о Клинте. Много думала. Я совершенно уверена, что он был бы рад за меня и Бекетта. Рад, что у меня и у мальчиков есть Бекетт. Я знаю это и счастлива. Сейчас я хочу только одного — выйти навстречу Бекетту и мальчикам, неся еще одного ребенка, — сказала она, прижав ладонь к животу. — И дать брачный обет. А потом я буду танцевать со своим мужем и нашими сыновьями.

— Только после того, как я поправлю тебе помаду, — заявила Хоуп.

Пока Хоуп хлопотала вокруг невесты, Эйвери вышла на террасу, чувствуя, что хочет побыть наедине с собой. Хотя бы минуту.

Услышав, как внизу открывается дверь, она посмотрела на террасу номера «Элизабет и Дарси» и подумала, что, похоже, она все-таки не одна. «Так даже лучше», — решила Эйвери.

— Не могу себя понять, — сказала она. — Я не грущу, но не знаю, счастлива ли. Да, я безумно рада за Клэр, однако сомневаюсь насчет всего остального. Просто в толк не возьму, как это все получается. Смотрю на Клэр и вижу, что у нее нет ни тени сомнения, она совсем не волнуется. Хотела бы я чувствовать то же самое. Только вот как этого достичь?

Она посмотрела на «Весту», перевела взгляд на книжный магазин. Обязательства, верность — тут понятно. Но что побуждает людей решиться и связать жизнь с другим человеком?

— Ладно, неважно. Речь не обо мне. Сегодня счастливый день у Клэр. Ее праздник.

Эйвери повернулась, хотела было войти, как вдруг заметила что-то на столике между дверями. Нахмурившись, она подошла ближе и взяла маленький камешек. Гладкий как галька, он напоминал формой сердечко. Камешек лежал в чашечке ладони, а Эйвери не сводила глаз с вырезанных на нем инициалов: *Л. Ф.* и *Б. Р.*

— Лиззи Форд. Значит, Б означает «Билли»? — предположила Эйвери.

Она подняла взгляд, чувствуя, как колотится сердце. Дверь на террасу по-прежнему открыта, летний аромат в воздухе, легкий, как лепестки цветов...

— Это он дал тебе камешек? Билли? Наверное, он. И сердечко сохранилось. Но как? Как получилось, что сейчас я держу его в руке? Как могло...

— Эйвери! — позвала Хоуп. — Обратный отсчет!

— Сегодня праздник Клэр, — повторила Эйвери, сжимая каменное сердечко. — Сейчас я не могу показать им этот камешек, но я отдам его Оуэну. Обещаю.

Она прижала руку с камешком к груди.

— Обещаю.

— Эйвери!

— Секундочку! — Она вбежала в комнату, схватила сумочку. — Помаду поправлю!

Эйвери надежно спрятала камешек, спрашивая себя, будет ли он на месте, когда она вернется.

* * *

Пока солнце ползло к холмам на западе, Эйвери смотрела, как сочетаются браком ее друзья, слышала их клятвы друг другу и детям, что объединяли их в семью, видела, как в отблеске приглушенного свет блеснули кольца — еще один обет! — которыми они обменялись.

Огромное, незамутненное счастье исходило от молодоженов теплым медленным потоком. Оно поднималось в душе Эйвери, даря веру в красивое настоящее чувство, сильное и надежное.

На глаза Эйвери навернулись слезы, когда она увидела первый супружеский поцелуй Бекетта и Клэр, слезы радости.

А потом были объятия, аплодисменты, музыка. Оуэн взял Эйвери за руку и повел к входу в фойе по проходу между рядами стульев. Еще объятия, слезы, а потом смех, когда Мерфи во весь голос объявил, что хочет пи-пи, причем немедленно.

— Сначала туалет, потом фотографии, — объявила Хоуп. — Молодожены, их свита и родственники. Затем Клэр, Бекетт и мальчики, потом Клэр только с Бекеттом.

Она бросила взгляд на фотографа.

— Сорок пять минут. Тогда мы не выбьемся из графика.

— У тебя с собой секундомер? — осведомился Райдер.

— Вот здесь. — Эйвери постучала пальцем по лбу.

— Нужно, чтобы у Клэр с Бекеттом хватило времени на танцы, еду, веселье, — начала было Хоуп.

— Похоже, они особо не переживают по этому поводу, — заметил Райдер, показывая на жениха с невестой, которые самозабвенно целовались. — Расслабься, командир.

— Сам расслабься, — пробормотала Хоуп и увела народ фотографироваться.

Эйвери хотела отвести Оуэна в сторонку, но никак не могла улучить время. Решив, что спешить некуда, она отложила разговор до подходящего случая.

После фотографирования, возвращения жениха с невестой, их первого танца и нескольких тостов Эйвери наконец оттащила Оуэна в сторону.

— Я хочу с тобой потанцевать, — сказал он.

— Согласна, — кивнула Эйвери, — только вначале я тебе кое-что покажу. Наверху.

— Тут и еда есть. Вкусная...

— Будет и еда, и выпивка, и танцы. Мы все успеем.

Пока они торопливо поднимались по лестнице, Эйвери не выпускала из рук ладонь Оуэна.

— Предыстория. Недавно я стояла на террасе. Задумалась. Такой важный день! И вдруг вышла Лиззи. Я ее не видела, просто открылась дверь на террасу. Я думала о том, что Клэр и Бекетт женятся, дают друг дружке клятвы, в общем, все такое. Удивлялась, как у людей хватает смелости или чего там еще, чтобы на это пойти.

— Дело не в смелости, — начал было Оуэн.

— Да хоть в чем.

Эйвери открыла дверь номера «Оберон и Титания», затащила туда Оуэна.

— Меня позвала Хоуп, а когда я повернулась, на столике между дверей лежало вот это.

Она на миг закрыла глаза, полезла в сумочку и с облегчением вздохнула, когда пальцы сомкнулись вокруг камешка.

— Камень как камень. Подумаешь, важность.

— Заткнись. Ты посмотри!

Оуэн взял камешек, перевернул. Насмешливое выражение его лица сменилось озадаченным, затем изумленным.

— Это она дала тебе камень?

— Оставила на столе. Когда я выходила, там ничего не было, точно. А потом вдруг... Не сказала бы, что Лиззи мне его дала, но она явно хотела, чтобы я его увидела. Как ты думаешь?

— Я все еще пытаюсь понять, откуда она его взяла или как материализовала. Или... даже не знаю, что.

— Я решила не думать об этом, иначе мозг взорвется. Должно быть, Билли подарил ей этот камешек. Посмотри на его форму, инициалы...

— С чего бы ему дарить камень? Если...

— Это сердечко, а на нем их инициалы. Сентиментально, правда?

— Наверное. Б — Билли. Уильям. Р — первая буква его фамилии. Подсказка нам поможет.

— Поисками занимаетесь вы с Хоуп, вот я и хотела поскорее отдать вам камень. Хоуп сейчас распоряжается свадьбой, так что держи.

— Она дала его тебе.

— Лиззи? Нет, просто оставила камешек там, где я бы его нашла.

— Не вижу разницы.

— Она наверняка хотела, чтобы он попал к Хоуп. Хоуп — ее потомок.

— Однако Лиззи не оставила камень там, где его нашла бы Хоуп. — Оуэн отдал каменное сердечко Эйвери. — Оно должно остаться у тебя.

— По-моему, это неправильно.

— Думаю, она отдала его тебе не просто так. Может, если ты его сохранишь, то узнаешь причину. Я пока буду искать Уильяма Р., Билли. После свадьбы расскажем Хоуп.

— Хорошо, но мне как-то не по себе.

Она провела пальцем по выцарапанным буквам, затем положила камень обратно в сумочку.

— Если она захочет его забрать, то заберет.

— Я уже говорил, что ты потрясающе выглядишь?

В глазах Эйвери блеснули веселые искорки.

— Наверное, упоминал, мельком.

— Ты великолепна. И я...

Оуэн осекся. Нет, он не будет делать предложение в минуту порыва, тем более в день свадьбы брата, пусть даже и счастливый.

— Пора идти вниз. Не каждый день мой брат женится.

— Что ты имела в виду, когда говорила о смелости? — спросил Оуэн, когда они спускались по лестнице.

— О чем?

— О смелости, которая нужна, чтобы вступить в брак. Смелость нужна... ну, не знаю, наверное, чтобы пойти воевать, или укрываться от уплаты налогов, или для затяжных прыжков с парашютом.

— Я имела в виду, что человеку нужно подготовиться, прежде чем шагнуть в эту «пока-смерть-или-развод-не-разлучат-нас» жизнь.

Оуэну вдруг стало обидно.

— Ты всегда такая циничная?

— Я не циничная.

Само это слово звучало оскорбительно.

— Просто реалистка. А еще любопытная. Любопытная реалистка.

— Тогда посмотри вокруг, — предложил Оуэн, когда они вернулись в зал, где в танце кружились пары —

Клэр с Бекеттом, его мать с отцом Эйвери, родители Клэр и многие, многие другие. — Вот настоящая реальность.

Он подумал, что хочет подобной реальности. И чтобы в ней была Эйвери.

— Она прекрасна. Прекрасный и важный миг жизни. Но после праздника будут еще тысячи мгновений. Кстати, почему мы не танцуем?

— Отличная мысль.

Оуэн изо всех сил старался сохранить веселое настроение, но было ясно: после слов Эйвери между ними что-то поменялось. И Эйвери тоже это почувствовала.

* * *

У нее не было времени, чтобы печалиться или хотя бы просто подумать. Всего за неделю следовало довести до ума дом, обставить его мебелью, забить припасами кладовку и холодильник.

Эйвери вспомнила, как заканчивали гостиницу, но сейчас, когда Бекетт и Клэр были в свадебном путешествии, явно не хватало двух пар рук. Тем не менее, когда Хоуп и Эйвери раскладывали по шкафам тарелки, бокалы, столовые приборы, кастрюли, сковородки и прочую кухонную утварь, обе испытали дежавю.

— Клэр ведь не огорчится из-за того, что не сама разбирала посуду?

Хоуп покачала головой.

— Сперва я сомневалась. А потом представила, как она возвращается после недельного отдыха, и опять работа в магазине, дети, новые обязанности... А ведь она беременна. Нет, Клэр наверняка обрадуется, что не ей пришлось таскать коробки, распаковывать и все такое.

— Хорошо, что родители Клинта на несколько дней забрали мальчишек. Они, конечно, счастливы, но, честно говоря, я по ним скучаю. Мне не хватает этих неутомимых маленьких помощников.

— Ничего, мы почти закончили. Жюстина и Рози разобрались с одеждой, постельным и столовым бельем, Райдер с Оуэном перетаскали все крупные вещи... К приезду молодоженов все будет готово.

Хоуп замерла на полуслове, потом полезла за телефоном.

— Нужно проверить, заказали ли цветы.

— Ты же знаешь, что Кароли заказала. Расслабься, командир.

— Если он еще раз назовет меня командиром, я врежу ему по яйцам.

Хоуп замолчала, покрутила плечами, затем продолжила:

— Отличный получился дом — дерево, все продумано до мелочей, превосходное чувство пространства.

— Монтгомери умеют работать.

— Что да, то да. Кстати, о Монтгомери... Как у вас с Оуэном?

— Никак.

Хоуп бросила взгляд в сторону лестницы.

— Жюстина и Рози на втором этаже. Райдер с Оуэном пошли за очередной партией груза. Мы с тобой одни.

— Даже не знаю, в чем дело. Со дня свадьбы все изменилось. Наверное, я сама виновата. Когда я показывала Оуэну каменное сердечко, то неудачно пошутила о браке. Сказала что-то вроде: я буду с тобой, пока смерть или развод не разлучат нас. Оуэн считает, что я циничная.

— Удивительно почему?

— Я не циничная.

— Конечно, нет. Но ты хранишь багаж своей матери. В конце концов, тебе нужно будет от него избавиться.

— Неправда. Ну, ладно, может, ты и права, — признала Эйвери, злясь на саму себя. — Только это не багаж, скорее, небольшая сумка. В общем, теперь у нас с Оуэном какие-то странные отношения, и я расстраиваюсь. Мы ведь всегда были друзьями. Собственно...

Эйвери открыла сумочку, расстегнула молнию на кармашке и вытащила розовое пластмассовое колечко в форме сердечка.

— Вот, Оуэн подарил, когда мне было лет пять, и я в него влюбилась.

— Ой, Эйвери, какое хорошенькое! Так мило!

— Ну да, мило. Колечко из автомата со жвачками. Оуэн просто играл со мной, но я была на седьмом небе от счастья. Добрые поступки — в этом весь Оуэн.

— И ты хранила кольцо все эти годы.

— Конечно. Мое первое обручальное кольцо.

Забавы ради Эйвери надела кольцо, пошевелила пальцами. Как ни странно, ей вдруг стало грустно.

— А теперь между нами что-то не так, — печально сказала она, стаскивая колечко. — Должно быть, он хочет сделать перерыв в отношениях и...

Услышав, как открылась дверь, Эйвери замолчала, приложила палец к губам и засунула кольцо в сумочку.

* * *

Пока Тупорылый в изнеможении валялся на полу кухни, Эйвери помогала расставлять столы и лампы, раскладывала подушки. Когда служебный долг призвал Хоуп обратно в гостиницу, Эйвери распаковала полотенца и разложила по ванным комнатам мыло. Она прошлась от родительской ванной к детской ванной, от нее — к гостевой, потом к туалету с умывальником и закончила ванной комнатой в цокольном этаже.

Уже стемнело, когда она снова поднялась наверх и с улыбкой заглянула в гостиную. Как здесь по-домашнему уютно и красиво!.. В соседней комнате раздавался стук молотка. Эйвери зашла в детскую. Оуэн вешал постер с изображением людей.

— Ты собрал стеллажи для игрушек.

Оуэн оглянулся.

— Не я, Райдер. Перед тем как ушел.

— Он уже ушел?

— Мы почти все закончили. Мама просила тебе передать, что они с Рози завтра сюда вернутся, когда съездят за свежими овощами и фруктами.

— Классно! Ты прав, мы закончили. Я думала, что не успеем, а еще целый день в запасе.

— У нас было много помощников.

— Да, и ваши с Хоуп списки, что нужно делать. Замечательная комната, веселая и радостная. Весь дом таким получился.

— Да.

— Хочешь поощрительного пива за хорошую работу?

— Не откажусь.

Эйвери сошла вниз, открыла две бутылки пива. Подумала, какие странные у них теперь отношения с Оуэном. Чертовски вежливые и скучные. Все, с нее достаточно.

Поставив пиво на кухонную стойку, Эйвери дождалась, когда Оуэн снимет пояс с инструментами, и спросила:

— Ты на меня злишься?

— Нет. — Он устремил на нее решительный взгляд голубых глаз. — С чего бы мне злиться?

— Не знаю. Но мы... ты... похоже, со дня свадьбы между нами что-то изменилось.

Пристально глядя на Эйвери, Оуэн сделал глоток пива.

— Пожалуй.

— Если ты считаешь, что у нас ничего не получилось, я...

— Почему ты сразу думаешь о плохом? Считаешь, что не вышло, не сложилось, не склеилось?

— Я не это хотела сказать. Я...

Оуэн отмахнулся от ее слов, подошел к дальнему окну. Эйвери стиснула зубы.

— Ты на меня злишься.

— Сейчас разозлюсь.

Он глотнул еще пива, вернулся к стойке, поставил бутылку и посмотрел в глаза Эйвери.

— Как бы ты себя чувствовала, если бы я сказал, что меня не устраивают наши отношения? Только не лги, Эйвери, говори правду. Как бы ты себя чувствовала, если бы я сказал, что между нами все кончено?

У Эйвери дрогнул подбородок. Внутри словно все оборвалось.

— Ты бы разбил мне сердце. Ты это хотел услышать? Хотел узнать, что можешь это сделать?

— Да. — Он закрыл глаза, вздохнул. — Это именно то, что я хотел услышать.

— Неужели ты захотел бы причинить мне боль? Ты ведь не бессердечный человек. Если хочешь сделать перерыв, необязательно быть жестоким.

— Прекрати. — Оуэн говорил с безграничным терпением. — Я не собираюсь тебя бросать. Я не хочу никаких перерывов. Не хочу. Но ты не веришь в меня. Не веришь в себя. В нас.

— Верю. Почему ты решил, что не верю?

Хотя Эйвери еще не закончила говорить, она уже знала ответ.

— Иногда я говорю глупости. Порой у меня бывают глупые мысли. Уж ты-то меня хорошо знаешь.

— Я знаю тебя, Эйвери. Ты — преданная и великодушная, сильная и трудолюбивая.

Со дня свадьбы Бекетта Оуэн все пытался найти ответ на мучающий его вопрос и наконец нашел.

— Эйвери, ты сомневаешься в себе и беспокоишься, что ты кто-то или что-то, чем на самом деле не являешься. Но ты не похожа на свою мать. И никогда не будешь такой, как она. Меня бесит, что ты этого не понимаешь.

— Я стараюсь исправиться.

— Хорошо. — Оуэн хотел было взять пиво, но замер. — Нет, не хорошо. Мы так и будем ходить вокруг да около и ничего не решим. И это плохо, потому что я тебя люблю.

— Боже мой!

— Наверное, я всегда тебя любил. Мне понадобилось много времени, чтобы это понять, вот я и решил, что ты тоже не сразу поймешь. Но теперь все, хватит. Ты видишь этот дом?

— Да. Оуэн...

— Это не просто чертовски хороший дом. Это место, которое надо строить, сюда надо возвращаться, полагаться на него.

Оуэна переполнили чувства. Все, чего он хотел, было совсем рядом.

К черту расчеты и планы!

— Мой дом тоже чертовски хорош. И там должна быть ты, вместе со мной. Строить его вместе со мной, возвращаться туда вместе со мной, полагаться на него и на меня.

— Ты хочешь, чтобы мы съехались?

Такое развитие событий Оуэна не устраивало. «К черту!» — решил он. Все или ничего.

— Я хочу, чтобы ты вышла за меня замуж.

— Боже правый!

Судорожно вздохнув, она посмотрела вниз.

— Я не чувствую ног.

— М-да, умеешь ты обескуражить.

— Прости, прости. Дай мне минутку набраться смелости.

— Нет, черт возьми! При чем здесь смелость? Здесь нужны любовь, вера и надежда. Я смотрел, как мой брат женится на Клэр, и понимал, что тоже хочу жениться на любимой. Я всегда этого хотел, но думал: «Да, конечно, когда-нибудь». Когда-нибудь я обживусь в новом доме, остепенюсь, заведу семью... Так вот, Эйвери, это когда-нибудь никогда бы не наступило, если бы не ты. Ты всегда была единственной. Моя первая любовь.

— Мне нужно присесть.

Она плюхнулась прямо на пол, зажав в кулаке ключик, который висел у нее на шее. Замки нужно открыть. Оуэн ошибается, здесь нужна смелость, и она, Эйвери, никогда не была трусихой.

— А если бы я отказалась? Сказала бы, что мне это ни к чему?

Оуэн наклонился к ней, посмотрел в глаза.

— Ты бы разбила мне сердце.

— Я бы никогда этого не сделала.

— Ты выйдешь за меня замуж, чтобы пощадить мои чувства?

— Я так тебя люблю, Оуэн, что готова на все. Мое сердце трепещет, когда я тебя вижу. И так было всегда. Я к этому привыкла и потому, наверное, не ценила. Когда мы стали встречаться, я почувствовала больше, чем просто трепет. Намного больше, и не знала, что мне делать. Ни с одним человеком я не испытывала того, что испытываю с тобой. Я думала, мне чего-то не хватает, потому что мои чувства были недостаточно сильны. Теперь я сознаю, чего мне не хватало, — тебя. Никто не был тобой.

Оуэн сел напротив нее.

— Теперь нам обоим все хватает. Скажи «да»!

— Подожди. Знаешь, что я чувствую? — Эйвери словно светилась изнутри. — Моя любовь как каменное сердечко. Может, она это и хотела мне показать?

Оно такое же крепкое, надежное и долговечное, как любовь. Я никогда не думала, что ты меня полюбишь, и не давала воли чувствам. И все-таки смелость нужна. Мне пришлось ее отыскать.

Она смахнула слезу.

Оуэн взял Эйвери за руку.

— Я люблю тебя, Эйвери. Скажи «да».

— Возможно, я буду отстойной женой.

— А это уж мои трудности.

Она посмотрела на лицо Оуэна, такое дорогое и любимое. Да, вот теперь у них обоих все есть.

— Мне нужна моя сумка.

— Прямо сейчас?

— Да.

— Самое время, ничего не скажешь.

Ворча, Оуэн встал, взял со стойки сумочку и положил на колени Эйвери.

И ошеломленно замер, когда она достала розовое пластмассовое колечко и протянула ему.

— Я хочу быть твоей трудностью, Оуэн, всю оставшуюся жизнь.

— Ты его сохранила, — прошептал он.

Улыбаясь, Оуэн начал было надевать кольцо на палец Эйвери, однако она отвела руку.

— Не шути со мной, Эйвери. Скажи «да».

— Погоди. У меня нет — как это называется? — самообладания Клэр или деловитости Хоуп.

— Я что, хочу жениться на ком-то из них?

— Нет, и даже не мечтай. У меня нет твоего терпения. Слава богу, у тебя оно есть. Я не раз буду его испытывать, ты и сам знаешь.

— Знаю. Скажи «да».

— Я тебя люблю. Ты — мой друг, любимый, суженый.

Эйвери улыбнулась и поцеловала его в щеку.

— Моя первая любовь будет моей последней любовью. Да. — Она протянула ему руку. — Конечно, да!

Оуэн надел кольцо на ее палец.

— Почти подходит.

— Вначале оно было мне слишком велико. А сейчас, похоже, в самый раз, — сказала Эйвери, забираясь на колени к Оуэну.

— Долго же тебе пришлось ждать.

— Ровно столько, сколько нужно.

Она вытянула руку, пошевелила пальцами. Грусти больше не было. Только безграничное счастье.

— Я подарю тебе настоящее кольцо. — Оуэн взял ее руку, поцеловал палец выше розового пластмассового сердечка. — С бриллиантом, или какое ты захочешь.

— Это настоящее, хотя бриллиантовое я тоже возьму. Я беру тебя, Оуэн, и, слава богу, ты берешь меня.

Оуэн крепко обнял Эйвери, выдохнул ее имя. Вот оно, его «когда-нибудь». Здесь, в его объятиях.

— Теперь мы вместе.

— Ты и я, — прошептала Эйвери. — Сейчас я поняла, о чем говорила Клэр.

— О чем?

— О том, что она чувствует перед свадьбой. Она сказала, что не волнуется и не сомневается. Что ее взор ясен.

Она отстранилась, обхватила ладонями лицо Оуэна.

— И я себя так чувствую. Уверенно и спокойно. Ты тоже мое «когда-нибудь». Пойдем домой, начнем строить нашу жизнь.

Оуэн помог ей встать, и они вместе погасили свет, закрыли двери и вышли, держась за руки. Эйвери думала о ключике, который висел у нее на шее, о каменном сердечке в сумочке. И о милом, детском колечке на пальце.

Символы, это все символы открытых замков и непреходящей любви.

Литературно-художественное издание

Нора Робертс

ПОСЛЕДНЯЯ ЛЮБОВЬ

Ответственный редактор *В. Стрюкова*
Младший редактор *Е. Долматова*
Художественный редактор *С. Власов*
Технический редактор *Ю. Балакирева*
Компьютерная верстка *И. Ковалева*
Корректор *М. Сиротникова*

В оформлении обложки использована фотография:
Floral Deco / Shutterstock.com
Используется по лицензии от Shutterstock.com

ООО «Издательство «Э»
123308, Москва, ул. Зорге, д. 1. Тел. 8 (495) 411-68-86.
Өндіруші: «Э» АҚБ Баспасы, 123308, Мәскеу, Ресей, Зорге көшесі, 1 үй.
Тел. 8 (495) 411-68-86.
Тауар белгісі: «Э»
Қазақстан Республикасында дистрибьютор және өнім бойынша арыз-талаптарды қабылдаушының өкілі «РДЦ-Алматы» ЖШС, Алматы қ., Домбровский көш., 3«а», литер Б, офис 1.
Тел.: 8 (727) 251-59-89/90/91/92, факс: 8 (727) 251 58 12 вн. 107.
Өнімнің жарамдылық мерзімі шектелмеген.
Сертификация туралы ақпарат сайтта Өндіруші «Э»

Сведения о подтверждении соответствия издания согласно законодательству РФ о техническом регулировании можно получить на сайте Издательства «Э»

Өндірген мемлекет: Ресей
Сертификация қарастырылмаған

Подписано в печать 11.07.2017. Формат 80x100 $^{1}/_{32}$.
Гарнитура «Ньютон». Печать офсетная. Усл. печ. л. 16,3.
Тираж 2 500 экз. Заказ 6178

Отпечатано с готовых файлов заказчика
в АО «Первая Образцовая типография»,
филиал «УЛЬЯНОВСКИЙ ДОМ ПЕЧАТИ»
432980, г. Ульяновск, ул. Гончарова, 14

ISBN 978-5-04-004207-4

ЧАРЛЬЗ МАРТИН

Чарльз Мартин покорил своим обаянием и писательским талантом читателей во всем мире. Его романы переведены на 17 языков. Он с непринужденным изяществом изображает тонкие грани человеческой души, и в особенности ему удаются женские образы, что есть величайший дар для автора-мужчины.

Это не просто романтическая проза
в ее лучшем проявлении;
это осознанный взгляд на жизнь
во всей ее полноте. Браво!

— New York Times —